SEVENTH EDITION
SUPERVISION
A Redefinition
THOMAS J. SERGIOVANNI
ROBERT J. STARRATT

教育科学精品教材译丛

Supervision: A Redefinition

教育督导：重新界定 第七版

[美] 托马斯 · J. 瑟吉奥万尼
罗伯特 · J. 斯特兰特 著

王明洲 等译
朱永新 审校

凤凰出版传媒集团
江苏教育出版社

图书在版编目(CIP)数据

教育督导：重新界定/(美)瑟吉奥万尼等著；王明洲译. —南京：江苏教育出版社，2005.10

ISBN 7-5343-7010-8

Ⅰ.教... Ⅱ.①瑟... ②王... Ⅲ.教育视导-研究 Ⅳ.G464

中国版本图书馆 CIP 数据核字(2005)第 126715 号

Thomas J. Sergiovanni, Robert J. Starratt
Supervision: A Redefinition, seventh edition
ISBN: 0-07-240663-1

教育科学精品教材译丛

教育督导：重新界定(第七版)
Supervision: A Redefinition
[美] 托马斯·J.瑟吉奥万尼　罗伯特·J.斯特兰特　**著**
王明洲　**主译**　　朱永新　**审校**
责任编辑　张　苓

出版　凤凰出版传媒集团
　　　江苏教育出版社
(南京市马家街 31 号，邮政编码：210009　网址：www.1088.com.cn)
集团网址　凤凰出版传媒网 http://www.ppm.cn
发行　江苏省新华发行集团有限公司
照排　南京展望文化发展有限公司
印刷　江苏新华印刷厂

开本　787×1092 毫米　1/16　印张 19.25　字数 397 000
2005 年 11 月第 1 版　2005 年 11 月第 1 次印刷
印数　1—5 000 册
ISBN 7-5343-7010-8/G·6695
定价　30.00 元

邮购电话 025-85400774，8008289797
批发电话 025-83260767，83260768，83260760
盗版举报 025-83204538

苏教版图书若有印装错误，可向承印厂调换。
欢迎邮购。提供盗版线索者给予奖励。

作者简介

托马斯·J. 瑟吉奥万尼(Thomas J. Sergiovanni)是剑桥大学三一学院(Trinity University)教育研究中心的高级研究员、丽莲·拉德福特(Lillian Radford)的教育学教授，是三一学院校长管理中心(Trinity Principals' Center)的创会主任。他在哥伦比亚大学(Columbia University)师范学院取得硕士学位，在罗彻斯特大学(The University of Rochester)教育管理学院获得教育学博士学位。他是一个富有活力的教师、作家和编辑，他丰富的教学和写作经历，为他从事教育管理和督导提供了良好的基础。瑟吉奥万尼最近的著作有：《道德领导》(*Moral Leadership*)、《建构学校团体》(*Building Community in Schools*)、《校舍管理》(*Leadership for the Schoolhouse*)、《领导的生活世界》(*The Lifeworld of Leadership*)、《校长领导：实践视角的沉思》(*The Principalship: A Reflective Practice Perspective*)等等。

罗伯特·J. 斯特兰特(Robert J. Starratt)是波士顿大学林彻教育学院(The Lynch School of Education at Boston College)教育管理学教授。他在波士顿大学(Boston College)获哲学硕士学位，在哈佛大学(Harvard University)获教育硕士学位，在伊利诺斯大学(The University of Illinois)主攻教育管理并获得教育学博士学位。他对教育领导学颇有研究，最近的著作有：《领导艺术》(*The Drama of Leadership*)、《建构道德学校》(*Building an Ethical School*)、《领导视界》(*Leaders with Vision*)、《教育领导的转换》(*Transforming Educational Administration*)等等。

教育科学精品教材译丛

总序

作为高校教师，我们中的许多人常常为教育科学教材的陈旧落后而痛心疾首；作为教育学人，我们中的许多人也常常对经济学、社会学等显学学科教材建设的突飞猛进而称美不已。

于是，我们坐卧不安，我们摩拳擦掌，我们立志超越，我们走到了一起。经过几年的努力，涵盖当代高等学校教育学专业的全部主干课程的大型海外教材《教育科学精品教材译丛》（下面简称《译丛》）呈现在读者面前。

许多年来，我国高等师范教育和高等学校教育学专业课程改革的步伐极为缓慢，师范教育的教育学、心理学、教材教法这三门课程多年不变，教育学专业的课程内容陈旧，课程的选择空间相当狭小。可以说，改变高等师范教育课程和高等学校教育学课程的落后状况，是《译丛》最为基本的宗旨。

另一方面，随着教育事业改革的深化，教育实践中产生的问题日益复杂，解决这些问题需要极为丰富的教育科学知识和能力。《译丛》追求的另一宗旨正是通过奉献世界上最先进的教育科学知识体系，促进我国教育事业改革的深化。

在过去的几年中，高等学校课程改革已经取得了相当明显的成效。深化课程改革的一条重要途径是引进国外尤其是发达国家的高校教材，藉此提高教育质量和增进学生的学习能力。《译丛》的宗旨和思路与我国高校教材改革的这种方向是一致的，而且是高校教材改革过程的组成部分。

促进学术交流，是《译丛》向往的又一宗旨。学术沟通的障碍，表征是交际语言，而深层原因则是学术语言与学术规范。《译丛》希望通过引进国外的教育科学知识体系和贯穿其中的研究方法与表达方式，促进我国教育科学学术事业的进步，并为其走向世界奠定基础和开辟道路。

《译丛》是建国以来从海外引进的规模最大、门类最全的教育学科教材，被国内媒体称为“又一次重要的拿来主义”。在科教兴国的基本国策背景下，它所蕴涵的巨大社会意义已经超出教材本身。因此，《译丛》的编委会和出版者——江苏教育出版社对此高度重视，并为此做了大量的细致而扎实的工作。第一，组建了强大的编委会和翻译队伍。《译丛》的编委会阵容整齐，有各师范大学的博士生导师、教授以及一批海外教育专家；主要翻译人员和审校者均是教育科学专业的博士或教育科学领域的教授，其中一些译者长期旅居国外，并从事教育科学专业的研究和教学工作，他们均在教育科学领域具有相当深厚的积累，可以确保《译丛》的翻译质量。第二，精心筛选选题。《译丛》的入选图书品质上乘，所有选题皆经中、日、美等国专家反复磋商论证，精选而成。其中一些书目为国外学术机构所推荐，在国外大学拥有广泛的学术声誉。许多教材一版再版，最多的已达八版。

我们希望，这套教材能成为国内教育科学的替代课本或重要参考书，同时也能作为各地教师继续教育的重要资料。

我们期待，这套教材能给中国教育理论界带来一些观念和方法上的启示，为我国的教育科学的教学和研究，尤其是教材编写工作提供一定的借鉴。

我们相信，这套教材会得到许多中小学教师、校长、教育行政机关干部、教育科学研究人员、教育专业的研究生以及高校在校学生的关注和选用。

当然，我们更希望、更期待的是创新和超越。希望和期待我国的教育科学工作者编写出高水平的、具有中国特色的教材。站得更高才能看得更远，看得更远才能做得更佳，希望我们这套教材能使中国教育理论界有一个更高的起点，使中国的教师和师范学生有一个开阔的视野。需要说明的是，原书附有大量的索引，但为降低图书成本，减轻读者负担，我们只好割爱，敬请诸君谅解。

我们欢迎各种形式的参与和合作，欢迎专家和读者随时为我们荐书，随时提出各种建议和评论。

《教育科学精品教材译丛》编委会

二〇〇二年四月

目　录

第二部分　督导基础

目　录

序 言

一本书结束后通常都有特定的结论。可以把它安排在书的突出部分，并且和其他部分融为一体。如果作者想要在随后的版次中改变书中的某一位置，这非常容易，可以用脚注。然而，这本书却拒绝结束。

这本书经过最初四个版本的发展，虽然已经有了很大的变化，但是其基本的理论却保持了相同性。但在第五版和第六版以及这一版，情形就不同了。因为学校的期望和假设已经发生了巨大的变化，那么现在的学校教育就需要进行重新界定。这种重新界定包括对学校很多方面的重新理解，包括学校结构、时间框架、标准、责任、职业特征、教和学、教师发展、领导以及行为权力的来源等等。在如此巨变的背景之下，督导本身也需要重新界定。我们不但需要对原有的事情采用新的方法，而且要在督导思考和实践的基础上对理论本身进行变革。

督导的发展特征

在二十世纪七十年代出版的第一版和第二版中，我们把学校督导界定为主要是一种仪式。此时，仍然继续聘用督导员，学科中也仍然继续传授大学课程，但是在督导这个名字下面发生的许多事情，看起来好像并不怎么重要。督导员的大量时间花在行政事务上，教师评价体系也很草率。督导者的角色和作用整体上有一种自以为是的特征。

1984 年出版了第三版，这表明人们对督导的兴趣有了一些回升，并且组织了一些督导活动。在国家的层面上，督导与课程发展协会对督导给予了更多的关注。这一领域的文化也在不断地扩展并在质量上有所提高。课堂督导、临床策略和技术策略开始出现，并在与传统教师评价的竞争中取得了成功。这种情形也许在实际行动中还没有达到相应的程度，但至少在文化和学术会议上是这样的。关注督导问题的出版物变得越来越流行，许多被督导与课程发展联合会列入最受欢迎的刊物之列。督导主题越来越频繁地出现在这一组织的国家及地区会议上。教学督导教授协会在 1976 年的创立，表明了参与督导问题研究的学者在数量上增加，他们对于自我认同、建立更好的沟通网络以及寻求更多的系统研究方法感兴趣。

这本书的第四版于 1988 年出版，此时督导正在成为美国学校教育的应有之物。在此前督导是轻微的复苏，而现在已变成了一场革命。无论是国家的政策制定者还是地方学校的管理者，都把督导列入了改革日程的重要位置。例如，许多州对督导和教师评价的指示开始增加。这些指示包括督导技术的培训、对校长和督导员的评价等，目的是让他们掌握州督导和评价体系的综合而标准的规定，在这些体系当中，许多是建立在与教学效能和学校效能运动相关的整体研究的基础之上。这项研究表明，“有效的学校”具有一个特征，即它们的校长和其他督导员对教学具有强有力的领导。这项研究还进一步表明，教学的一个最好办法是确认、提供指导并评价。

由州、专业协会、地方学校以及个体企业家所提供的数以千计的研讨会和讨论会中，教学领导变成了热门话题。一些州甚至走得更远，它们要求所有校长和督导员通过州所认可、授权的和州发起的教学领导培训科目，作为其继续在岗的一个条件，而且还作为教师评估者的职业资格证明。

在专业教育共同体的学术方面，也出现了类似的督导热潮。在 1985 年，督导与课程发展协会创办了《课程与督导杂志》。有关督导和评价方面的学术文章出现得更加频繁，此类的出版物有《课程研究》、《教育评价》和《政策分析》等等。《教育人事评估杂志》于 1986 年创刊。权威的美国教育研究协会于 1983 年创立了一个督导指导特别兴趣小组，从此以后，在这个协会每年的年会上都会出现对督导问题比较集中的、持续的研讨。

随着 1993 年本书第五版的出现，督导的重点不再是评价教师，而是转移为促进教师发展，在教师中构建专业共同体。而且，校长和督导员作为教学领导这一特性已经让位，督导员变成了开发者和领导的领导。在这种新的模式中，教师承担了提供教学领导的更多责任。

1998 年第六版发行，督导成了演化的关键点。我们正处于一个强大的标准化运动的中央，这个运动孕育了一个责任思考的新时代，它瞄准的不仅是学生及其所学内容，而且包括教师及其如何教。显然，要想促进学校发展，如果没有教学能力的提高，就不会有什么成就。教师质量成了改革者努力推动变革的咒语(mantra)。各州为预备教师设置了更高的标准。国家专业标准委员会和国家教师教育认证委员会成了推动变革的重要力量，这大大加强了教育专业。教师教育委员会于1997年被合并，但它仍然为改革提供服务。学校方面在以教师评价作为学校发展的手段上变得更加谨慎。而专业发展成为研究重点，但它并不是从教室中抽取一些孤立的、无关联的事件，而是重新致力于课堂的持续不断的发展提高。

当第七版出现的时候，督导继续在学校运转中起关键作用，这一点非常清楚。然而，仍然有许多问题处在争论之中，例如，这种新现象和兴趣的形式及其实质、它的影响，如何才能让教师感觉到？从长远角度来看，它对教和学的影响是什么？再比如，这种"新督导"会为教师提供帮助并在教和学的活动中提高他们的专业决策的作用吗？或者这种新督导的结果是对教师和教学的一种高度制度化和控制？如果是后者，督导对于教师专业化以及教与学的后果是什么？或是打算与教师分享传统的督导作用和责任，加强教师领导，促进督导的大学模式发展，加强研讨并以更高的热情分享讨论结果？这样能形成专业共同体吗？或是准备与教师共享传统作用和责任，导致新的科层组织产生？这是否会只对一部分教师有利而对大多数不利？督导的重要性日益增加，常常很具有吸引力。但是这一新的重点发展成功与否，主要取决于新世纪第一个十年中督导所采用的形式。这在很大程度上还取决于在以后几年中标准化运动如何进行到底。这一运动能成为创造新型教学和督导职业的变革力量吗？或者会演变成为另一种管理侵权而起相反作用？

道德问题

督导常常用外来标准进行界定，比如用教和学的道德特性。对于我们而言，督导从它的直接参与并伴有教和学的外部道德特性中取得其道德特征。也就是说，教学从其本性上就承担起了对被教育者进行关心、尊重所传授的内容以及与社区过去、现在和未来的生活进行联系等任务。不关心被教育的人，或是歪曲所传授内容的意义，这都违背了教育的理念。督导这种活动包含有另外一种意思，即支持并推进对学习者的关照并且尊重所传授内容的重要性。督导员的道德权力是与教师的道德权力结合在一起的。

虽然我们继续强调技术和课堂监督之类的传统督导过程的实际应用，但同时加强了对教与学、教师评价和员工发展的反映，把这些活动与其背景一并重新考虑，而且有了实质性的变化。学校作为学习的共同体，使得这些活动包含了工作中更为强烈的、专业的和道德的关注。在新的督导中，这些职责不再为校长、督导员以及其他行政人员所独有，相反，他们正着手建立一套共同的观念和技术，使参与促进学校教育的每一个人都能共享。督导员的作用非常重要，但在理解上却是不同的。他(她)是以一个倡导者、开发者的身份出现，并且把教师的努力串联在一起以促进教和学的发展。

最后，督导并不是与学校制度再创的动力相分离而单独发挥作用的，而是这种动力的一个必要因素。那些正在实行的督导职责是放在一个独特的位置来培育和发展的，这清晰地表明学习共同体的可能性和应然图景。

在我们看来，督导如果能够恰当地重新界定，那么督导就可能在学校促进其发展的努力中成为一个不可或缺的因素。这些努力的目的在于提高教师质量，使学校更加关心学生，提高学习的可靠性和严密性。这本书第一次出版于1971年，这一版继承了三十年来的传统，不断地对督导这一领域进行重新界定，以适应学校环境、政策和现实的变化。本版次中增加了一些新的章节，讨论课堂督导中的问题、可行的策略、教学标准在督导和评价中的使用，并构建一种可持续发展的文化。这些实际的应用受到督导观念的支撑，作为一种道德机构，它已成为本书传统的一部分。这是一本富有挑战性的书，它从读者那里得到了很多东西的同时，转而为他们提供了坚实的基础以处理在学校督导实践中所面临的复杂问题。

——托马斯·J. 瑟吉奥万尼、罗伯特·J. 斯特兰特

致　谢

作者非常愉快地向为本书作出贡献的下列几位教授致谢，他们在第七版编写的各个阶段对原稿进行了很多评论。

黛布拉·弗里德曼(Debra Freedman)——宾夕法尼亚州立大学(Pennsylvania State University)；

安·哈森弗拉格(Ann Hassenpflug)——阿克伦大学(The University of Akron)；

帕特丽莎·霍娜(Patricia Hoehner)——内布拉斯加大学卡尼分校(University of Nebraska, Kearney)；

帕特丽莎·E. 霍兰(Patricia E. Holland)——休斯敦大学(University of Houston)；

南希·米姆斯(Nancy Mims)——西佐治亚州立大学(State University of West Georgia)；

沙伦·纳尔逊(Sharon Nelson)——宾夕法尼亚州立大学兰开斯特分校(Pennsylvania State University, Lancaster)；

罗斯·玛丽·牛顿(Rose Mary Newton)——阿拉巴马大学(The University of Alabama)；

兰迪·里佩恩(Randi Reppen)——北亚利桑那大学(Northern Arizona University)；

琳达·韦伯斯特(Linda Webster)——索诺马州立大学(Sonoma State University)。

第一部分 督导前景

第一章 督导与学校复兴

在过去的十多年当中，美国的联邦政府、州政府以及世界上的许多工业国家，对于学校及其发展给予了相当的关注。为了在全球市场中保持竞争力，政府号召学校培养适应社会需求的劳动力：能快速适应生产技术的更新和技术创新的加速，并能把这些复杂技术应用到所有形式的工作中去，包括从银行业到种植业，从机械自动化到护理，从教学到职业运动等等。政府已通过立法和政策动议，希望学生能取得更好的学术业绩，包括更有活力的复杂课程指导，以迎接州委任管理的要求不断提高的测试。政府动议包括有效教学的标准，这些标准是用来衡量教师教学的。州所主持的文化及其内容知识考试是为了颁发教师资格证，继续教育要求是为了阶段性更换教学证书。除了这些目标之外，一些州及一些大的城市学校系统还要求教师及其管理人员要为学生的糟糕成绩负责——为学校的一贯运转不良负责，而这些方面教师和管理人员本来是可以避免的。

在这些政策动议的无情压力之下，教师和督导员们必须考虑重新构建教学和督导过程。从教师角度来说，教学必须对学生各种各样的才能负责，让学生乐于学习，要考虑到学生的兴趣、文化及语言背景。就算有一种教学策略适合所有孩子的观点，但即使真正被接受了，也不会长久。政策团的态度是，如果孩子不学习，这是教师的责任。这样，教师就不会再批评学生，对于家长和没有教学成效的老教师，也是一样。学生在任何一堂课上的学习失败，都被认为是教师的失败，因为他没能找到可以让学生学习的方法。

教师还要面对其他的挑战。他们承受了很大的压力，要使班上所有孩子的成绩达到一定水平，而且成绩水平本身还在不断被抬升。在低年级当中引入元认知学习，换言之，就是希望学生思考他们是如何学习的，能够意识到学习的策略。这在以前通常被认为需要更高的推理能力，所以很多人认为元认知学习超出了低年级学生的认识发展水平。但是让学生回忆一些简单事实并记住答案已显然不足：学生们必须说明各个信息之间的关系，这就需要更高水平的学习。对学生学习的要求同样对教师提出了新的要求，要求教师提高教学策略和课程设计，达到较高水平的学习。

新的政策关注的是学校复兴，所以督导者同样面临着挑战。他们被迫把重点集中于学生所学内容和课程标准以及州测试的关系上。督导者并不是要寻找教学策略以表明课堂的有效性，而是要寻找能够看得到的证据，以表明学生的学习是教师提供的各种因素促进的结果。督导者要静下心来，但不是简单地与一个个教师讨论特殊的教学技巧，而是更多地与一组教师进行讨论：学生在既定的水平上以什么程度进行学习？怎样设计新的方法来培养这种学习？有时候学生的学习困难是由于双语教学造成的，有时是因为一些孩子的特殊要求，有时是因为家庭氛围的压力。督导员的工作就是帮助教师指出学生发展困难的来源，并给教师带来合作者的资源，在学生学习的过程中指导其逐步提高。教师同样也负有督导的责任。不管督导者有何种责任，一旦认为督导只是为教师做某些事情，而不是和教师一起工作，那么督导对于促进学校发展方面的潜力就不可能被完全意识到。进一步说，除非教师承担起自我学习和发展的更多责任，并能充分地进行自我管理，否则学校为帮助教师而付出的成本就太大了。

角色和功能

在当今改革的环境之下，最好是把督导理解为某种角色和功能。例如，当校长、系主任、中心办公室学科业务专家，以及其他正式任命的督导人员观摩课堂以帮助教师提高实践能力时，他们担当的是正式的督导角色。这种作用是通过参与一些活动体现出来的，比如观摩教学并作出一些有益的评价，帮助教师反思教学，上示范课，向教师提供一些项目建议，分析考试分数，按照学区或州政策的要求作出正规的教学评价等等。

但是其他一些人也会起到督导作用，虽然他们不是正规的督导员。例如，教师之间相互观摩课堂就是如此。他们互相学习，互相帮助，互相指出缺点，一起检查学生工作的样本，一起评述近期的测试分数，探讨给学生布置的作业是否恰当，学生是否达到了相应的水平，共享彼此的资料，互相参与对方的活动以提高学习水平、提高教和学的质量等等。

督导功能对于帮助学校发展方面是如此重要，它可以使学校保持有效的活力并确保学习水平，但是并不能想当然地认为这只是正规督导人员的责任。因此，校长和其他正规督导人员负有两大责任：

- 尽可能为教师提供最有成效的督导；
- 提供必要的条件，帮助并支持教师在日常活动中进行自我督导。

为了履行这些职责，督导人员可以建立包括不断学习在内的学校督导文化，在这种文化当中，教师就成了团体组织活动的一员。团体活动的组织形式，就是教师通过共同努力、互相帮助、互相关心，为提高学生的学习成绩而共同工作。通过这样的团体组织，教师和工作之间就结成了纽带，教师们意识到，团体组织并不是个人活动的简单叠加，而是可以分享教学活动，具有无可比拟性。

但是如何看待责任感？在这样一个标准化的时代，考试及其结果利害攸关。我们是否还能坚持认为教师有责任感？如果不对教师进行评价，我们怎样才能相信教师有责任感？在督导的图景之中，教师评价应该置于何种位置？在当今变革时代，督导必须高度关注责任感。如果督导和责任感无关，那么在保持其有效性方面，督导和责任感都不会赢得支持。

教师需要参与到督导中以克服其经验的孤立性。教师的参与有助于其成为一个不断学习的人。当他们在一起工作、学习时，教学就得到了提高。好的教学往往意味着学生高水平的学习。当学生学习不好时，当教师教得不好时，问题可能就出在学校所提供的督导质量上。在某种意义上，我们督导人员有责任提供督导体系并使教师意识到，我们需要教师的参与，我们会帮助教师在教学中更有成效。

对责任感的依赖并不仅仅是指一个督导事件，更多的是指督导标准——一种渗透在学校文化中的强势价值。正如这项标准所表明的，督导人员将担当多种角色。在这中间有同事、教师的开发者，视野的看护者以及学习机会的设计者，他们在努力推进教师和学校的学习曲线达到极限的同时，也代表了学生和家长，行使其作为质量管理者的职能。

督导框架

对于我们而言，**督导的目标在于帮助学校增加机遇和能力，更有效地促使学生的学术成功。**头脑中一旦有了这个目标，我们就可以通过提供一个理解的框架来设置一个督导的场景：学校是如何促使学术成功的？在这个过程中，督导是如何发挥关键作用的？这一框架与当今学校复兴的政策背景相呼应，这就需要把督导的行政方面（例如法定的教学测试后果）、人力资源方面（对教师的学习进行投资）以及其他的构建能力策略整合起来。把这种整合概念化的一种方法，可以参考纽曼（Newmann）关于学习方法的著述。[1] 这项工作可以概括为如图 1-1 所示的模型。值得注意的是，在图示的中央，学校的教学能力、教学质量、学生的参与都列了出来，表明了督导人员帮助学校更加成功的路径。作为支撑领导发展与成效的一个重要维度，社会及结构性支持列在了督导路径图的两边。这些路径详述如下：[2]

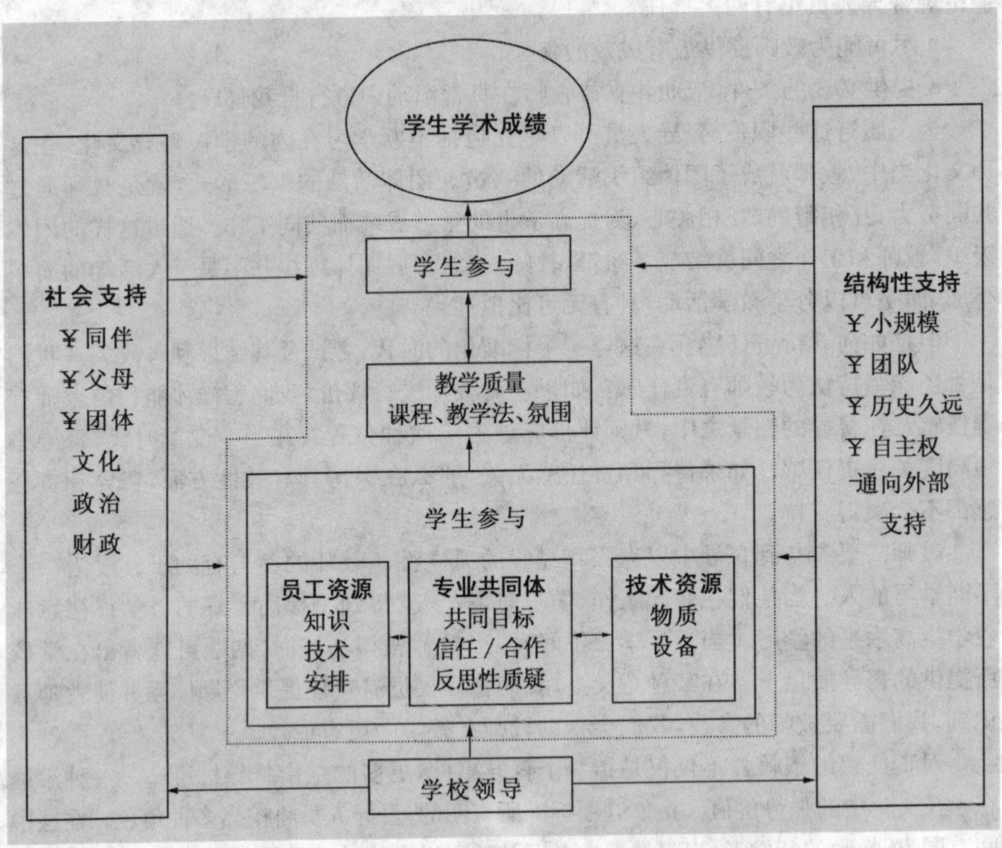

图 1-1 学校是怎样致力于学术成就的

● **学校教学能力**可以界定为学校支撑教和学的组织特征。这中间包括教师所传授课程的学科知识、教学技巧、课堂管理、提升成就的意向性（如高期望、关注个体差异、关心学生）、接触高质量的课程、教材、技术、足够的空间、通往可以支持高质量教与

---

〔1〕 Fred M. Newmann, "How Secondary Schools Contribute to Academic Success," in Kathryn Borman and Barbara Schneider(eds.), *The Adolescent Years: Social Influences and Educational Challenges*, Ninety-seventh Yearbook of the National Society for the Study of Education Part Ⅰ. Chicago: University of Chicago Press, 1998, p. 88-108. Though Newmann focuses on secondary schools, he does not believe that major differences exist in the factors that contribute to student achievement in secondary schools as compared with elementary schools. In his words, "... the research has not revealed major differences within the two levels of schooling that affect students' academic success."

〔2〕 Ibid, p. 89.

学的专业社团途径，以及可以提高教师能力，有助于教师思考、计划和共同工作的途径。

- **教学质量**界定为以学术和专业规律为基础的课程内容，这些规律需要深入理解和应用；教学需要掌握的基本信息和技能，同样需要深入理解和综合思考；高期望所带来的学习氛围，有秩序的环境、关心与合作。
- **学生参与**界定为学生致力于学习、参与学习。

当学校的教学能力得到提升，而且教师能够接触到高质量的课程，那么教学就得到了提高，再加上教师之间互相帮助，其结果就是教学质量的提高。换言之，教学质量是提高学生参与水平的一个主要因素，是提高学习效果的通道。

纽曼机敏地指出，如果要帮助学校在提高学生学习方面更有成效，就不能仅靠督导这个渠道。例如，在谈到学生参与时，他指出“学生参与的结果取决于教学设置的质量以及同伴、父母、学校之外的社区等社会支持”。[1] 除了社会支持外，还有一些其他的结构性支持因素，例如，较小的学校规模、学校的分权管理、鼓励教师采用更加合作的学院式的工作方式。社会性支持和结构性支持对于学校的领导都非常重要，如果处置得当，会使督导渠道的贯穿比较通畅。

在书里根据其支持方对通道进行分类要容易一些。对于这项工作，督导人员不得不考虑两个方面：学校的整体领导以及督导的领导类型和性质。总而言之：

- 督导的领导要致力于提高学校教学能力和教学质量，并加强学生的学术参与；
- 学校的整体领导要致力于尽可能地为教师和学生提供社会支持及结构性支持。

督导的领导看起来应该是一个什么样子？它在实践中是怎样运作的？对此大家的意见并不一致，各种不同的观点之间争论不休。按照纽曼的观点，我们认为督导的核心是为教师提供各种机会，不断地提高他们的学习能力，互相关心，互相帮助，从而使教学更加有成效。我们把学校看作是学习共同体。在这里，学生、教师以及督导人员，都是依赖于此种环境的学习者和指导者。为一个团队而学必然导致为所有人而学。[2] 我们认为，建构学校的教学能力对于提高学生的学术成就是非常重要的。

对于这一问题，你怎么看？在你的学校，你每天观察到的督导活动是什么样子？这些活动背后的假设是什么？在过去的一个世纪当中，处于主导地位的观点是什么？我们将在下一部分讨论这个问题。

督导的形象

让我们步入督导的世界，来看一下地下铁道城市学校（Metro City）的发展成果。

---

〔1〕 Fred M. Newmann, “How Secondary Schools Contribute to Academic Success,” in Kathryn Borman and Barbara Schneider(eds.), *The Adolescent Years: Social Influences and Educational Challenges*, Ninety-seventh Yearbook of the National Society for the Study of Education Part Ⅰ. Chicago: University of Chicago Press, 1998, p. 91.

〔2〕 See for example, Tony Townsend, Paul Clarke and Mel Ainscow (eds.), *Third Millenium Schools: A World of Differences in Effectiveness and Improvement*, Rotterdam: Swets & Zeitlinger, 1999.

现在把你自己置于地下铁道城市学校督导人员的位置上。一年以前，地下铁道城市的另一所学校被督导人员和中心办公室的人选作模范学校。这所学校将要并入新的教育体系中，其特色是有明确的教学目标并将其分成了不同的等级水平，另外还有与目标相关联的高度结构化、节律紧凑的课程。这些课程包括主要科目的新课本和辅助练习册，也包括精心设计的作业和活动，以便学生有必要的实践。对于教师来说，如果有每天和每周的课程计划，就可以使情况变得容易一些，并保证学生们能得到相同的指导和任务。每一周、每六周和每学期的测试参考标准都包括在这个计划当中。这一体系提供了每六周的测试成绩评价，以供指导学生成绩之用，包括年级水平和年级水平内的每个班级。由教师组成的质量委员会或质量团探讨分数问题，在低分的情况下，要找出更好的系统弥补办法。管理部门为这个质量团观念而感到特别自豪，因为它需要教师的参与。

地铁城的管理部门觉得，如果让教师熟悉系统并能忠实地遵循指导和约定，那么教学就会很成功，于是他们引入了一个富于激励的体系。教师们受训的方法可以反映出比较流行的教学成效研究状况。在这项研究的基础之上建立了一个评价体系，为的是要评估那些被列入观察花名册上的教师表现。得分最高的教师可以获得奖金。

为了使事情顺利开展，校长要接受新课程、教师督导与评价等各个方面的培训。而且，一个新的督导人员需要对很多方面有比较深刻的理解，比如新课程、考试程序、每天及每周的课程计划、使事情得以开展所需的指导以及学校的评价体系等。校长和督导人员所提供的教学领导包括对教学进行认真指导以确保与新体制相吻合，对有困难的教师提供帮助等等。

在新学年开始之前，为教师提供一个规划详尽、为期一周的培训项目，还提供一个星期的工资。学校在最初的一周内实行半天工作制，这样就可以保证附加的培训和调整。这项培训看起来非常成功，因为在九月份之前，教师们就显露出理解和应用体制的相当水平。中心办公室对此项创意的成功给予了很高的期望，把它看作是向学区其他学校进行推销的模型。

在引入新的体制之前，学校的教师和领导由于团结紧密、斗志昂扬而名声在外。这种局面在新体制引入之后的短时间之内就开始发生了变化，教师们开始抱怨。他们不喜欢新课程，经常感觉到这与他们所认为的重要内容不符。他们抱怨来自考试的压力。他们发现自己并不喜欢所教授的课程以及所采用的教学策略。

每天的测试以及测试内容越来越成为课程内容，这一点严重地困扰着教师。他们也对学校的整个氛围表达着不满，他们觉得对学生越来越非人性化，同事之间的竞争也在不断加强。随着学期的继续，这种不满在教师中间不断滋长。当学生的表现情况明显没有达到管理部门的高期望时，事情就开始变得糟糕起来。管理部门感觉到很困惑，为什么如此精心设计的教育体制在这所学校会不起作用呢？寒假之后不久，校长的幻想破灭并请求了调动。督导人员同样非常沮丧。

随着校长的即将离去，主管人要求你和其他三位督导人员回顾一下学校所发生的事情，努力找出督导问题的源头并找到解决问题的途径。要求你们独立思考解决问题的方法，并把想法带到即将召开的会议上去。你怎样回应主管人的要求？花上几分钟的时间总结一下你的观点，勾勒出轮廓或者框架。

下列是四位督导员对这所学校存在问题进行的罗列及设想的解决方法。所有的督导人员都是从一个形象出发或暗含一个学校教育世界的理论，甚至可能是从世界本身的运转方式出发。四种描述当中，哪一种最符合你的观点，你认为应该如何修正？〔1〕

督导人员 A

在这所重新设计的学校当中，目前的问题非常明显，可归咎于在那里的工作人员。如果教师们还没有适应新课程及其程序，也许就不能发挥促进学校发展的作用。也有可能是校长和新的督导人员并非像人们所想象的那样是专家，因此他们会因为没有提供充分的系统指导、没有能力为教师们提供正确的帮助及必需的督导而受到人们的指责，他们本可以更好地利用这个体制。

如果我从一开始就能实施自己的方案，我会聘用一批新教师。在整个系统范围内开展调查，找出最适合体制的教师类型：能认真按照体制要求去做、遵循教学和工作模式的人。在学校中引入新的体制，我认为对现有教师提供帮助以使他们对新程序有一个更好的概念理解，这方面强调得太多了，这会导致很多问题，像迷惑、怀疑等等。所有教师需要知道的是他们怎样才能适应这个体制，他们的工作是什么，预期的结果是什么。更明确的方向和期望，并结合着更好的培训、更直接的指导，这样就能提供监控并使系统运转起来。

我认为学校可利用的最好的东西，就是引入课程、课程计划、材料、测试、教学设计及其评价体系。虽然这可能会发生混乱，但是没有什么教育体制能设计得很完美，在这种情况之下，失败应归咎于无意愿性以及对于想要做的事情却没有能力做。因此，在即将召开的会议上，我打算使之明晰化，问题并不在于新的教育体制，而在于使用教育体制的教师。答案不在于改变体制，而是要更好地培训教师，更用心地指导教师，或者在教师当中找出那些愿意使用这套体制并按照预期方法去做的人。

督导人员 B

在重新设计的学校当中，问题的根本在于缺乏对人际关系的关注。在整个一年之中，教师及其他职员都一直在报怨。正如我起初所认为的那样，教师们不会去咨询课

〔1〕 The role perspectives for supervisors A, B, and D are adapted for use in a school context from: Leonard D. Goodstein and J. William Pfeiffer (eds.), *The 1985 Annual: Developing Human Resources*, San Diego: University Associates 1985. p. 49 - 52. Reprinted by permission of Jossey-Bas, Inc., a subsidiary of John Wiley & Sons, Inc.

程的类型或将要运用的程序，他们关注的只是在学校未来的发展模型当中，他们将被排除在决策的过程之外。我认为如果事件影响到了教师，他们就会想表达出某种看法。他们需要他人的关注和重视。成功的公式其实非常简单、直接。当这些条件不存在时，士气就会下降；当教师们感到满意时，士气就会上升。另一方面，他们更乐于合作，更愿意服从，这样他们的行为方式就会得到改善。

教师们表示，新课程和教学程序过于麻烦、僵化，这样就不可能叫他们舒舒服服地工作。其实，只要学校履行了职责，满足了教师的需求，其他所有事情就会各就其位，学校的目标也就会自然而然地实现。毕竟在重新设计程序之前，教师们是很满意的，学生的行为水准也比现在高。在新的体制之下，教师们不仅要应对合作空间的压缩，这在以前是激发士气和满意的主要动因，而且要面对新上任的督导人员，他们被聘用或受训，是因为他们的技术技能，而不是因为他们的人文技能。

在即将召开的会议上，我打算探讨一下上层管理部门的判断错误问题。我想指出的是，教师必须受到重视和欣赏，评价体系的竞争性破坏了团队的和谐，多一些关注和喝彩，会使事情运转得更好。解决好了人际关系，教师们就会和管理部门愉快地进行合作，实行新的体制。

督导人员C

按照我的观点，问题可以归结为一点：没能为教师提供各种机会以满足他们自主的个体需求，满足他们胜任工作的自然渴望。我是在已经了解教师的基础之上形成这一观点的，不管是一般的教师还是问题学校的教师。这所学校的教师和我自己学校的教师一样，都是成年人，在正确的激励条件之下，他们会为了学校发展尽其所能；他们想要享受工作的乐趣，能够自我管理。事实上，他们的表现记录及对工作的满意水平在重新设计程序之前就已经证明了这一结论。成功的公式非常简单、直接：给人们施加责任的同时，赋予其如何开展工作的决策权，这样一来，他们的动机水平就会提高。为他们提供实现目标的成功机会，他们的表现就会改善。最好的策略是提供整个框架，让教师们自己去盘算如何执行。在恰当的氛围之下，教师的一般反应是需要宽广的目标，希望被看作是有责任感的人，能够谨慎地作出理性的行为决策。在这所学校，在创设此种氛围方面关注得还不够。

在重新设计学校的计划当中，上级领导部门忽视了这些事实，把员工当成了小孩子。当引进了一名新的督导人员来监管教师的工作时，他就会制定新的教育体制来记录教师的行踪。一方面希望教师们实现新的组织目标，提高学生的表现水平，而与此同时，忽视了他们的成就需求、自治权、自主权、成就感，在这种环境之下，行为准则的下降就不可避免。我强烈地感觉到现在学校对教师的态度是反效果的，我打算在即将召开的会议上让其他人知道我的感受。在这所重新设计过的学校中，按照目前的形式，其教学体系无法挽救。整个目标也许还可以，可能比较恰当的办法是给教师提供整体框架和方向，但是在操作水平上，新的体制需要在设计和实施的过程中发展，要把教师看作是完全的股东和决策人。

督导人员D

我相信重新设计的学校从一开始就命中注定会失败。引入的变革只是不现实，没有反映出学校的实际运转情况，也没有反映出教师是如何想的、怎么做的。所引入的课程、教学体系、评价设计的特征是离散的目标、有条理的任务、易衡量的结果、稳妥的运作程序、清晰的权力界线以及组织、教学、评价的一个最好的方法。正如我所看到的，问题在于这些特征在教学环境比较稳定且可预测的条件之下是合适的，例如在学生、教师的需求和风格相一致的情况之下。但是学校的目标具有多元化和竞争性，任务具有非条件性，解决问题的方法具有竞争性，结果难以预测，操作程序具有不确定性，权力界线也是模糊和竞争的。而且教师和学生具有多样性的需求和风格，我希望把它解释为动态环境的特征。在第一种情况之下起作用的，在第二种情况之下往往并不管用。

我记得在什么地方读过学校是"管理松散，文化紧密"，我打算对这一观点发表自己的看法。教师比较看重的，不是管理体系所提供的那些东西，而是他们的理念、所分享的价值观以及所持的假设。如果这些价值观为全体所持有，那么它们就会变成学校文化的特征。改变学校，正如我所理解的那样，意味着改变学校的文化。

我打算建议取消现行的体制。我还建议全体教师和行政机关在下一年度花上一年的时间来抓一下他们的共享价值观建设，如教与学、学校目标、怎样评价才最好、怎样一起工作才最好等等。因此，应该以现在正在发生的事为依据来定义目前学校内的规范和价值观。此外，他们还应该把握什么是需要改变的。我认为这类思考能使他们对学校从上到下进行重新创造。还要指出的是，在这所重新设计过的学校中，不应把重点放在描述什么事情需要做，并是要给出直接的督导。总之有共同的价值观和目标、对该做的事情有共同的看法、采取共同的行动来改变学校，应该取代直接的督导，应该帮助教师形成自我管理。

对于四位督导人员的介绍，每一位都代表了一种不同的督导形象或理论，都描述了学校是如何工作、什么事情对教师比较重要。按照你对督导的看法，可以对这四种观点进行选择性排序。你最欣赏的是否已经出现？也许你认为最稳妥的是把其中的一些观点综合起来。你设想的综合形象是什么样子呢？通过判定，你可以揭示自己的理论。下面是每一位督导人员的理论描述。

科学管理、人际关系和新科学管理督导

目前，很多学校督导实践是建立在一种督导理论或两种督导理论相结合的基础之上，这两种督导理论分别是传统的科学管理理论和人际关系理论，这些理论分别反映在督导人员A和B所描述的督导形象之中。按照我们的看法，这两种理论对于构造一个学校的督导模型都是不充分的。在后面的章节中，我们会提出人力资源和标准督导，也是上述督导人员C和D的观点，作为实践的手段，从科学观点来说更加合理，在实践当中也更加准确。

形象A，科学管理督导，源于20世纪早期弗雷德里克·泰勒(Frederick Taylor)及其后继者的思考和工作。这一理论的许多观点来源于他对美国钢铁企业的管理研究和他自己的经验。例如，泰勒曾在伯利恒(Bethlehem)、宾夕法尼亚一家工厂，分析工人往铁路卡车上装载铁块的操作。他记下了某些无效率的东西，并设计出提高工厂生产率的技术。他的技术在感觉上是很科学的，因为这是建立在仔细观察和任务分析的基础之上的。例如，泰勒认为工人所用的工具对于完成任务来说是不充分的。为了完成任务，他用标准化的铲子以及其他特别设计的标准化工具来替换原来的工具。一旦确立了完成某件事情的最好办法，他就会指导工人确切地完成要做的事情，并且只完成要求做的事情。通过严格遵守方法并使用提供的工具，工人每天的装载量从12吨增加到47吨。泰勒认为科学管理的秘诀在于要有顺从的工人，他们不需要太多的思考，但是要精确地按照指令去做。[1] 当然，指令要建立在科学、有效的方法之上。科学管理的秘诀如下：

- 确认最好的方法；
- 在研究基础上制定一套工作体制；
- 告诉工人预期的目标；
- 在体制中训练工人；
- 指导和评估，确保工人服从。

当把教师看作是高度精炼课程及教学体系的执行者时，科学管理理念就引入到了学校督导之中。在这种教学体系中，教师受到严密监督，以保证其教学是按照设想的方法，遵循既定的指导方针和教学议定书的。在管理者等级分明的氛围之中，控制、责任和效率是重点。虽然在学校当中还能发现这种督导的痕迹，但总的说来，传统科学管理目前已不再流行，但是其基本假设和格律对于许多政策制订者、管理者和督导人员仍有吸引力。后面我们将会讨论到，这项理念没有变，但运用这项理念的策略发生了变化。

形象B，人际关系管理理论，出现于20世纪30年代。埃尔顿·梅奥(Elton Mayo)，一名哈佛大学的社会哲学家、教授，他的工作对于人际关系管理理论的发展非常重要。

---

〔1〕 See, for example, Frederick Taylor, *The Principle of Scientific Management*, New York: Harper & Row, 1911. Reprinted by Harper & Row in 1945. See also Raymond Callahan, *Education and the Cult of Efficiency*, Chicago: University of Chicago Press, 1962.

梅奥认为，如果在工作中满足了工人的社会需求，如给他们提供相互影响的机会，对他们以礼相待，让他们参与决策过程，那么产量就会增加。他于20世纪20年代在西部电气公司霍桑工厂进行的经典研究是这些观点的一个很好例证。[1] 最终人际关系管理对于传统科学管理的挑战成功。当把这种理论用于学校教育时，教师就会被视作是一个拥有自己权利的完整的人，而不只是拥有能量、技术、拥有管理者和督导人员所需要的才能的一个包裹。督导者要表现出对教师的兴趣，并在教师中间创造出一种满意度。其假设是：一群感到满意的教职员工会更加努力地工作，更容易相处，更容易领导和控制。参与是一种非常重要的督导方式，其目标是要让教师感觉到自己对于学校是有价值的，是很重要的。“个体感受”和“融洽的关系”是人际关系理论的口号。

今天仍广泛提倡并实践着人际关系管理。但是人际关系理论是承诺的多，实现的少。它的问题部分在于对各种方法如何工作产生了误解，部分在于方法自身内部理论概念的错误。这项运动的事实结果是对教师的普遍忽视。参与式的督导变成了随意式的督导，实践中是放任自流的督导。此外，人际关系管理的重点仍然在于“赢得朋友”，目的在于感化教师。对很多人来说，“赢得朋友”是一个狡猾的策略，使这项运动看起来易于被操纵，不可靠，甚至是欺诈。但是在20世纪30年代至50年代之间，这种方法培养了一大批追随者。很明显，仅仅保证教师的满意，要在学校中提高产出是不可能的。

学校改革始于20世纪80年代早期，现在仍在继续，这表明了对科学管理的新思考和再思考，虽然它的实践种类和形式相对于过去的传统形式已经有了很大改观。这种新科学管理在很大程度上是反对人际关系管理的，因为它在课堂上忽视了教师并且缺乏对责任感的关注。新科学管理与传统科学管理在控制、负责任和效率方面有共同点，但是新科学管理在获取这些目标的途径上更加客观。例如，对教师进行更严密的监督，包括教师所做的事情、覆盖的主题范围、所用的教学方法等等重新成为研究重点。但是检查每天的上课计划并每天听课，常常会引起不满并导致教师和督导人员之间的紧张关系。一个更加客观的控制教师行为的方法是引入标准化的参考标准测试，并且公开班级和学校为教师打的分数。因为考查什么内容，就会教什么样的内容，这一观点已为大家所接受，那么测试就可以作为控制教师工作的一个客观方法。

人际关系管理和两种版本的科学管理有一个共同之处，就是缺乏对个别教师能力和意愿的信任，认为他们不会像管理者、督导人员和公众所假设的那样对学校及其计划的福祉感兴趣。在传统科学管理当中，教师被施以面对面式的严密监督，以尽力确保好的教学。在人际关系管理之中，教师所在的环境有利于提高他们的士气和工作满意度，因此他们就可能更容易服从管理部门，这样就能保证良好的教学。在新科学管

〔1〕 See, for example, Elton Mayo, *The Human Problems of an Industrial Civilization*. New York: Macmillan, 1933; F. J. Roethlisberger and W. J. Dickson, *Management and the Worker*. Cambridge: Harvard University Press, 1949.

理当中，客观的、技术的、合理的控制机制取代了面对面的严密督导。这里假设有可视的行为、目标标准和可识别的能力，那么让教师对这些标准负责，就可达到控制他们工作的目的，这样就确保了更好的教学。

新科学管理和人际关系管理有时会结合在一个行为理论之中。例如，教师的工作是由一个客观的控制系统安排的，但是日复一日的督导可能强调令人愉快的、真诚的关系，逐步把教师积聚起来（例如，告诉他们是如何的重要），鼓励积极的态度，并给服从的教师以回报。

人力资源督导

1967年，督导与课程发展理论联合会结束了一项为期四年的研究，并发表了一份报告，题目是：观点与建议。[1] 在这份报告当中，威廉·卢西欧（William Lucio）探讨了科学管理和人际关系管理的督导观，并且提出了第三种观点——修订版，寻求把工作任务和人文关怀相结合，形成一种新的理论。修订版的倡导者是道格拉斯·麦格雷戈（Douglas McGregor）、沃伦·本尼斯（Warren Bennis）、克里斯·阿盖里斯（Chris Argyris）和雷西斯·拉科特（Rensis Likert）。[2]

这本书第二版的开始部分，与这一新理论相关的概念和实践都来自于**人力资源督导**。[3] 这也是督导人员C所信赖的管理理论。区分人力资源和人际关系是很关键的，因为人力资源并不仅仅只是另外一种类型的人际关系，它代表了对需求的更高关注，包括潜在的需求和满足感。阿盖里斯非常简洁地把握住了这一新的要点，现表述如下：

> 我们的兴趣不在于发展可以绝对操纵的组织，也不在于发展“保持人们满意”的组织。愉快、士气、满足在我们的讲座之中不是一个高度相关的指向。我们头脑中认为的最重要的类型是：个体的竞争力、承诺、自我责任感、充分发挥个体的作用、积极可行并充满活力的组织。[4]

这种类型的督导领导既不是处于支配地位，也不是处于屈尊俯就的地位，而是起

---

〔1〕 William. Lucio(ed.), *Supervision: Perspectives and Proposisions*, Washington, D. C.: Association for Supervision and Curriculum Development, 1967.

〔2〕 Douglas McGregor, *The Human Side of Enterprise*, New York: McGraw-Hill, 1960; Warren Bennis, "Revisionist Theory of Leadership," *Harvard Business Review*, vol. 39, no. 2(1961), p. 26 - 38; Chris Argyris, *Personality and Organization*, New York: Harper & Row, 1957; and Rensis Likert, *New Patterns of Management*, New York: McGraw-Hill, 1961.

〔3〕 This distinction was first made by Raymond Miles, "Human Relations or Human Resouirces?" *Harvard Business Review*, vol. 43, no. 4(1965), p. 148 - 163; and by Mason Haire, Edwin Ghiselli, and Lyman Porter, *Managerial Thinking: An International Study*, New York: Wiley, 1966.

〔4〕 Chris Argyris, *Integrating the Individual and the Organization*, New York: Wiley, 1964. p. 4.

到一种支持性作用：

> 领导和组织的过程必须这样才能保证在组织内所有相互作用和联系的最大可能性，每一名成员，根据其背景、价值、要求、期望，都应该把经历看作是支持性的，以建构和维持个人的价值感。[1]

道格拉斯·麦格雷戈认为每一个管理行为都是建立在一种管理理论的基础上，他提出了一种更加有益的新理论。他提出的Y理论，是建立在人性本善的假设基础上的，与原有的X理论相比，它提供了一个在激励方面更加有力的理论基础。

> X理论把重点自然地放在了控制的策略上——告诉人们做事的程序和技术，决定他们是否要做，奖惩的实施等。由于它潜在的假设是必须做那些对公司业绩非常必要的事，所以注意力自然就导向了指导和控制的技术。在另一方面，Y理论，指向对人际关系本性的关注，旨在创设一种氛围以激励大家为组织的目标而奋斗，提供各种机遇以满足动机、创造力、自我导向的最大体验。[2]

X理论的人性假设如下：

1. 多数人天生懒惰——都尽可能地逃避工作；
2. 多数人缺乏抱负和责任，甘心情愿受别人的指导；
3. 他们天生以自我为中心，对组织需求漠不关心；
4. 他们从本性上抵制变革；
5. 他们容易轻信别人，不聪明，随时会被骗子和造谣生事的人所欺骗。[3]

你可以在学校中发现许多这样的例子，这样一来好像X理论的假设确实是正确的。例如，教师好像是在最低限度地工作，而且只有在严密的监督之下才完成。很少发现关于教师动机的例子。教师们看起来有防卫性且努力保持这种状况。麦格雷戈提出如果这样的条件存在，那么与工人相关的问题就少一些，而更多的是管理者的期望问题。如果感觉到这一消极的假设和期望，教师们的反应可能就是一种消极的方式，这是自我实现预言的一个例证。X理论最基本的是指导和控制的哲理，这一哲理

---

〔1〕 Rensis Likert, op. cit., p. 103.

〔2〕 McGregor, op. cit., p. 103.

〔3〕 These assumptions are quoted from McGregor's essay, "The Human Side of Enterprise," which appears in Warren G. Bennis and Edgar H. Schein (eds.), *Leadership and Motivation: Essays of Douglas McGregor*, Cambridge, Mass.: MIT Press, 1966. The essay first appeared in *Adventure in Thought and Action*, Proceedings of the Fifth Anniversary convocation of the School of Industrial Management, MIT, April 9, 1957.

实施的方式多种多样，并且以动机理论为基础，这对于大多数成年人特别是职业成年人是不充分的。

关于Y理论的假设阐述如下：

1. 管理主要是为了经济（教育）利益而负责组织企业生产的要素——钱、材料、设备和人；

2. 人们并不天生就对组织需求有消极或抵制情绪。他们之所以这样，是他们在组织中的经历而导致的；

3. 动机、发展的潜能、假定的责任能力、愿意为组织目标而调整行为等等，这一切都存在于人，而不是管理者放在那里的。管理部门的职责之一就是让人们认识到并发展这些人性特征；

4. 管理部门的一个非常重要的任务是安排好组织的条件和操作方法，让人们最大限度地朝着组织目标努力，同时能成就他们自己的目标。〔1〕

Y理论的基础是在工作情境中构建对价值目标的认同并为之献身，构建彼此的信任和尊重。工作的成功被设定为有可靠的关系和有效的信息交换。

提倡用人力资源管理来创设学校环境，结果会是教师更好的生活和更有成效的学校教育。满意度和成就不是把重点放在使教师高兴以获得生产合作，而是与更加广阔的新方式相关联的。新的管理重点放在创设成功工作的环境，作为提高员工满意和自重的途径。正如弗雷德里克·赫兹伯格（Frederick Herzberg）所描述的那样，新的重点在于：

> 感觉到一个人的成长依赖于对个人有一定意义的任务成就，由于保健因素和任务没有关系，这些因素对个体来讲无法给予此类的意义，成长是依赖于一些成就的获得，而取得成就需要任务。所以能起到激励作用的是任务因素，因而对个人成长也是必要的；它们提供了心理刺激，这种刺激可以激励个体朝着自我实现的方向发展。〔2〕

人际关系和人力资源督导比较

新科学管理和科学管理虽然在实践当中看起来有一些细微的差异，但实际上是同一种理论。然而，人际关系和人力资源管理却是两种不同的理论。例如，虽然二者都涉及教师的满意度，但人际关系把满意度视作使学校运转更平滑、更有成效的一种途径。人们认为，感到满意的员工是幸福的，这样容易相处、更加合作、顺从的可能性就更大。督导人员发现，如果注意到了人际关系，就更容易从教师那里得到他们所想要

〔1〕 McGregor in Bennis and Schein, op. cit., p.15.
〔2〕 Frederick Herzberg, *Work and the Nature of Man*, New York: World Publishing 1966, p.78.

的东西。例如，重视共同决策实践活动，在人力资源管理当中，由于人们认为这项技术可以提高教师的满意度，所以常常采用。

这种联系描述如下：

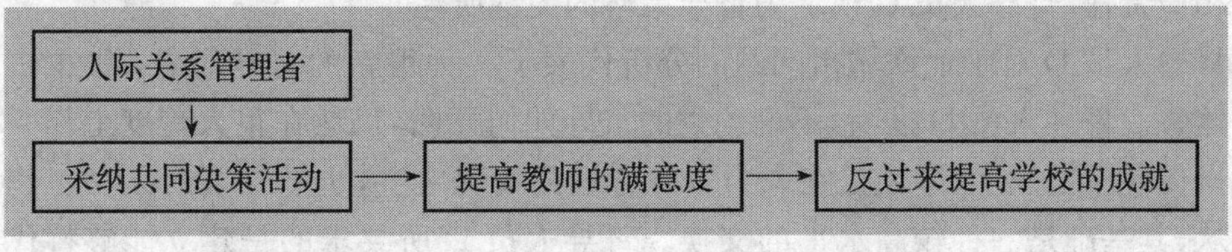

这项策略的根本理由在于教师们需要感受到其重要性并参与进来。这种感受反过来促使教师以一种更加积极的态度对待学校，因而更易管理，在工作中也更有成效。

相比较而言，在人力资源管理当中，满意度被看作是教师工作的一个可取目标。按照这种观点，满意是顺利完成重要的且有意义的工作的结果，并且这种成就是学校成功的关键构成。督导人员设想，决议制定得越好，教师的主人翁感和为此项决议的付出就会提高，工作成功的可能性就会增大。其间的关系描述如下：

人际关系管理与 X 理论和 Y 理论相对照而言，与 X 理论的假设更为一致，虽然在实践中它施以更加宽松的控制形式。

再访督导人员

现在让我们再访督导人员 A、B、C、D。

科学管理和新科学管理构成了督导人员 A 的实践理论，支配其思想和实践。这位督导人员拥护一种高度结构化、和谐的教—学体系，其特点是各个方面紧密联系，包括目标、课程、教学方法和测试。督导人员 A 认为，如果教师按照建议去做，那么系统就会产生出设想的结果。

人际关系构成了督导人员 B 所信奉的实践理论。督导人员 B 关注的是教学体系对教师的需求反应迟钝。此外，在没有与教师磋商的情况下就要实施新的体制，因而有一种忽视人的感觉。督导人员 B 的回答是退后一步再试一次，这一次让教师参与，如果计划的变革妨碍了教师的相互影响和其他需求，会达成妥协。督导人员 B 认为，有正确的人际关系策略，任何学校发展的创造都将成功。这只是一个和人们一起工作的成效问题。

督导人员 C 与人力资源管理的观点走得最近。这位督导人员认为,当教师的动机较强、奉献较多时,就会出现成功的教学和学校发展。负责好一个人的工作、生活以及共享价值观和宽广目标,都有助于动机和奉献行为的形成。对于制定决策的真正参与和相应责任,督导人员 C 视之为督导策略的关键所在。

督导人员 D 对于地铁城市问题的分析代表了一种很新的督导形象:很少依靠直接的监督。督导人员 D 推断,不论此类的督导如何开明,仍然在很大程度上靠一些外部力量促使事情发生,即使是在人力资源管理的情况之下,仍然需要对某种工作的完全服从,其基础是一种较高水平的交换。督导人员 D 所寻求的是建立能够替代监督学校每日生活的东西,使教师和督导员在自我管理的框架内作出反应并最终形成自我管理。

很难给督导人员 D 的理论贴上一个标签。例如,如果是替代品,表明现在所实践的督导会被某种其他的东西所取代。督导人员 D 非常强调共享价值观并把它看作是此类的一种替代物。共享价值观可以形成多种形式,如有时候被表达成专业标准,或团体标准,或者是需要教师们互相关心、互相帮助。当学校被重新构建成为真正的学习共同体时,所共享的标准和观念将成为督导员、教师和学生行动的权力来源。这些权力来源取代了科层权威和人际权威,对共同体成员讲话要用一种道德的话语并告诉他们去做正确的事情。这些或其他的督导替代将在这本书的下一部分和随后的章节中进行讨论。

具有督导人员 D 观点特征的标准督导是建立在好几种假设基础上的,这与督导的传统建议是不一致的。一种假设是:尽管自私自利可能是激发教师动机的一个重要因素,如果条件公正,大多数人由于一些利他的原因,能够而且愿意牺牲自身的利益。另一个假设是:如果作为激发教师的动机因素与逻辑、推理以及科学证据相比不显得更为强大,那么偏好、价值、感情、信念的重要性也是一样的。第三个假设是:教师和其他人不会像孤立的个体那样简单地得出结论。相反,他们所思考的问题、所信仰的内容以至于最终的行为都受到了所在团体的成员以及与他人联系的影响。他们对于标准的敏感度,比规章和需求都高,这好像也同样适用于学生。

用我们在开始部分给出的警告来作为督导形象讨论的结束,这一点很重要。上面所描绘的每一种督导模式都过于简单化,可能没有一个是充分的。环境和情势形成了成功的督导。在不同的时代,不同的模型可能会更适合。而且,它对于整个督导理论或结合他(她)的**拱形框架**至关重要。督导形象在教、学方面与新的政策发展形成螺旋状。在这一章的结论部分,我们为现在督导所面临的重建议程作了一个概览。

重建议程中的督导

学校革新的政策议程反映了一个巨大影响力团体的一个方面,这种影响引发了对学校现有状态下所有缺点的关注。下面就是对这些影响力的某些内容的简单概括。在以后的各章节中，我们将更详细地涉及某些影响内容。

政治影响　联邦、州府和本地的权威机构按照国际上的实验数据呼吁学校的重建工作。他们相信这些数据反映出美国年轻人在各种量化的学校成果中落后于其他国家的同龄人。

经济影响　商业主管人员和政府官员认为美国年轻人对21世纪的技术需求没有准备，持续提高的经济生产力，要求对高质量的教育，特别是发展中的工作技能增加投入。

认知研究　这个相对较新的领域已经对在不同场所专家怎么想和怎么做赋予了新的理解，这为学校可以怎么准备“新手—专家”提供了建议。认知科学也扩展了我们关于大脑怎么处理信息的认识，引导我们加强质询和推理技能，建立一个巨大的构架（脑力模型，知识描述）来解释意义。大量对智力，特别是青少年智力的研究已经转变为实验学习设置。这些设置支持各种智力的全面发展，因此它提供了一个建立内容丰富的课程的线索。这个课程对各种天才儿童的差异都有所反映，并将其带入他们的早期课堂。

建构主义者的学习理论和研究　这是个心理学相对较新的分支。它使得学生如何主动地制造知识并将其理解变得很明了，并建议以新的途径来设计学习任务和活动。建构主义者的研究同样让人们知道背景的变量怎样影响了学生们完成学习任务的方式并将学校学习同学生自身先前的经历联系起来。

哲学和社会学　知识是一个社会的、文化的和政治的结构体，这一点被广为接受。人们已经从“我们知道的就是真的”转变为“什么是真的才是我们要知道的”。这种观点没有否定客观现实的存在，它认为知识是部分的和主观的，能被修正和改正，但在它现存的形式上自动地揭示和扭曲了现实。知识被认为是社会化和权利的产品和媒介。

学术规范的研究　这种研究更清楚地确定了质询和强大的综合性框架的方法。这个框架定义了规范，因而提出了新的方法，将学生作为“新手—专家”来发展他们的个人学术修养。

课程的理论和研究　这样的研究发展了在教学材料和课程跟踪中对文化、性别、课程偏好的理解，这就导致了人们努力尝试建立一门对学生中的性别、文化和语言差别更敏感的课程。

多元文化的法规和内涵　家长和其他学生的呼吁已经使新的政策出台来管理特殊教学、双语教学和少数民族教学，这反过来对传统学校教育的结构和环境提出了挑战。

学生评价的研究　研究已经介绍了关于成绩和信度评价权威性的概念，这反过来提出了一个对学习的新理解。有一句格言是：考查什么和怎么考查将会直接影响（如果不加以控制）教什么和怎样教。若是这样的话，这些新的观点将会使课堂教学以积极的成效和学生的学习表现为中心。

关于专业实践的研究　专业的实践行为研究注重于教师怎么对课堂的进展做出本能的反应；怎样解释学生的语言和非语言信号；当课堂教学计划不再有效时该怎么作出反应，怎么开始一个并未计划的论题来符合当时的情况需要；怎样将他们的偏好和老观念带入教学中等等。那些将专家和新教师作了比较的研究揭示了如果赋予教师适当的自主权，他们必须知道怎么把他们的知识贯穿于教学计划中去，怎样才能够投入到研究中来提高他们对班上学生的理解和回应，以及在一起工作时如何再创造学校的课程和学习环境。这个研究的意义是教师拥有各种知识和经验，当他们被赋予适当的自治权力受到了一定的支持，他们能解决改革议程中的许多问题。

二级变革的研究　这项研究已经提供了对于二级变革（深层次的、完全的、总的机构改变—重建议程中所需要的改变）新的认识，特别是在尝试改革时的有关机构的重新设置（当群体尝试改变环境时，改变假设、信仰和价值观），和对于参与、拥有以及正在进行的职业发展需要的理解。

重建议程的一个反映

在美国建立普通学校的理由之一是为了一个民主社会中公民群体的发展，这个公民群体将会引导公共生活。当必须把国家利益放于首位时，学校应该提供足够的国家一致性来克服对当地和区域性关注的狭窄利益。此外，普通学校应该将年轻人暴露于那些同他们有着伦理的、文化的、宗教的、经济的和种族上差别的其他人之间。通过他们的学校经历，学生能将他们的关系发展到家庭和家庭社会关系以外，能激发他们对群体和普遍价值观更大的感受。

但是在重建议程中很少涉及到对发展政治群体的倾向性。这个群体统治着自己并且能够考虑各种公共政策提案的优点。当在一些学术的、职业的和技术性的领域内有意地发展"新手—专家"时，我们不得不很努力地找到推荐条件来处理"新手—专家"的发展。一些结构重建了的学校为群体服务提供了机会，这是一个非常值得称赞的革新。但是自愿服务的核心是它能创造出一个好公民的很多复杂才能中的一种。成为一个好公民的另一方面是在工作上多出成果，但是参与社会公众生活比这更有意义。如果我们肯定地说未来的工作场所需要更多综合能力，因此学校不得不准备年轻人发展某种"新手—专家"的技能和对于这种工作场所的理解力，那么同样可以这么得出准确的论断：公众生活将变得更加复杂，学校也得准备好那些将会对各种复杂情况和后果进行争辩及投票的人。学校会允许这些学生毕业吗？他们仅仅是到了能投票的年龄，对国家和社会的政治问题一无所知，他们有的不知道怎么参与政治生活，有的是老师并没有意识到要教会他们参与公共生活而对公共价值不感兴趣。难道这些未来公民教育上的空白就不会给国家带来威胁吗？既然重建工作建议者已经断定纯粹的知识是不够的，但是将这种知识运用到实际生活中是更深层次理解知识和将其可能运用于将来的基础，那么我们也可以认定，政治、历史课程的知识也是不够的。一门需要通过在现实状况下运用而加深理解的课程，同样也需要一门公民性的课程。这并不是在这儿推动开设这样一门课程，只是那些呼吁学校重建督导的人们应该意识到这种需要。

这带来重建议程中的第二个缺点。在关于重建思考以外的一个假设：解决国家和世界问题的答案，同面对着个人的主要问题一样，通常是通过发展推理能力、质疑能力、理性解决问题的能力、对学术修养以及应用科学更深的理解来得到。这个假设将我们带回苏格拉底的信仰，他认为知识就是美德。不管怎样，如果我们知道得足够多，想得足够清楚，我们就能做出正确的行为，这就是教化的承诺，在这个承诺上实践着大量的教育。

但是知识就是美德这个信仰是天真的，它假设现实知识是如此引人注目和明确，能导致明智的行为。过去的历史呈现了一些极不均匀的人类智慧的记录（排除大学教育的普及之后）。亚里士多德提出明智的行为或美德是通过在群体中的实践获得的，这仅仅是对苏格拉底强调知识和清晰思考促进明智行为的一个部分修正。一个群体可能做出与他们所定义的明智行为相符合的举动，但并不一定与那些人们生活中的普遍认知形式相符合（在巴尔干半岛和卢旺达现存的非人类群体行为就是一个例子）。那些比较清晰的道德教学方法和重建议程中必须包含对道德的关注。当这些内容在每天的生活中都取得很大效果时，这就需要对这一普遍的道德原则加以某些关注，以运用于整个社会。我们再一次重申这并不是要发展这样一个课程，但是督导者必须意识到这个需要。

在学校里教授的知识，包含在课程里和学校的教学中，应该由社会来构建。普通学校的课程和教学被期望是传达关于世界的知识以及它被理解的形式，通过个体将自己定位于这个世界的位置来决定。但是这种课程并不是中立的。它被组织起来，并以一种经济固有化和狭窄的关于生命是什么的文化定义表现出来。这些定义表明了文化和政治意义以及除它们以外的人际关系。这种通过课程和教学强迫建立的知识并不为一些邪恶的阴谋而影响，它仅仅是每个现代国家中所有学校工作的方式。[1] 这种知识的自我强调给予了世界秩序和纪律，是对社会生活可预测的认同。它不是被强力所迫，而是通过一个象征意义的系统。这个社会是受过教育的，能传达、组织和采取行动。[2] 最关键的是要理解这个象征性的体系**解释**了而不仅仅是表现了现实，在一

---

〔1〕 See Herbert M. Kliebard, *The Struggle for the American Curriculum*, 1893 - 1958, Boston: Routledge & Kegan Paul, 1986.

〔2〕 See Thomas S. Popkewitz, "Policy, Knowledge, and Power: Some Issues for the Study of Educational Reform," in Peter W. Cookson, Jr., and Barbara Schneider (eds.), *Transforming Schools*, New York: Garland Publishing, 1995, p. 413 - 455.

些普遍的客观的形式上说明什么是真实的。这种对学校知识的理解需要包含在重建学校的课程和教学中。如果没有这些我们会很失落。如果仅仅是省略了，那些挑剔的拥有这些知识的职员们的发展能转变为一个更好或更全面的解释。这个解释对绝大多数群体而言起着更大的作用。这种学习知识的方式暗示着一种道德观，一种对群体更有益的、连续的知识转化的关注。

一个更大的督导框架

州政府和联邦政府强加于学校革新的程式并不是没有批评。当我们认识到督导者必须将他们所面对的每日工作当作学校革新的结果时，我们同样也建议督导者看到革新议程背后的缺点，那并不是很引人注意的。他们对革新政策的批评是它已经倾向于一个侵略性和集权的经济唯理论，倾向于一个机理主义者的知识观点，一个处罚性的被州政府控制的机理的集合（教师测试，高奖学金的学生考试，不准许学生毕业的威胁，因为学生考试成绩差而解雇老师的威胁，关闭和接管学校的威胁），并且对学校的进步也仅仅是用一些狭窄的、简单的解释，譬如用在州政府组织的考试中所取得的不断增长的分数等等。

当督导在这种政策框架上执行时，它并不需要受限于这个框架背后的一些狭窄的假设。我们主张新的官僚政府化的督导应该在另外的权利来源上寻找基础，应该建立在一个群体的框架上。这个框架对改革议程增加了价值，而且鼓励教师和学生走出将考试成绩当作他们工作的单一评价标准的误区。这个督导该对教育的大部分目的做出回应，这种教育能更多地对经济产出产生一维关注。在这个督导工作的基础上，我们开始下面三章的内容。

第二章 教育督导的权威来源

在第一章中所提到的四位督导想要改进地铁城市学校。督导A和督导B虽然在选择的方法上有些细微的差别，但却都遵循了相似的路径以实现这一目标。督导C和督导D也是同样的情况。因而，两对督导代表的是两种不同的督导理念，在学校实践中也必然带来不同的结果。

让我们将这些观点简称为**督导Ⅰ**和**督导Ⅱ**。**督导Ⅰ**所代表的这种督导类型，在20世纪绝大多数时间内都处在学校的恰当位置上。相比之下，**督导Ⅱ**代表的是一种正在浮现的模式，这不仅会改变对于督导理解和实践的路径，而且会改变我们很多方面的理解：比如，效果是怎样发生改变的，在激励教师方面什么才是真正重要的，什么是领导，在课堂上怎样做才对教师有帮助，员工发展的意义是什么，怎样帮助教师才能使评价变得更有意义，等等。督导Ⅰ和Ⅱ都在致力于帮助学校提高能力以提升学术成就，但它们导向的却是不同的实践。

在本章末，对**督导Ⅰ**和**督导Ⅱ**的根本假设和原则做了比较。为了建立这样一种平台，我们开始考察能够使教师对督导产生反应的权威来源。不同的权威来源会导致不同的结果。第一章当中的四位督导依靠的是不同的权威来源。“权威”指的是用以影响教师思维方式和教学行为的权力。任何督导策略的成功与否都取决督导所依靠的权威来源与当时情境细节的匹配程度。

权威来源[1]

督导政策和实践可以建立在以下五个权威来源中的任何一个或任一组合中：

官僚权威以法律和上级组织命令、法规、工作描述和期望等形式出现。当督导行为建立在官僚权威上时，教师们将期待对后果有恰当的回应和面对。

个人权威以个人的领导力、激励技巧和人际关系技巧等

〔1〕 The discussion of sources of authority for supervision in this chapter is based on Thomas J. Sergiovanni, "Moral Authority and the Regeneration of Supervision," in Carl Glickman (ed.), *Supervision in Transition*, Alexandria, Va.: Association for Supervision and Curriculum Development, 1992; and "The Sources of Authority for Leadership," in Thomas J. Sergiovanni, *The Moral Dimensions in Leadership*, San Francisco: Jossey-Bass, 1992, chap. 3.

形式出现。当权威主要来源于个人权威时，期待教师们对督导者的个人魅力、对令人满意的环境和积极行为有所回应。

技术—理性权威表现的形式为从教育逻辑和科学研究中所推出的结论。当权威主要来源于技术—理性时，教师被期待对什么是真理做出回应。一个最好的方式就是确定和描述，这种方式着重于告诉教师该做什么而不是告诉他们决定做什么。

专业权威以实验、知识、个人专家等形式出现。当权威主要来源于专业权威时，期待教师对一般的社会学、已被接受的实践理论和国际上的专家做出回应。当运用专业权威时，研究并不会让教师们明白什么该做，而是告知他们该做什么的决定。

道德权威以被广泛认同的价值观、思想和理论中推导得到的义务和责任等形式出现。当权威主要来源于道德权威时，教师被期待对共同的承诺和所感知到的从承诺中而来的相互依赖性做出回应。

五个来源中的每一个都是合法的，都应该被督导利用。但是某些权威应该处于主导地位。例如，督导Ⅰ的权威就是官僚、心理学和技术—理性权威的联合体，督导Ⅱ主要是建立在专业和道德权威的基础之上。

督导 A 在地铁城的教育体系中所依赖的权威主要是官僚和技术—理性权威的结合。例如，体系本身是建立在 1970 年—1980 年期间当时比较流行的学校效能和教学效能研究的基础上的，而且督导 A 呼吁的正是基于此的权威（“研究说明这是有效教学的指示灯”，“研究认为，如果课程和教学与目标结合紧密，然后进行掌握程度的测试，这样的结果会更好”等等）。教学、督导和考试都被认定为是受规则约束的标准化操作过程，而学生则由一种监督体系来检验是否顺从，如果达不到标准则要受到处罚。督导 A 认为理想的情况是，学校应该从一开始就招聘那些愿意同所需教学体系保持一致的教师，原因是官僚和技术—理性的权威来源**独立**于人们和环境之外。至于特定教室的独特性或者教师对于将会发生或应该发生的事情的预感，这些都被认为不是非常重要的。

相反，督导 B 主张依靠某些心理学和人类行为学的知识来发展个人权威，这表现为人际关系领导。这个教学系统本身并无问题，同时，接纳了来自官僚和技术—理性的权威，但并没有加以强调。官僚和技术—理性的权威来源可能会鼓舞督导者但不是教师。督导 B 可能会说，“是的，研究表明不过如此，但是如果想让教师们听从研究者的，不要去说教，只要公正地对待他们就行了”；“程序必须要得到遵从，但是在寻求顺从性时需要正面的赞扬而不是处罚”；或者“记住要包括教师，因为他们喜欢参与决策，而且之后他们会倾向于在这个体系当中工作”。这种研究是否适合一个特定教师的人格或者教学都变得不重要了。督导 B 认为结果比原因更重要，他努力地将教师包含在决策过程中，因为他们会更满意，而且不会给督导者带来麻烦。

督导 C 同样依赖一种个人权威体系，但不同于督导 B。虽然官僚和技术—理性的权威来源并没有被忽视，但是并不重要。而且督导 C 对它们的理解也不同于督导 B。

例如，督导C认为，对于将要完成的事情应该有一个清楚的认识，而后教师参与并将这种认识转化为更具体的工作设计。在这种情况下，行政规则以概括的政策形式出现，指导着决策过程。同样，研究会起到一定的作用，不仅仅被看作是要遵从的剧本，而且更多地被看作是一系列共同决策过程的展现。督导C极其重视发展正确的人际关系，满足教师在成果、地位、重新认识和自治方面的需求。

督导D在对官僚的和技术—理性权威的认识同督导C相似，他也认为个人权威有一定的地位，但最重要的是共同的价值和信仰要成为规范行为的准则。这些准则同教师对职业特性、教学技巧、学习社区型学校的成员资格等认识联系起来。准则代表一种道德权威的形式。专业的和道德的权威是督导D所依靠的最重要的两种来源。

在下一节我们对权威的五种来源作进一步的探求，检查它们作为首要来源时的潜在假设，它们对督导策略的建议以及它们对教、学和学习过程的影响。

官僚权威

如前所述，官僚权威依赖于等级制度、法规、规章和命令，而且清晰地将角色期望作为一种注解提供给教师来仿效。反过来教师被要求遵守并面对各种结局。官僚权威来源甚至在最有成就的学校里也有一席之地，当其占据主要地位时，有以下这些假设：

教师是等级排列体系中的部属；

督导值得信赖，但是不能完全相信下属；

教师和督导者的兴趣和目标不一致，因此督导必须非常注意这一点；

等级高低等同于专业知识的多寡，因此督导者比教师知道得更多；

来自外界的责任感最有效。

当以上假设成立时，对督导者来说，告诉教师在什么时间、怎么教学就变得非常重要。同样，对教师学校生活的其他方面的管理也变得重要起来。这些都是以期望的形式提出的。督导者因此实行一种"期望和检查"的政策来保证教师们的顺从性，这就极大地依赖于预先制定好的教师必须达到的标准。既然教师并不会经常知道怎样做应该做的事，那么督导者确定他们的需要并以某种形式"为他们服务"就显得尤为重要了。直接的指导和密切的关注教师工作在保证教师对规章制度的执行中非常关键。在可能的范围内，研究如何激励教师，鼓励他们作出改变以保持同体系一致的方式也是一个不错的方法。

主要依赖官僚权威所带来的后果在文献中已经有详细的分析。若缺乏适当的监督，教师同这个科层体系的联系将比较松散，仅仅在他们不得不做的时候才会遵守。[1] 当

〔1〕 See, for example, Karl Weick, "Educational Organizations as Loosely Coupled Systems," *Administrative Science Quarterly*, vol. 21, no. 2 (1976), p. 1 - 19; and Thomas J. Sergiovanni, "Biting the Bullet: Rescinding the Texas Teacher Appraisal System," *Teachers Education and Practice*, vol. 6, no. 2 (Fall/Winter 1990 - 1991), p. 89 - 93 and *Leadership: What's in it For Schools?* London, Falmer Press, 2001.

监督在加强他们的顺从性方面有效的时候,教师变成了能执行预先制定好的计划的技术人员,他们的行为就会变得很狭隘。当教师不能很好地运用他们的能力而只有墨守成规时,他们将变成,用行话来说是"无技术的"。[1] 当教师不能充分地运用他们的才智而只能被机械程序所折磨时,他们实际上就已经与自己的工作相分离,将教学看作一门工作而不是一个职业,并且在对待学生时把他们当做事件而不是人。

读者也许能很容易就能接受这样的论断:以官僚政治权威为基础的督导并不是一个好主意。从这种权威来源得到的大多数假设后果的合法性值得怀疑。例如,只有少数人相信,教师作为一个团队并不值得信赖并且与督导者的目标和兴趣不一致。甚至还有少数人会认为等级的高低等同于专业知识的多寡,更不用说会认为教师在等级体系中是下属以及来自外界的监督效果最好等等。现今的督导者极大地依赖于预先制定的标准,因为这个原因,他们需要花费大量时间尝试提出激励教师和鼓励他们变革的战略。督导成为一个直接的、高强度的、经常使人精疲力竭的活动。

个人权威

个人权威的基础是督导者运用激励手段和实践其他的人际关系技巧。假定由于这种领导风格的原因,教师愿意遵从督导者的意愿,当人际关系技巧成为这种权威的重要来源时,会出现以下这些假设:

督导者和教师的兴趣不同,结果是必须通过交易才能使双方各取所需;

教师有他们自己的要求,如果能得到满足,他们会按要求进行工作;

恰当的关系、和谐的人际交往氛围让教师感到满意,更容易在一起工作、更乐于合作;

为了成功换取遵从度和行为水准的提高,督导者必须是一个能读懂教师需求和控制他人的专家。

这些假设导致督导者的行为着重于"期望和奖赏"和"有钱能使鬼推磨",同时也强调改善学校氛围,特征是教师之间以及教师与督导者之间关系的高度和谐性。个人权威经常与官僚权威和技术—理性权威结合在一起,当出现这种状况时,督导者可以同教师协商的事件就很少出现,解决办法是通过心理战术来达到统一。

个人权威对人力资源督导的实践也同样重要。但是如第一章所说,它与此还有着微小差别。它的重点较少放于满足教师的和社会的需求,而是更多地强调提供**工作环境**,让人们在成果、挑战、责任感、自治以及社会地位方面得到满足,而这些被认为是一

〔1〕 See, for example, Authur E. Wise, *Legislated Learning: The Bureaucratization of the American Classroom*, Berkeley, Calif.: University of California Press, 1979; Susan Rosenholtz, *Teachers' Workplace: The Social Organization of Schools*, New York: Longman, 1989; and Linda McNeil, *Contradictions of Control: School Structure and School Knowledge*, New York: Routledge & Kegan Paul, 1986.

个人在工作中寻求更深层次心理满足感的基础。

教师对个人权威的典型反应是按需要工作，特别是在同人际关系督导相联系的时候，前提是有奖励而不是其他。教师参与工作是因为他们有自己的一些打算，结果是他们的行为变得进一步窄化。当重点放于来自工作本身的心理满足感时（如强调工作的挑战性）而不是督导者的人际关系行为时，教师更能感受到本质上的鼓励而不仅仅是投入可以计数的工作和不大的成就。但是在今天的督导看来这种情况少之又少。

我们假设过度运用个人权威和以此为基础的心理学理论的督导实践将会对师生产生过多的负面影响，这可能会引起极大的关注。例如，大多数的督导者容易考虑一些如何激励教师，如何运用正确的领导方式，如何获取民心，如何建立在工作中处于核心的良好的人际关系氛围等等方面的知识和技能，这就是许多督导者职业中的"核心技术"。

我们不会去怀疑以个人权威为基础的督导的重要性，它所重视的是人际间的主题。实际上，我们在以前的版本中曾经探讨过其重要性。但是，我们确实怀疑这种督导方式是否还应该继续占据主导地位。我们相信有充足的证据表明，个人权威、官僚权威和技术—理性权威的作用仅仅是为专业权威和道德权威的督导实践提供支持。其原因是，我们在这里和本书的其他地方都会提到，以心理学为基础的领导方式和督导并不能在广度和深度上开启人们的能力和意愿。这种权威来源不能引发教师受到激励和鼓舞的回应，从而将学校工作做得更好。在第四章、第六章我们希望能用一种方式来检验什么东西对教师的工作才是最重要的。

我们关注个人权威滥用的另一个原因是，在实际上和理论上教师都有更好的理由参与学校的工作，而不仅仅是领导的个人魅力和人际关系技巧。例如，哈拉（Haller）和斯特里奥（Strike）相信在人际关系问题上建立一个人的威信会引发重要的伦理问题，用他们的话说：

> "我们发现这是一个对行政管理角色不充分的观点……它的第一个不足就是它使得行政管理的成功依赖于那些倾向于模糊的和不会改变的特性。一个人的很有活力的领导就是另一个人的暴君。一个人认为很民主的形式，另一人可能认为是浪费时间的委员会工作……我们对这种观点的最基本的看法是……它使得行政管理角色变成了一个形式，而没有内容。一个成功的行政人员并不依赖于他的观点的充分性，不依赖他所采取的教育政策是多么的合理，也不依赖于他是否能够把这些理由成功地同他人交流。成功依赖于人格和风格，或者是用一种仔细选择的方式来引导他人对组织做出贡献。一个人想做的事情和为什么做并不重要，重要的是那个人是谁，他怎么做事。

> 我们发现这样一个观点是有攻击性的，它同有关自治、推理和民主的价值观不相容，而这些却是在我们的社会和教育体系的中心承诺中看到的。当然教育行政管理人员必须是领导，但是要让他们通过情理和劝导来进行管理，而不是依傍人格的威力。”[1]

考尔·克利赫曼(Carl Glickman)还就以心理权威为基础的督导实践的优点提出了其他的疑问，他相信这种领导造成了追随者的依赖性。[2]

哈拉、斯特里奥和考尔·克利赫曼的描述提出了一系列麻烦的问题：为什么教师要服从督导者的领导？因为他们知道怎样有效的操纵吗？因为他们能满足教师的精神需要吗？因为他们很有魅力，人们很高兴和他们在一起吗？或者因为他们说了让教师们相信的话吗？或者因为他们有能抓住教师幻想力的思维吗？或者因为他们说了一些观点、价值观和理念，让教师相信这些对教师、学生甚至学校都很有益处？这些问题引发了另一个问题：督导者把他们的实践建立在虚无的还是事实的基础上呢？选择虚无不仅引起道德问题，还鼓励了领导和督导实践的空白，并将会走向如亚伯拉罕·扎莱兹尼克(Abraham Zaleznik)所说的“管理奥秘”，物质过程的替代。[3]

技术—理性权威

技术—理性权威着重于被逻辑和科学研究所定义的证据，教师被期望遵守这些认为是真理的规定。当技术—理性成为督导的主要权威来源时，有以下一些假设：

督导和教学都是应用科学；

科学知识高于实践；

教师是有技巧的技术人员；

价值、信仰是客观短暂的，事实和客观证据才是真正重要的。

当技术—理性权威建立之后，督导策略就变成应用研究以确定什么是最好的教学和督导实践。当知道这些以后，教师和督导者的工作就标准化了，以反映出最好的方式。下一步就是用最好的方式为教师服务。为了让这个系统很好地工作下去，如果教师愿意听从研究者所提出的应该做什么和怎么做的话，这就最好了。因此，能够指出如何激励教师和鼓励他们自愿做出改变就很重要了。

当技术—理性权威是主要来源时，它对教师的影响同官僚政府权威相似。教师

[1] Emil J. Haller and Kenneth A. Stike, *An Introduction to Educational Administration: Social, Legal and Ethical Perspectives*, New York: Longman, 1986, p. 326.

[2] Carl D. Glickman, “Right Question, Wrong extrapolation: A Response to Duffey's ‘Supervising for Results’”, *Journal of Curriculum and Supervision*, vol. 6, no. 1 (Fall 1990), p. 39 - 40.

[3] Abraham Zaleznik, *The Managerial Mystique Restoring Leadership in Business*, New York: Harper & Row, 1989.

并不是很愿意遵从督导者的建议，而是更可能按照他们的信念和经验来做。当他们被迫遵从时，他们可能会像技术员一样实施预先制定下来的步骤，他们的行为就会进一步窄化。当技术—理性权威同个人权威结合时，教师们只有受到奖赏时才愿意遵从。

如果对基于个人权威的督导实践的批评引起关注的话，可以假设**主要**运用技术—理性权威同样会引起关注。毕竟我们生活在一个技术—理性的社会里，科学处于至尊的地位。出于对科学的敬意，上述观念和相关的实践很可能被人接受。“督导和教学行为都是应用科学”是对此一个很好的借口，并且运用研究能确定最好的实践方案，这看起来非常合理。但是教与学是相当复杂的，不能如此简单地来理解。在真实的教学实践中，没有任何一个假设能够站得住脚，相关的实践勾画出了不切实际的教学和督导观点。

教学并不能被标准化。[1] 教师同其他工作者一样，照本宣科的时候就没有效率，相反他们需要**在实践中创造知识**，要成为很熟练的推动教学波浪往前运动的人。[2] 这种能力需要更高层次的反思、领悟和技能，比技术理性实践的要求高。这种实践将作为一个主题在第三、四部分展开。

以技术—理性权威为基础的督导实践同专业权威有相似之处。例如，二者都很依赖经验，但技术—理性权威主张科学知识是经验的惟一来源，而且这种知识存在于教学内容以外，教师的工作就是简单的运用这种知识。换句话说，教师“从属于”以知识为基础的教学活动。

专业权威

专业权威认为教师的经验最重要。同其他职业工作者一样，教师总是“高于”支持他们工作的知识基础。专业人士认为知识只不过是提供信息的某种东西，并不是为实践开药方，[3]更重要的应该是教师在面临问题时的判断能力。他们必须决定什么是最合适的，什么是对的和好的。总的来说他们必须在实践中创造出工作所需要的专业知识。

---

〔1〕 See, for example, Linda Darling-Hammond, Arthur E. Wise, and S. R. Pease, "Teacher Evaluations in an Organizational Context: A Review of Literature," *Review of Educational Reasearch*, vol. 53. no. 3 (1983). p. 285 - 328; Thomas J. Sergiovanni, "The Metaphorical Use of Theories and Models in Supervision and Teaching: Building a Science," *Journal of Curriculum and Supervision*, vol. 2, no. 3 (Spring 1987), p. 221 - 232; Lee S. Shulman, "A Union of Insufficiencies: Strategies for Teacher Assessment in a Period of Educational Reform," *Educational Leadership*, vol. 16. no. 3 (1988), p. 36 - 41; and Michael Huberman, "The Social Context of Instruction in Schools," Paper presented at American Educational Research Association Annual Meeting, Boston, April 1990.

〔2〕 Thomas J. Sergiovanni, "Will We Ever Have a True Profession?" *Educational Leadership*, vol. 44, no. 8 (1987), p. 44 - 51.

〔3〕 Thomas J. Sergiovanni, "The Metaphorical Use of Theories and Models in Supervision and Teaching: Building a Science," *Journal of Curriculum and Supervision*, vol. 2, no. 3 (Spring 1987), p. 221 - 232.

专业权威是建立在教学技巧和教师个人经验所提供的知识基础上的。教师们对于公认的什么才是一个好教师的界定的反应，一部分来自专业知识，一部分来自内化了的专业价值。

当专业权威成为主要来源时，有以下一些假设：

教学和学习环境不同，因此不存在一条最佳的途径；

"科学知识"和"专业知识"也不同，专业知识产生于教师的实践之中；

科学知识的目的在于为实践提供信息，而不是为实践开处方；

专业权威并不是外在的，而是存在于教学环境和教师自身；

专业权威来源于教师的训练和实践；

权威来源于教师们的职业社会化和内化了的知识和价值。

建立在专业权威基础之上的督导行为力求促进那些创造专业价值和公认专业信条的教师们间的对话，这些都被转化为所需要的专业行为准则。有了这些标准，教师们就有了他们渴望和需要的尽量多的准则。当专业权威得以充分发展时，教师们会为了达到这些行为准则而相互问责。督导的工作就是提供标准和专业发展的机会，教师对专业规范作出回应，他们的工作表现舞台变得更为宽广。

虽然将教学作为一种专业很常见，但是并没有多少注意力投向专业权威的本质。当这种观念引起注意时，重点放在了教师的专业知识上。建立教师的专业知识是一个长期的工作，同时应更多地提倡专业化的另一方面——**专业品德**。专业品德是指那些定义什么是一种专业的规范。专业规范一旦建立就呈现出道德属性。当专业规范与从具有共识的团体价值中推演出的规范结合在一起时，道德权威就可以成为督导实践的主要基础。

道德权威

道德权威是从教师感受到的义务和责任中分离出来的，这种义务和责任感是广泛认同的价值、观点和理念的一种结果。当道德权威占主要地位时，教师们对共同的承诺负责，并由于自我管理而产生相互依赖性。学校呈现出共同体的特征。

共同认可的价值观、信仰和承诺定义了一个共同体的存在。在共同体中，什么被认为是正确的和好的，如同怎样工作和怎样才能更有效率一样重要。教师们同时被情感和信仰以及自利所推动。团队精神被认为是专业价值的一种形式。

在共同体当中，督导者直接致力于确定和制定公共价值和信仰，这些又被转化为指导行为的正式准则。当这些都实现以后，推动团队精神的形成就成为了可能，这种团队精神是发自内心感受和道德驱动的相互依赖性。督导能够更多地依赖教师们作为群体成员的责任感和义务感，而减少进行外界控制。学校共同体的正式准则体系被用于加强专业和群体价值。规范和价值，不管是从专业权威还是从道德权威中而来，当教师们的自我管理程度不断提高时，就可以成为直接督导的替身。五种督导的权威来源和它们的实践结构归纳为表 2-1。

表 2-1 督导政策和实践的权威来源

来　源	主要应用这类来源时的假设	督　导　策　略	结　果
官僚政府权威 等级 规则和规定 命令 角色期待 期望教师遵守和面对后果	教师从属于一个等级分明的体系。 督导者是值得信赖的，但不能完全相信下属。 教师的目的与兴趣与督导者并不一致，因此督导者必须警觉。 等级的高低等同于专业知识的多寡；因此督导者比教师懂得更多。 外来的责任感效果最好。	"期望和检查"是贯穿始终的规则。 依赖预先制定的教师必须遵守的标准。 确定教师的需求并为他们"服务"。 对教师进行直接、严密地监控以保证其顺从性。 解决怎样激励教师并使他们改变。	在适当的监控下，教师就像一个技术人员一样对预先制定的政策做出回应。他们的成就是非常狭窄的。
个人权威 激励技能 人际技巧 人际关系领导 教师应该能接受，因为有融洽的氛围和奖赏作为交换	教师和督导者的目标和兴趣都不一致，但可以通过交易使他们各取所需。 教师们是有需求的，如果得到满足，工作会按照要求的那样进行。 良好的人际关系与和谐的氛围使得教师们更容易满足，容易一起工作和合作。 督导者必须善于了解教师需求和谙熟驾驭他人之道，这样才能成功地使教师遵守规章并提升工作表现。	发展一种以教师之间和教师与督导者之间的高度融洽为特征的学校氛围。 "期望和奖赏。" "有钱能使鬼推磨。" 将个人权威与官僚权威和技术—理性权威结合起来。	只要可获得奖赏而不是其他东西，教师就会按要求做出回应。他们对工作斤斤计较，其表现受到了限制。
技术—理性权威 由逻辑和科学研究所定义的证据 教师被要求接受被认为是真理的东西	督导和教学都是应用科学。 研究的知识具有至尊地位。 科学知识胜于实践。 教师是熟练的技术人员。价值观、偏爱和信仰并不重要，事实和客观证据才是最重要的。	通过研究确定最好的实践方法。以标准化的教学反映出最佳的方法。 以最好的方式对教师进行在职培训。 对过程进行监控以保证遵从。 找出激发教师并使其改变的方式。	在适当的监控下，教师就像一个技术人员一样对预先制定的规章做出回应。他们的行为受到了限制。

续　表

来　源	主要应用这类来源时的假设	督　导　策　略	结　果
专业权威 关于技艺的知识和个人专长 教师应该对共同的社会化、专业价值、认可的实践原则和内化了的专业精神做出回应	环境是有特质的，因此不存在一种最佳的方法。 “科学知识”和“专业知识”不同，专业知识是在教师的实践活动中创造出来的。 科学知识是为实践提供信息而不是为实践开具处方。 权威不是外来的，而是来自于工作环境和教师本身。 权威来自训练和经验。 内在的权威来自于社会化和内化了的价值。	促进教师之间的交流，这样可以澄清专业价值观和认可的实践原则。 将上述内容转变为专业行为准则。 尽量多地给予教师们所需求的自主权。 要求教师为达到工作标准而相互问责。 为教师提供可行的帮助、支持和专业发展的机会。	教师对专业标准做出回应，因此只需要很少的监控，他们的工作表现舞台是很宽广的。
道德权威 从广被接受的价值、观点和理想中推论出来的义务和责任 教师对共同的承诺做出回应并感到相互依赖	学校是专业的学习共同体。 共同体是由共享的价值、信仰和承诺来界定的。 在群体中： 什么是正确的和好的，同什么在工作中可行和有效是同等重要的。 人们被情感、信仰以及自利所激发。 团队精神是一种职业美德。	确定和制定明确的价值观和信仰以定义学校作为共同体的核心。 将上述内容转变为约束行为的知识准则。 将团队精神作为内化了的感受和受道德驱动的相互依赖关系来推动。 依靠共同体成员的能力对责任和义务做出回应。 依靠群体的非正式准则体系来加强专业和共同体价值。	教师由于道德的原因对共同体价值做出回应，他们的工作舞台变得宽广而稳固。

共同体和专业规范作为道德权威的表现形式在督导Ⅱ中扮演着重要角色，而这类督导可以推荐来代替现今的督导实践。在第四章“督导：道德行为”和第八章“发展中的教师领导”中，我们将例证道德权威怎样在日常的督导实践中体现这一主题。

督导Ⅱ

在这一部分，主要说明督导Ⅰ区别于督导Ⅱ的一些基本假设和根本原则。督导Ⅱ结合了从人力资源督导中而来的Y理论，认为人们具有道德责任感，为了正义原因能牺牲个人的利益。相反，督导Ⅰ着重于X理论（科学管理）和温和的X理论（人际关系），就像我们在前面提到的一样。

在督导Ⅰ中大量的重点放于理解、研究、提高督导“行为”，而督导Ⅱ强调“行动”。

行动同行为差别很大，行为是我们表面上做的事，而行动则是有目的的，可自由选择的，追求价值和利他主义的。

由于行为和行动的这种差别，督导Ⅱ更多地集中在解释。这不仅仅关注事情看起来是什么，还关注事情意味着什么。暗喻词“语音”和“语义”可帮助理解这种区别。[1] 倾向于督导行为和教育行为，如同它们表现在表面上一样，就是这种语音学观点的例子，它并不很关心督导者是否参与了领导、教育、管理、评价等行政管理或教学的一系列活动中。如果这些活动的重点是“看起来和听起来”的行为，是强调那种对教师和学生而言有不同意义的行为的形式，那么这种观点就是语音学的。

在环境和参与人员发生改变时，同样的行为可以有不同的意义。例如，一个督导者可能走过里面有几个教师的教室，他随即对什么是快乐做出评价并要求分享教师们的感受。对督导者 A 来说，教师们可能会认为这种行为是视察性或控制性的，认为督导者是密切监视他们行为的人。对督导者 C 来说，他会认为这种行为是督导者提供给教师兴趣和支持的象征。在这种情况下，督导行为被理解为令人喜欢和对人有帮助的。从语音学上来说，这种行为对两类督导者都是一样的，但从语义学上来说，这个行为有着不同的意义。当从不同的解释和意义上来关注时，往往就是倾向于督导的语义学方面。

督导Ⅰ中的动机主要聚焦于“所能获得的奖赏使人们去做”，而督导Ⅱ以“正在得到的奖赏使人们去做”和“认为是正确的和好的才会去做”为基点。后者，如同将在第五章中讨论的一样，不仅更完整地反映出对教师们来说什么是重要的，而且还减少了以直接控制为主的督导行为。当被本质上的满意和有意义的行为所激发时，教师就可以自我管理了。

督导Ⅰ假定督导者和教师在自身利益和作为独立个体的基础上做出“理性”的决定。督导Ⅱ则认识到情感和价值观在做出决定过程中的重要性，以及人们牺牲自身利益的能力。另外，督导Ⅱ还认识到我们同他人的关系在很大程度上决定了我们想什么，相信什么，做出何种决定。这两个主题将在第三、五、十五章中得到阐明。

督导Ⅰ发生在有等级差别的不同角色中。“督导”和“指定的督导者”合二为一。督导是督导者为教师所做的一些事。一个教师可以通过学习成为督导者，取得证书，进行督导活动。换句话说，督导就是一个正式的有机构的过程，同学校的组织机构连接在一起。

督导Ⅱ将督导看作一个角色和功能，换句话说，督导并不是必须用组织性结构来划分的，也没必要用证书来证明其合法性。相反的，正是那些能转化在过程中的一系列观点和技能帮助教师和学校起到更有效的功能。督导活动既能由校长或行政指定的督导者进行，也可以由教师和其他人进行，因此，在督导Ⅱ中，诸如同侪督导、顾问督导、合作督导以及非正式督导都是重要的。某种意义上，这些过程经常在学校中出现。

---

〔1〕 Sergiovanni, *Educational Leadership*, op. cit.

教师对其他的技术性知识都很看重，并且很明显地依赖于相互之间的帮助，因此督导Ⅱ的一个目的就是废除机构性的督导，使得正在许多学校中进行的教师之间的非正式督导合法化。

什么是控制

如果不讨论控制而只谈督导的权威来源的话是很困难的。例如，督导是一个过程，能帮助教师和督导者更好地认识他们的实践活动，能更好应用他们的知识和技能为家长和学校服务，并且使学校变成一个更有效的学习共同体。一旦这些目标被认识到了，某种程度上的控制就很有必要了。在这个意义上来说督导就是控制。但是如何将控制体现到学校中，在这方面就有差别了。错误的控制会带来一些问题，会带来负面影响而背离主观意图。

督导Ⅰ和Ⅱ对控制的理解不同。举例来说，管理论学者亨利·明茨伯格(Henry Mintzberg)提出，可以通过直接和周密的控制来达到对他人工作的控制；通过将工作标准化，使人们适应工作体系因而被迫去遵守那些经过检验的准则；通过对成果的标准化进行评估以保证满足成果的规范化；通过应用某一或其他类型的一些标准使人们社会化；还有通过安排工作周期和标准使人们感到彼此间相互依赖的需要。[1] 当提起那些社会化的人们时，明茨伯格考虑的是职业标准。那些从普遍目标和共同的价值观中提取出来的标准还提供了另外一种控制策略，可以加到明茨伯格的理论中去[2]。

在第一章中，督导A非常强调提供直接的督导、将工作标准化以及将产品标准化，这是他所喜欢的控制教师工作的方法。相反，督导D提议依赖社会化的过程建立相互依赖关系，发展共同目标和价值。这两种观点哪个更有意义？从某种意义上讲，对于这个问题的解答依赖于被督导工作的复杂程度。

培养职业社会化、发展共同目标和价值、建立教师间自然的相互依赖是很独特的，因为他们有能力提供一种标准化的力量来鼓励人们实现自己的承诺。一旦时机成熟，三者就可成为传统督导的替代品，因为教师更愿意对发自内心的东西作出回应并进行自我管理。既然这些策略不需要直接督导或是照本宣科，它们就更适合那些需要成功教和学的复杂行为。这就是督导Ⅱ中所提供的控制框架策略。

督导Ⅰ 和Ⅱ之间的差别概括如下：

“督导Ⅰ强调”：	**“督导Ⅱ强调”：**
X理论假设	Y理论假设
教和学都是行为	教与学都是行动

〔1〕 Henry Mintzberg, *The Structure of Organizations*, New York: Wiley, 1979.

〔2〕 Karl Weick, “The Concept of Loose Coupling: An Assessment,” *Organizational Theory Dialogue*, (December 1986); and Thomas J. Peters and Robert H. Waterman, *In Search of Excellence*, New York: Harper & Row, 1982.

仅仅是语音学	语音学和语义学
外源激发	内部的和道德的
自利	共同利益
督导角色	督导功能
督导结构	督导文化
管理	自我管理

能力构建的重要性

从以上的讨论来看，督导Ⅱ是一种较好的方式，同督导Ⅰ有关的实践几乎没有存在的空间。同样的，官僚的和个人的权威应该从以专业和道德权威为基础的领导层和督导中废除。但是现实是两种督导的观点在统一的、沿袭下来的实践中都有一席之地。大多数教师对督导Ⅱ都有一种自然的倾向性。当这种倾向性主导督导实践时，对教师和学生来说，学校很有可能是一个好地方。但是一些教师并没有准备对此做出回应。有一些教师希望回应，但缺少在这新的环境中发挥功能的必要知识和技能。此外，在很多地方现有的教学文化并不鼓励督导Ⅱ的实践行为，那督导者应该怎么做呢？

我们认为答案是，首先教师们现在在哪里，他们应该开始努力改变学校现存的标准以使督导Ⅱ能被接受。在这个努力的过程中特别重要的就是督导者对能力构建的强调，例如，教师的领导力。在教师们对提供的领导职务全身心地负责以前，我们必须鼓励他们去这样做，而且让他们知道怎么来准备这个领导才能。当教师努力成为共同体的领导，成为支持系统的成员时，这两个目标就能够很好地实现。当教师希望成为教室学习共同体的发展者和督导者时，他们必须成为这个共同体的一部分。能力构建以及改变学校规范被迈克尔·富兰（Michael Fullan）描述为“文化重建”[1]。不管督导工作的焦点是什么，如果督导Ⅱ能成为体现这个焦点的框架，那么文化重建将是督导工作的核心。

〔1〕 Michael Fullan, *Change Forces: The Sequel*, London: Falmer Press, 1999.

第三章 督导学习共同体

正如前几章所讨论的，联邦、州或地方对于学校复兴的政策议程已经建立了一个对于教师和督导者非常具有挑战性的工作框架。政府所需要的是“结果”，看得见的证据，以表明学校把学生培养成了具有“世界级”学习水平的人。这项政策议程通过教学督导行为的内涵，对教学行为已经产生了事实上的检查。如果学生在全国统一考试中的成绩没有达到国家要求的掌握水平，那么老师将要对这个后果承担责任。如果这种情况继续存在的话，可能会导致教师被行政性解雇，学校被接管或关闭，薪水被冻结，等等。

在第二章中，我们了解了州的权威是如何变得那么具有支配性，以至于教学和督导工作统统受其驱动却又过分简单化。我们同样了解了专业的权威和当地团体的力量，它们能使国家教育改革议程的各项政策适应人类知识的道德要求水平，并能针对不同的学生群体恰当地实施。本章试图更进一步推动两种力量间的对话，也就是人们普遍设想的学校共同体与州教育部门之间，其中州教育部门负责履行学校复兴的立法。

首先，我们想把对于共同体所形成的理解看作是应用于学校和学校系统。这种正在形成的共同体意识与现今存在的个人主义，特别是其中的更多破坏特性，形成了鲜明对比。然后，我们将把这种初生的共同体意识运用到教育的现实中。学校共同体应该是这样一种共同体，它能够灵活地调整自己，使其与州关于学校复兴的政策议程相一致，或者，在议程的压力之下，四分五裂。对于督导实践，本章将会得出一些暗示。

个人主义与共同体

任何试图推行一种共同体意识的学校或教育系统都将面临这样一种情况，家长及老师对于这个概念持某种矛盾的心态。当改革议程使其被充分理解时，国家将集中精力致力于学校的核心工作——教学和学习——并声称“它高于一切”。国家所强调的知识是一种理论知识，而不是社会知识、审美知识或自我防卫知识。家长和老师都对此有所了解。“学校首先就是学校，成为一个共同体固然是好事，但我们应该首先把那些重要的工作做完。”

现今除了对理论知识要取得可测量的成就之外，人们对共同体有更深层的矛盾心理，因为人们通常把它的含义与传统的共同体概念联系在一起。传统意义上的共同体倾向于抑制个人的发展，要坚持集体的规范并与整个集体保持一致。虽然那些风俗制度已经崩溃，但是它们过去常给人一种归属感，例如人们属于教堂、会堂、清真寺、居住区、当地酒店，以及家族食品杂货店。尽管如此，随着令人眼花缭乱的生活节奏的变化，大量管理部门的非人化——今天的人感受不到自己所属的群体，找不到自己的位置，感受不到与别人的联系，感受到的是孤立、自己的微不足道、甚至是有气无力的忿恨。[1]

现代社会的共同体

对共同体的矛盾心态有其历史原因，它根植于现代社会初期。在现代化初期，文化和政治运动席卷了16、17世纪的整个欧洲，它被称为启蒙时代。与此同时，启蒙思想深深影响了美国的奠基者们。旧社会宗教法令令人窒息的统治，权力和阶级等级的森严，终于导致了人们的反抗浪潮，现代社会正是起源于此。以往的共同体只是表达了人天生的、永恒的社会等级，这种观念正逐渐被人们摒弃，代之以新的社会理念。社会应是一种社会契约，是一种人类的创造物，它保护每个独立的个体利益，并免受其他利益个体的侵犯。人类被自然界宣布为个体，因此否定了人类本能的社会性特质。人们为了保护自己的利益，创造出了一种非常实用的途径，那就是社会关系。个体（主要指男性，因为公共生活领域主要是被男性所管理）在不同的领域，如经济、政治或文化事务中寻找自己的利益。从某种意义上说，这些行为都被经济和政治“这只看不见的手”所左右，并促进社会的发展。人们在自由市场中寻找自己的利益，按照现代化的观点，这种集体的努力将为社会中的大多数人创造最好的结果。

如果我们考虑西方大多数工业化国家中的学校教育现状，我们能清晰地听到个人主义意识的回音。在学校中，成功是通过个人运用自己的才智在竞争中名列前茅来体现的。名次曲线意味着达到顶部的人是以处于底部的人为代价的；毕竟，有胜利者就有失败者。名列前茅的人很明显是运用他们的才智以取得更好的成绩，那些失败者要么是没有才能，要么是没有努力学习，但不管怎样，没有人会因为他们在学校的名次而受到责备。在这个系统不采纳合作性学习的安排，因为当成绩是一组成员共同努力的结果时，教师很难给个体评等级（把学生分为优生或差生）。为了名次而竞争，为了考入好的大学而竞争的整个系统，以及把学校目标定为使每个人的才能得到最好的发

〔1〕 See, for example, Robert D. Putnam, *Bowling Alone: The Collapse and Renewal of American Community*, New York: Simon & Schuster, 2000.

挥，这些最终都将落在独立的个体身上，而非整体。为了自己成绩更好，为了自己的将来，鼓励依靠自己的才能，不要寄希望于那些有机会走到前面去的人会减缓步伐，这些可以被解释为存在于学校内部竞争中的，一种校际竞争的集体个人主义的胜利（基于自由市场的假设）。对"我们是第一"的赞颂，经常会使本来应该是友好的竞争，转变为对手间的相互诋毁和责难。

在许多学校，青年人的社会化程度还没有达到把民主看作是一种把人们团结起来创建一个邻里朋友的共同体的方式，所有人共同分享一个令人满意的公共生活。而且，民主是一个保护个体利益的系统，它鼓励成员们运用民主的程序保护其财产，并且运用合法的方式获得自己的利益。在这种民主的理解中，人们履行其自由的方式是通过拥护共同体并宣扬他们的权利，或通过与其他人竞争以获得更多共享的社会资源（例如，呼吁建立财富使用和分配的地方条例，拥护税收打破某些商业投机，支持鲜肉桶装项目），这些竞争过程是由律师而非雇佣兵来进行协调的。自由并不是在共同体中与他人分享生活及财产，而是视作"来自"他人、来自影响个体生活和幸福的自由。

当一代又一代的人已经社会化到能够独立于社会，独立于父母和家庭义务的程度，独立于传统，那么随着现代化而来的个人主义的成功就会转变成悲剧。在个体从集体的约束下获得自由的过程中，个体被丢在了一边去学习独立生存的艰苦课程。个体被迫要与别的竞争者进入一个艰难而又肤浅的社会契约中，无论是职业的、经济的、政治的或简单的邻里之间，其人际关系主要倾向于功利性和自我防卫性。对于个体来说，只有面对家庭的核心成员时，他才会有亲密的情感交换（即使如此，为了自我满足，自己获得成功，他们也会让自己的伴侣或孩子作出牺牲）。具有讽刺性的是，对社会的排斥同样会带来现实问题，就是孤独的个人。个人的自由成了他自身的牢狱。

然而，查理斯·泰勒(Charles Taylor)告诉我们，对自治、个人权利和自我表达的现代追求已经被一种健康的人类本性直觉所点燃。这种人类的天性，尽管具有无节制性，但是个人主义在推动人类福祉方面具有不可否认的价值。[1] 科学研究是现代化的有利工具，运用它，我们认识到孤立的个人主义理论被驳倒了，这是由于人类本能的社会天性，它在语言习得论、文化人类学、社会心理学或知识的社会学中都有体现。这些科学都揭示了一点，即个体或多或少是由社会建构的。个体的基因构成，无论好坏，都是祖先送给他(她)的礼物。语言和家庭文化也会或多或少地影响青年人看待世界的方式。青年人的生活经历，很多都被文化传统和符号说明记录下来，它们会在某种程度上引导他(她)成为什么样的人。然而，个体并不是被动的；在个性形成的过程中，他会利用遗传基因、家庭文化、语言以及生活经历进行积极的活动。同一家庭中的孩

〔1〕 Charles Taylor, *Sources of the Self: The Making of the Modern Identity*, Cambridge, Mass: Harvard University Press, 1989.

子有所不同，这就揭示了个体的差异性。换句话说，个体的成长不能脱离社会，而社会同样离不开个体，社会是由各个独立的个体所构成的。正如约翰·杜威（John Dewey）所言："如果我们从孩子的成长中排除了社会因素，我们得到的是一个抽象概念；如果我们从社会中排除了个人，我们得到的只是毫无生机与活力的大众。"[1]

因此，我们理解了当前现实中个体与社会的紧张状态。然而，社会是一个现代问题，个体是一个现代需求；个体是一个后现代的问题，社会是一个后现代的需求。我们发现，在学校中这两种观点是矛盾的，因为学校反映出介于现代和后现代社会的过渡时期的紧张状态。

后现代社会中的共同体

在现代化的后期，关于社会的传统观念也不再适用。[2] 传统的、公开建立的参照顺序或者可以称为变动的叙事图景已经不能作为参照来为自身和社会进行定位。[3] 另外，传统的现象学者的社会或自我观念，例如世世代代都生活在一个地方、属于一个阶级、属于一种文化、属于一种特别的工作、信仰一种宗教、属于某种语言群体、甚至属于一个家庭——再也不能被认为是理所当然的了。[4] 变化节奏的加快、时空距离的缩小、世界各地的新闻能被多个媒体同步报道、信息高速公路上的知识爆炸、对现实或想象社会的忠诚的扩散，经济和娱乐的全球化，以及恐怖主义，多国结盟，移民问题、技术新发明——这些后现代的状况动摇、稀释并最终分解了传统的社会。在这个过程中，它也动摇了传统本身。

此外，社会冲突并不仅仅是一个每天发生的现实现象，因为各种族以及宗教集体都在试图保护他们自己的身份，以使这种身份不被外来文化以及外来语言所冲淡、稀释，甚至支配。从全球范围以及地方范围来看，身份政治取代了民主社会传统的、模糊的修辞，它要么以一种保守的形式出现，要么以一种渐进的形式出现。经典的自由的个人主义，传统的共产主义，或是这两种观念的混合物，如果要组建和指导当前的社会，它们都不能提供一个切实可行的基本框架。[5]

有外部的社会和文化支持，个体和社会塑造了一个相互联系的、稳定的身份特征

[1] John Dewey, "My Pedagogic Creed", in M. S. Dworkin (ed.), *Dewey on Education*, New York: Teachers College Press, 1959, p. 22.

[2] Anthony Giddens, *Modernity and Self Identity: Self and Society in Late Modern Age*, Stanford, CA: Stanford University Press, 1959, p. 22.

[3] Charles Taylor, op. cit.; Peter Berger and Brigette Berger, *The Homeless Mind: Modernization and Consciousness*, New York: Vintage Books, 1973.

[4] R. Gilbert, "Issues for Citizenship in a Postmodern World", in K. Kennedy, (ed.), *Citizenship Education and the Modern State*, London: Falmer Press, 1997, p. 65 - 81.

[5] R. Gilbert, Identity, "Culture and Environment: Education for Citizenship for the 21st Century," in J. Domaine and H. Entwistle (eds.), *Beyond Communitarianism: Citizenship, Politics, and Education*. New York: St. Martin's Press, 1996, p. 65 - 81.

和生活资源，社会建立了风俗制度、生活模式、传统和规范，这些指导着他们的集体生活。现在，外在的社会和文化支持已经消失了，只剩下人类种族的碎片。缺乏了这些支持，个体和社会必须致力于形成一种更稳定而灵活的社会关系。[1]缺乏了稳定的社会规范和传统习俗，个体和社会正在努力就个人与社会的关系达成一种更短期而又实用的协议。这些不仅发生在工作场所和政治舞台上，而且发生在家庭当中。有人把后现代的家庭比作繁忙的火车站，在奔向下一个许诺或行动之前，小孩和家长都屏住呼吸，在非常短的时间内紧张地冲向检票口。不管他们是要去服务于当地的学校委员会，飞向对面的海岸去参加一个重要的会议，去为一个小的团体做培训，去参加周末学习班，还是开车送劳拉(Laura)去参加一场足球比赛或送拉里(Larry)参加童子军，都是如此。

随着社会资本的流失，学校面临着与家庭和社会联系弱化的结果。父母的工作时间延长了，他们常常把学龄前的儿童送进学校，然后下班顺路接放学的孩子回家。有的孩子会把一些消极的东西带到学校里，例如严重的贫困，不良功能家庭的影响，社区暴力和青少年团伙，家庭物质生活的腐化，这些状况都会加快耗尽社会资本。最终，学校将容纳日益增长的不同文化背景的学生，他们通常是新近的移民，第二语言的学习者。这些不断积累的冲突将直接影响到学校的使命，而学校的使命原本是使学生作好充分准备来参与社会、社区和政治生活。[2]学校改革议程几乎忽视了学校现存的这些方面，而把焦点集中在学术成就上。

然而，在后现代和现代化后期的环境中，学校以及所有的机构都必须面对**构建**共同体的挑战。共同体不再是一个让我们来简单调整的东西。后现代社会的共同体是更具变化、构造实用、多维的现象。后现代共同体是由多样性组成的，在其中你能发现多元主义的丰富性。人们积极参与自我管理的实用程序中，自我管理不仅能促进个体成长，而且由于个体间不可避免地要独立承担责任，从而使共同体所承担的义务降到了最低限度。

把共同体与学习联系起来：学习共同体

由于学生的多样化，使不同的学校有了更多的共同经验，越来越多的研究表明，学生的文化背景、阶层以及性别不仅会影响到他所学的内容，而且会影响学习的准备状态。为了面对政策团体的各种要求，促进学校的发展，学校意识到在教学策略上没有"一劳永逸"的做法。例如，教师需要了解学生的母语在英语单词和句子上的细微差别；社会阶层的态度是如何影响归属于不同文化现象的价值观的，这些文化现象包括

---

〔1〕 Giddens, op, cit.

〔2〕 John I. Goodlad and Timothy J. McMannon (eds.), *The Public Purpose of Education and Schooling*, San Francisco: Jossey-Bass, 1997; T. H. Marshall. *Class Citizenship and Social Development*. Chicago: University of Chicago Press, 1964.

权威、风俗以及性别角色；性别社会化是怎样影响学生进行协作性学习的能力的。换句话说，学生运用他们的生活世界观，即校园外的世界来理解他们在学校里学到的知识，而且也是班级行为的规范来源。虽然不会破坏一般课堂学习的可能性，但是它确实产生了最根本的问题。如果课堂教学忽视了，甚至是轻视了这种生活世界观，那么学习就会受到阻碍。另一方面，如果教师对学生的多样性以一种可接纳的方式沟通，即在班级中，他试图去理解每个学生的背景，并把这种背景与课程联系起来，学生就会有归属感，并感受到与课堂的学习任务联系在了一起。这样的课堂要求每个学生都谈论自己的背景，希望每个同学都尊重有着不同背景的同学，并且在这种背景下，明确地把课堂的学习任务与每个成员联系在一起，这样的课堂将会创造出一种共同体的气氛。这对课堂本身是很有意义的，而且对于支持课堂的学习氛围也是很有价值的。从这样一种观点出发，我们就可以谈论共同体对学校的重要性了，它完全能够使学校对国家和州为提高学生学习的动议做出回应。

共同体作为课程

在学习专业知识的时候，学生把共同体作为一种健康的学习环境来体验是非常重要的。除此之外，还有其他的原因使学校有必要发展一种更广泛的共同体意识。在日益增加的多样性压力下，市民社会变得支离破碎，移民导致了多样性，而且身份政治的传播、技术革新的加快、传统的瓦解以及团体身份的其他稳定资源的崩溃，都加强了多样性的发展，教育的社会目标需要引起新的关注。在过去，人们一般是把学校看作聚集了不同种族和文化的学生的场所，不同社会等级背景在这里混合在一起，然后学会和睦相处，他们不仅要容忍彼此之间的差异性，而且要了解并接受作为一名美国人的一般身份。除了一套标准的市民课程外，学生每天都与美国文化进行日常沟通。因为学生在学校这个普遍的环境中学习并接受这种文化，这样，学生完成了社会化的过程。学校复兴议程，由于对学校教育的社会目标表示默认，似乎认为这种早先设想的潜移默化的社会化方式是理所当然的。现代化后期或后现代社会的环境对这种疏忽学校教育的社会目标的看法提出了挑战。而且，那种环境表明学校应该更加积极地教导学生怎样构建、重构共同体。学校应该有一门有关共同体的课程，以使学生获得建立和维护共同体的知识、技能和策略。

为了学会怎样成为一个共同体，对教师和管理者形成挑战的是要勾画出各种各样的学习机会，这些学习机会也许会在理论课程中，在课程互动活动中，或通过展示各种机构的构建及其程序而表现出来。共同体课程不是指一门课，或一个课程群，它分散在全部K－12课程中，它是多种学习活动的一个序列。有的发生在教室中，通过对怎样展示班级风采并以审慎的方式开展团体课程；有的是与理论科目明确地联系起来的，如地理、历史、文学、科学、世界语言和艺术；有的发生在运动场上、咖啡馆或学校巴士上；有的也许会在学校发起的为祖父母和家长准备的特别晚会上。

共同体课程可以通过许多途径实现，如一个学校荣誉代码的建立和维护，经常性参照学校的核心价值观活动，日常学生冲突—解决小组事务。在学生会和学生法庭指导下开展的活动中，在学校发起的团体服务活动中，通过学长安排的活动，通过同伴辅导活动，也可以通过把学生的问题编写成剧本并用戏剧、音乐剧或艺术展示表现出来，通过特殊的集会，在集会上对市民团体的问题进行仔细的讨论等等方式，将共同体课程开展出来。在所有的以团队工作练习方式进行的课程互动活动中，共同体课程作为明确的授课内容，有利于培养学生对学校的自豪感。学校里的成年人可以开发一种真实和潜在学习活动的记录本，这些学习活动构成了共同体课程。如果他们同意，学校中的每个人都可以拿去教授，包括服务人员、咖啡厅职员以及管理员，用发展性的、恰当的方式把这些学问运用在与各个年级水平的孩子的交往活动中。每年全体员工、学生和家长都可以把新的建议添入学习活动的记录本中。

显然，过了几年之后，通过学校教育者和员工的努力，以及来自家长、社区专家及学生本人的帮助，这个课程就能建构起来。源自于所承担的责任，学校将会变成一个充满人文和社会素养的地方，在这里理论学习和社交学习将携手共进。这个课程将建立在人们之间最基本的体验之上，学会相互信任，学会与他人交流并分享经历，将有利于有意识地、明确地集中支持共同体文化和结构的建构与维持。

共同体课程源自于一种对现代化后期对共同体的理解，它被认为是一种复杂的、多维的、易变的、竞争的和重实效的现象。共同体的建立和维持是由人际间的相互关系、相互协作完成一项工作或任务，成员之间共同承担权利与义务，相互间的忠诚等因素决定的。共同体课程认为，共同体必须通过其成员每天的积极活动才能构建起来，因为今天达成的共识也许会激发明天的分歧。而且，一个临时的共同体不可避免地要包括不同背景和政治身份的人，因此要建立起商谈和尊重差异的框架和程序，并为不同的利益寻找共同的基础、时间和空间。在所有这些当中，必须坚持谨慎行事。最后，这个课程明确关注共同自我管理的制度化建设，从而可以为更多的成人参与到民主团体而撒下种子。

在共同体中，个体学会了基本的行动安排，可以作为一个社会人分享每天的生活体验。加巴里隆(Gabarino)认为，在儿童期，父母至少要有一个能够照顾儿童，提高儿童的适应能力。[1] 在学校中，儿童与成人的接触体验只是促进了他适应能力的发展，他们学会了信任，当有他人在场时，他们学会了作基本的回应，集中注意力，给予倾听，感受移情、相互依赖和应答，再加上与其他儿童的友谊和合作体验，使自我效能感能够持续提高。

当儿童长大进入了一个支持型的共同体，他(她)就会发现共同体中有各种规范，

---

〔1〕 James Gabarino, *Raising Children in a Socially Toxic Environment*, San Francisco: Jossey-Bass, 1995.

以此使共同体能够进行自我管理，并使共同体能够保护每个成员的利益。这些规范逐渐传递出这样一种责任意识，即共同体中的成员应该尊重他人，通过那些共同的规范，每个成员必须为保护和发展共同体承担一份责任。成长中的儿童向着对共同自我管理的理解前进，当这种理解发展起来，那么民主管理的基础就可以被引入了。

督导D的观点

第一章中描述了一个重构失败的学校，若运用本章所提供的思想来思考的话，督导D对此又应如何分析呢？从工具性的视角来阐述的话，那个学校应该符合共同体的标准，相当好。为了使学校更有成效，督导D提倡运用文化主题和共同体观念的方法。例如，他评论到"这些变化……并没有反映出学校实际的工作方式或教师的思想和行为方式"，还有，"对教师有重要价值的并不是管理制度，而是他们的信念、价值观以及所持的假设"。督导D的建议是什么？把学校看成**共同体**。学校需要建立一套规范体系以定义共同体是什么，以及它是如何运行工作的。督导D相信，把教师是专家的规范和价值结合在一起，通过帮助教师实现自我管理的方式，可以为管理控制、教学体系和直接督导提供替身。

督导D认为，以下五个原因说明了共同体的重要性：

- 教师、家长和学生相互之间需要联系，而且要与学校联系，共同体可以满足这种需要。
- 共同体帮助学校中的每个人关注共同利益。
- 共同体为学生提供了暴风雨海洋中一个安全的避风港——在这里，他们被无条件地接纳。
- 共同体为教师和学生的学习提供支持。
- 共同体缔造了关系和责任。

有充分证据支持督导D的观点，伴随着对学习的承诺，伴随着营造共同体过程的推进，共同体最终有助于学生行为的提高。[1] 此外，共同体还为教师、学生和家长提供了相互接纳的需要，关注共同利益，这些都会改善学生的行为，增强与院系的紧密联系，并近一步密切与家长的关系。[2]

共同体为何这么重要，还有其他的原因。例如，督导者需要清楚地知道他们运用了什么方法增强了学校中的共同体意识。我们需要关注的不仅仅是如何使机构能够

---

〔1〕 See for example James Coleman and Thomas Hoffer, *Public and Private High Schools: The Impact of Communities*, New York: Basic Books, 1987; and Anthony S. Bryk and Mary E. Driscoll. *The School as Community: Theoretical Foundations, Contextual Influences and Consequences for Teachers and Students*, Madison, WI: National Center for Effective Secondary Schools. 1988.

〔2〕 See, for example, Penny B. Sebring and Anthony S. Bryk, "Student-Centered Learning Climate," in Sebring and others, *Charting Reform in Chicago: The Students Speak*, a report sponsored by the Consortium on Chicago School Research. Chicago: University of Chicago, 1996.

顺利运转，还包括那些支撑健康公众生活所需的人生意义的课程。从这种观点出发，促进学校共同体发展就不仅仅是培养友情，培养学生间相互的尊重，强调依靠共同的努力取得小组项目或竞赛胜利而得到满足感，讲授合作性学习的裨益，或是逐渐培养他们作为集体中的一员而感受到自豪。在促进共同体向这些令人向往的方面发展的同时，他们还必须培养政治技能以参与到制定公共政策的竞争过程中，参与到政策实施过程中，参与到团体冲突的裁决和仲裁中，并且加入那种以自我管理为指导的团体。换言之，共同体教育不仅意味着发展令人满意的关系以把所有的个体都包含进一个整体当中，而且意味着培养共同体成员的责任感和作为一个公民的责任感。

共同体与学校改革

在本章中，我们试图把两个政策议程放在一起进行比较，即一个是提高学生知识的，另一个是建立学校共同体的，并且把它们作为学校的正式、非正式课程中一个完整的组成部分。我们所持的观点是，这两者需要同时给予关注，双方都会从这些关注中受益。一方不能以另一方为代价，而是一方包含在另一方当中。这两个议程都要求教师和学生、家长、管理者积极参与到知识、技能和态度建构过程中，对两个议程来说这才是本质。因此，督导者的工作不仅仅是把教师召集在一起，让他们按照指导方针把特定领域中的课程教学策略勾画出来，而是还需要呼吁教师关注他们工作的社会目的，并商讨怎样使知识目的和社会目的相得益彰。事实上，我们的观点是，除非是在责任背景和公共生活的多种挑战中传授课程，否则，对于管理机构来说，不论考试成绩有多好，所学的知识都不会有什么大的用处。

第四章 督导：道德行为

引　言

人们对教育的领导力越来越赏识，因为其组成已经不仅仅是各种行政功能的技术精通，诸如决策、利用方格工作表使几个部门具有同等的积极性、阅读大幅的预算分析表，等等。它所包括的不仅仅是专业能力，还包括理解对构成派成员学习的新教育方法，或是为员工发展制定一份5年以上的整合策略计划。教育的领导力渐渐地也被看成是包含了道德意识和道德承诺。督导者的工作同样被认为包含了道德维度。本章就探索一下这些道德方面。我们并不是要试图说明督导者应该遵循的道德原则，而是要把督导者的道德行为放置在各种关系当中，例如，与教师的关系，最重要的是与学生的关系以及与学习固有的道德行为的关系。

首先，我们将把督导者的实践看作是经常有一个道德底线，这个底线的道德方面需要明确清楚。然后，我们开始着手探究督导者所处的位置，以及他对促进一个道德共同体方面所做的贡献。当督导者的工作深入到学校的多层道德生活中时，在他们承认和支持学习本身的道德特征的过程中，也许督导工作会找到与道德一致的基础。

督导的背面

教师述说他们"被监督"的经历所形成的许多故事听起来一点也不令人振奋。[1] 他们一次又一次地诉说自己被放置于一种赢取—丢失的情形之中，感到无能、做作、性别困扰以及种族成见。充其量，在与督导者形成冲突时会直接导致以最少量的证据为基础形成评价判断。最坏的情况是，这些冲突可以摧毁自主性、自信心、个人的正直品德。不幸的是，一些督导者所开展的督导不仅不专业，而且不人道、无原则。

督导最传统的做法是在教师的课堂上进行正式观察。不管表面上多么像临床督导，大多数的遭遇会导致督导者对各

〔1〕 See Impact, New York State Association for Supervision and Curriculum Development. vol. 19. no. 1(Fall 1983). The whole issue is devoted to dealing with these less than altruistic motives. Arthur Blumberg raises penetrating questions in his treatment of the "cold war" between teachers and supervisors in *Supervisors and Teachers: A Private Cold War*. Berkeley. Calif: McCutcheon Publishing. 1974.

种教学行为的恰当性和效用性形成判断评价。这些评价通常会被记录下来,并写进教师的档案中。课堂观察通常沿着一种预先形成的程式,包括什么行为是比较好的,但现在这种观察越来越没有什么帮助。[1] 而且,督导者对于教和学潜在的但又不言而喻的假设,从一开始就在督导实践中遭受到了挫折,因为他们太倾向于简化。在长期的动态作用下,人类意识具备了极端复杂性和多层次性,教师所做的决策,不论是有错误的还是比较恰当的,都是以这样一种意识为基础。督导者对一组人群的相互作用过程只观察一小段时间,他们当然不能意识到正在发生的所有事情。[2] 因此,评价教师的工作情况是一件非常复杂,而且不完美的艺术。在实践中,很少有人能掌握。

除了职业问题外,还有其他的态度和举止在暗中破坏着督导者的行动。这与想要统治和控制别人的欲望有关;有一种不安全感,只有通过攻击性的、支配性的行动和语言才能掩盖;对种族的、性别的和民族的成见阻碍了真诚的沟通和相互尊重。有些年长的教师鄙视年轻的督导者;有些年长的督导者看不起年轻的教师。一个有色人种的督导者会对一个白人教师制造问题;白人督导者会给有色人种的教师制造麻烦。女性督导男性和男性督导女性,必须要处理明确的职业议程以外的问题。当种族、文化的差异与性别差异混合在一起时,误解和伤害的可能性就会大大增加。

由女性所写的有关成为一名女教师的开放文学,在督导领域值得引起更大的关注。越来越多的女教师找到了自己的声音,并且努力探索途径使自己在工作中更充分地得到实现,而不是按照设想的社会化角色来行事,督导者需要对这一发展过程更加敏感一点。[3] 对有些妇女来说,探索新的个人领域是一种道德挑战。男性督导者也许对于女教师中正在形成的这种现象还没有作好准备。我们的建议是应该与女性就正在进行中的事情开始对话。这方面受到了重视,不断高涨的声音指出需要更多的女性督导者。

当这些消极主题占据了督导者的体验时,它们会破坏任何坦诚、信任、职业沟通的可能性,并且可能会导致对督导者一方、对教师一方,或双方都使用控制性的语言和行动。有时督导者和教师并没有意识到他们在相互攻击。有时有一方会有意识地寻找机会控制、支配或胁迫另一方。教师经常能体验到这种态势,他们扮演着一个浅薄的角色,装作什么都理解透彻了,把感情和真实的沟通保持在一个安全的距离之内。更经常的情况是,教师或督导者彼此间都没有流露出真实感情,对他们所玩的游戏也没有,督导的冲突就发生了。他们把督导活动作为是一种必须要完成的有组织的形式,来取悦一些政治和法律的需要。通过上面的例子可以看出,督导是道德行为的对立

---

〔1〕 Susan Stoldowsky,"Teacher Evaluation: The Limits of Looking", *Educational Researcher*, vol. 13. no. 9(November 1984), p. 11 - 18.

〔2〕 Jane Juska,"Observations," Phi Delta Kappa, vol . 72. no. 6(February 1991). p. 468 - 470.

〔3〕 Nell Noddings, "Feminist Critiques in the Professions," in Courtney Cazden (ed.). *Review of Research in Education*. vol. 16(1990), esp. p. 406 - 416; Madeleine R. Grumet,"Women and Teaching: Homeless at Home,"*Teacher Education Quarterly*, vol. 14. no. 2(1987). p. 39 - 46.

面，它暗含一种虚伪、不诚实、不忠诚、邪恶的或非人性的意图。有时，督导行为是不道德的，只是因为它浪费了太多人的太多时间。

督导实践的道德启发

如果督导要成为道德行为的话，就必须要尊重督导者和被督导者的道德完整性。也就是说，督导者与教师之间的交流必须是信任的、坦诚的和灵活的。只有这样，才能使双方站在自己的完整立场上说话，并且鼓励每一方都尊重另一方的完整性。交流必须以一种真诚的讨论开始，讨论那些对于教师和学生来说有帮助的东西。要使这样的事情得以发生，督导者需要探寻一些必要的条件，以建立和维持一种信任的、真诚的和坦诚的沟通。这就意味着，督导者需要提前商讨基础的规则。因此，督导者要与教师一同探讨应该遵循什么程序，有什么样的权利和责任，什么事情由谁控制，谁的需要可以得到满足，以及交流的目的何在等等。这种讨论本身就是一种道德行为，是一种遵从指导方针的协商，只有这样，公平和真诚才能够得以维持。这些关于如何开展并保持一种真诚沟通的探索性的讨论，就构成了道德活动的启发式应用。

除了设置了参数和准则的那些启发式应用之外，还有沟通本身。另一个人是带着他的复杂性、脆弱性和模糊性加入进来的，包容、真诚、尊重和关心的道德法则是根植于与他人交往的过程中的，所有这些构成了道德行为，这是一种授权的道德行为，它有让每个人都成为真实自我的愿望。除了这个愿望，它还包含了让每个人对于自己所做的贡献持一种欣赏的态度。但这些道德准则就如同有些抽象的概念那样并没有被感受到，就如康德定律（Kantian principles），运用演绎法就可以推断出特殊的结论。当然，他们会随着相互作用的涨落和变动作出直觉的、即刻的回应。事实是，通过反思，督导者和教师都能够理解那些回应的道德方面。

促进一个道德共同体的发展

除了关心单个教师的授权外，督导者还有培育学校道德氛围的责任。事实上，这两种道德关注是相互支持的。学校的日常生活包含了许多道德挑战，但是督导者经常不知道如何称呼它们。学校中的制度化的实践往往传递着非人性的感觉。在学校备忘录上公布信息，通过校园广播网发布的通告，学生纪律政策的行政性改动，所有这些都表达了一种家长式的独裁或是敌对的态度。学校所实行的很多策略，如等级划分和考试、指定学生进入轨道式的课程小组、挑选教材和集会发言人等等，这些都可能招致道德准则的质疑，如公正、平等、对文化多样化的尊重等等。统一的班级时间表的强行实施，把学生贴上聪明和有缺陷的标签，中止学生的上课和上学、课本中重要主题和视点的缺失、计算班级排列的过程、评价学生方面选择余地的缺失、学生和全体教师奖励标准的缺失——所有这些以及其他的制度化程序都带有道德的内涵，因为他们试图达到的目的或结果至少是暗含道德的。

像大多数机构一样，学校中的标准化操作程序倾向于呈现出自身的面貌。学校没有把这些程序看作是人类的创造，并把它放在恰当的位置上以取得更大的目标，而是倾向于听任这种方式继续发展，通过程序来达到他们预期的目的。当制度化程序变得比人类（制度应该为之服务）更重要时，引发道德伤害的危险就增加了。这种制度环境开始变得对人类生活有害了。诸如此类的一些价值，比如一致性、可预测性、效率、服从和顺从等等，倾向于藐视其他的价值自由，比如良心、创造力、多样性、发明、冒险和个性等等。当那些制度化的程序侵犯人类价值的时候，个人就不应该被迫服从这些程序，而应该让这些程序服务于我们人类。如果程序不能服务于人类，它们就应该被改变了。

督导行为具有道德性，但对教师活动的限制会影响教学与督导活动之间的机构联系，导致志气低落。从字面上说，就是影响教学情境。它还忽视了督导者在机构中的位置。督导者的位置与教师的位置是不同的。教师的主要职责是针对学生而言的：对那些由学校共同体制定的、学生应该学习的内容负责。而督导者的责任更多的是针对整个共同体而言的：对学校范围目标的实现负责。学校机构的设置对于教学情境有着直接的影响，但教师个体却不能改变什么。

然而，在学校共同体中，督导者喜欢制度机会的多样性以发起和维持不同群体之间的对话。他们向制度实施的恰当性发起了挑战，因为这些制度对共同体中不同部门的影响是不公平的。[1] 督导者在制度的不同水平上工作，而且他们的活动又与不同的部门有交叉。因为他们可以相对自由地安排自己一天的时间，他们可以参加各种行政会议和教师会议，并把这些制度的道德关注点提交给共同体。如果忽视了这些问题，就是允许制度策略和方针取消对教师和学生的授权，并且否定督导者与教师个体所开展的工作。

教学的道德理想

我们不会赞同督导者去鼓励教师的道德承诺，虽然这在部分教师那里也比较缺乏。相反，督导行为发生在一个已存的道德环境中，这是由教师的专业性所创造的。我们通过认真审阅包含在教学理想中的道德维度来更好地理解督导中的道德尺度。大部分教师都有这种教学理想并且这构成了专业特性总概念的核心。[2]

当我们初次思考专业性的时候，能力问题吸引了我们的注意。专业人员是专家，他们的专门知识赋予了他们自主权。但专业知识不足以为其获得专业性的外罩。虽

〔1〕 For a more extensive discussion of this responsibility of supervisors, see Robert J. Starratt, "Building an Ethical School: A Theory for Practice in Educational Leadership," *Educational Administration Quarterly*. vol. 27. no. 2(May 1991). p. 195 - 202.

〔2〕 Magdalene Lampert and Christopher M. Clark, "Expert Knowledge and Expert Thinking in Teaching: A Response to Floden and Klinzing," *Educational Researcher*, vol. 19. no. 5, (June-July 1991), p. 21 - 23.

然社会上通常把保险箱窃贼、美容师、赌徒、棒球运动员等人都统称为专业人员，但这种称法是有争议的。成为一名专业人士不仅需要专业技术而且必须要做一些其他的事情，例如，社会上不仅仅需要熟练的医师、物理学家、教师和其他专业人员，而且要求他们的技术被善意地运用。专业人员由于被信任而获得特权。要取得信任，就不仅仅是需要专业技术。有人把这些"其他方面的事情"称为专业品德：[1]

专业品德的维度是指什么呢？与此相关，至少讨论四个方面：[2]

- 致力于一种楷模的方式实践
- 致力于朝向社会价值目标的实践
- 致力于不仅是自身实践而且实践本身
- 致力于关怀美德

专业品德的四个维度为发展强有力规范系统提供了根基，把它与学校作为共同体的规范体系相结合时，就可以将督导转变成目前所实践的那样。因为这个原因，建立专业性的品德方面对于督导来说应该放在比较高的优先地位。

例如，致力于楷模式的实践，就意味着要行走在教学的利刃上，紧跟最新的研究，研究自身的实践，用新的方法去试验，和其他人分享行业知识。一旦建立，这一维度将导致教师为他们自身职业成长而接受责任，因此，大大减少了一些人服从他人的需求或替他们规划和执行员工发展计划的可能，职业发展的焦点从训练转化为自我更新、与他人接触、学习、分享机会。大多数这种职业发展是非正式的并且成为学校的日常生活，教师为计划和开展正式的和非正式的行动和方案分担了更多的责任。

第二个专业品德维度，致力于朝向有价值的社会目标而行动，这代表着把自己置身于服务学生和他们的父母，并与学校的价值和目标达成一致。

第三个专业品德维度，致力于不仅仅是自我的实践，还要针对实践教学本身，这迫使教师扩大他们的视野。这样一种承诺需要教学从个体行为转变为集体行为，例如，在集体实践中，我们不能接受有能力的教师在其他人有困难时不提供关心和帮助。同样，我们不能接受对教学有特殊的洞察力的人却不与他人分享，也不能接受把成功仅定位在自己班级而不管学校成败的人。

教与学的道德特性

对教学专业品德的更深理解会引导我们进行学习本身的品德和道德特性方面的

---

〔1〕 This discussion of professional virtue follows Thomas J. Sergiovanni. *The Moral Dimensions of Leadership*. San Francisco: Jossey-Bass. 1992. p. 52 - 56.

〔2〕 The first two dimensions are from Alastair McIntyre . After Virtue, Notre Dame, Ind: Notre Dame University, 1981. The third is from Albert Flores, "What Kind of Person Should a Professional Be?" in Albert Flores (ed.) Professional Ideals, Belmont, Calif. : Wadsworth Publishing, 1988. The forth is from Nel Noddings, *Caring: A Feminine Approach to Ethics and Moral Education*, Berkeley, Calif. : University of California Press. 1984.

探索。换句话说,在教学存在美德的同时,也可以从学习的寻求发展和提高的道德特征中推导出它的道德特征。接下来就是要揭示教学和学习更深层的道德特征。[1] 为了探查那种道德特征,我们必须摆脱那种对学习实际上是知识本身的熟悉理解,而转向一种正在形成的对知识和学习的新认识。这种新的认识是根植于现实的内在联系中的。学习开始被视为类似于学习者与学习中的现实之间的对话。从这个角度看,我们认为学问,或是对知识的追求,既是一种智力活动,也是一种道德活动。我们接下来要考虑的是知识运用的道德性,或是知识的社会运用的道德性。通过描述两种形成对比的教学方式,我们试着阐明对教学和知识的道德特征的理解,以此来回应学校改革的政策议程。

如果我们像督导者那样认识到学习本身是一种内在的道德行为,那么当督导者和教师一起推动学习的道德活动时,他们就分担了那种内在的道德特性。

基础假设:合作性学习与孤立性学习

现代性最突出的缺陷之一是逐步出现了个体自主的必需性的断言,这一断言最终发展成为哲学的、政治的和经济的理论,并牢固地树立起了个人主义意识形态,成为一种毋庸置疑的信条。个体为了成为一个完整的人,必须对家庭、团体、自然、上帝和宇宙宣称独立。个体必须独立于宇宙的、政治的和宗教的环境,对这些环境任何内在的依赖都必须取消。人们相信,个体的独一无二性、个体的特殊命运以及成为某种人当中的一员的自由,都是他被授权的结果(我们这里有目的地使用男性的"他",是有明显原因的)。这种意识形态会产生突出的结果,怎样理解这样一个孤立的个体是如何了解世界的。这导致了笛卡尔(Descartes)努力地去建立一个逻辑基础,只是为了弄清楚他存在着;我思故我在,就是一个孤立的个体行为。因为个体与世界的分离使他失去了与这个世界联系的安全桥梁,所以他是他自己知识的独一无二的注解。对于现代主义的大多数认识论而言,笛卡尔激进的孤立认识成为了起点。不知怎么地,这种孤独沉思的心智倾向于客观地认识世界,这种客观认识世界的方法要么是通过与生俱来的想法,要么是通过逻辑和感觉的技巧而来的,这些技巧的自然形式与客观现实的逻辑性及观念的形式是一致的,它是通过科学的因果关系和方法论而把握的。当今认知科学的大多数研究仍然在与来源于笛卡尔思想的基本的认识论问题相争。[2] 对知识和学习的新的理解视角在过去的世纪中已经浮现出来,它将会帮助我们克服认识者的孤立性。

关于知识的新社会学把认识者置于文化之中,置于一块已经构造了知识、语言图

〔1〕 This section is adapted from an earlier essay by Robert J. Starratt. published as "Grounding Moral Educational Leadership in the Morality of Teaching and Learning," *Leading and Managing* 4(4). 1998. p. 243 - 255.

〔2〕 Jerome Bruner, "The Transactional Self," in J. Bruner and H. Haste (eds.), *Making Sense: The Child's Construction of the World*, New York: Methuen, 1987, p. 81 - 96.

谱、支架、线条、逻辑学和方法论的"织锦"之中。[1] 认识者通过接收知识来学习，这些知识是他所处的社会已经为他构造好的。透过哲学家和精通量子物理和新生物学各个分支的科学家的眼光，对认识者的更深层的理解又被丰富了。[2] 通过改变关于人类个体认识者的假设，他们提供了一种不同的认识论，个体认识者并没有孤立于他(她)所了解的知识。他们已经被卷进了自然之中。人类的智慧已经深入到了宇宙领域；涌入那些领域的能量流进了人的思想当中，流进了人的大脑，流进了文化和语言的历史中。文化、语言、智力、智慧，这些精神脑力在时间和空间上都联结着它们从前的状态、现在的状态和未来的状态。宇宙中的每个部分和每个单元都反映了一种潜在的智慧，这表现在许多方面，它们好像知道自己正在做的事情，不管我们正在谈论的是天体物理学，还是亚原子物理学，它们知道生命的进化形态以及它们的遗传和生物智能，知道动物和人类的进化过程以及作为社会性人类的智力形态，知道文化和文明的进化过程以及它们在语言、科学、哲学、艺术以及宗教领域的智慧。

如果知识不是某种特殊的东西，一个孤独的个体就可以以某种方式从有敌意的或平凡的自然界中把它偷过来，或哄骗来，或像魔术那样变出来，那么知识是什么？为了解开知识的谜团，我们必须推翻导致谜团的基本假设中最主要的一条，即一个孤独的认识者脱离于自然世界却试图去了解它。杜威(Dewey)，怀特海(Whitehead)，波拉尼(Polanyi)，贝特森(Bateson)以及其他一些人，[3] 认为我们应该从这样的假设出发，即个体没有脱离自然，而是与自然联系在一起的。这就意味着，个体同时存在于多种关系之中，如地球引力、食物链、气候模式、政治和文化规则，能量转换的关系，爱和恐惧的关系，美学和经济依赖等等。不论这些关系是良好的还是有问题的，知识是在对这些关系有目的的探索过程之中出现的东西。

知识是一种对话，是自然和社会世界的智慧与个体认识者之间的对话。深陷于自然和社会世界的关系中，意味着这些关系的相互包容和相互尊重。这也暗示了通过一种语言或多种语言，对话得以发生。认识者和认识对象相互谈论，相互对抗，相互攻击，相互威胁，相互陶醉，相互困惑。因为它们相互的关系是持续存在着的，所以认识

---

[1] E. Doyle McCarthy. *Knowledge as Culture: The New Sociology of Knowledge*. London: Routkedge, 1996.

[2] Robert M. Augros and George N. Stanciu. *The New Biology: Discoverring the Wisdom in Nature*, Boston: New Science Library, 1987; Gregory Bateson, *Mind and Nature: A Necessary Unity*, New York: E. P. Dutton, 1979, and *A Sacred Unity: Further Steps to an Ecology of Mind* (edited by R. E. Donaldson), New York: Harper Collins, 1991; Loren Eiseley, *The Immense Journey*, New York: Vantage Book, 1957, and *The Star Thrower*, New York: Times Books, 1978. James Lovelock, *Gaia: A New Look at Life on Earth*. Oxford: Oxford University Press, 1979; Ilya Prigogine and Isabelle Stengers, *Order Out of Chaos: Man's New Dialogue with Nature*, New York: Bantam 1984; George A. Seilstad, *At the Heart of the Web: The Inevitable Genesis of Intelligent Life*. New York: Harcourt Brace, 1989; Frederick Turner, *Rebirth of Value: Meditations on Beauty Ecology. Religion and Education*. Albany, NY: State University of New York Press, 1991; Alfred North Whitehead, *Science and the Modern World*, New York: Macmillan, 1925; Danah Zohar and Ian Marshall, *The Quantum Society*, London: Harper Collins, 1994.

[3] John Dewey, *Experience and Nature*, La Salle, IL.: Open Court Publishing 1929; John Dewey, *The Quest for Certainty: A Study of the Relation of Knowledge and Action*, New York: Putnam, 1929; Michael Polanyi, *The Tacit Dimension*, Garden City, NY: Doubleday, 1966; Whitehead, op. cit.; Bateson, op. cit.

者独立地存在于比认识对象更高的位置是不可能的。它们相互纠缠着，证明着对方的存在，它体现在恩爱和仇恨的关系中；人类和鸣鸟之间的关系，人类和 HIV 病毒之间的关系；配偶之间的关系，狱吏和囚犯之间的关系，我家后院的杂草和太阳表面黑子爆发之间的关系。除非这些关系问题的经验是在相互理解对话的某种最低水平上获得，否则就不会有知识。

对知识的亲近和尊重知识产生责任

换句话说，我们可以从许多角度来理解知识，从联系的观点来理解，从存在物的本体论角度来理解，存在物不是孤立的，而是处在场内，其活力奠基、创造并维持了关系。从这个角度分析，我们可以把知识看成是某种相互熟悉或相互亲近的结果。如果我们假设认识过程是类似于恋爱过程的话，那么接近认识的对象就要求尊重它的完整并且对它保持敏感，认识过程意味着承认认识者与认识对象之间的关系，并且对认识对象表示“尊重”，对其“负责”——这样我们对知识就有了一种完全不同的理解。从这个理解出发，认识过程不仅仅是智慧间的会面，而且是一种含蓄的道德行为。在这种认识的道德行为中，认识者担负起了逐步了解认识对象的责任——也就是说，充分关心认识对象的完整性。这就意味着要避免粗糙的接近和对话。因此，认识者就能认识到认识对象真实的样子，或至少是在现存环境允许条件下的真实。这也意味着要把自我的优越感或显赫放置一边，把自我中心主义放在一边，使自己服从于事物的讯息，并在认识对象的复杂性面前屈尊。当认识者分享自己已有的知识的时候，对认识对象的描述要精确，在环境条件允许的情况之下要尽可能灵敏。那种分享成为了一份对别人的邀请，怀着相似的崇敬和关怀之情接近认识对象。

学问的道德特性

在围绕学者工作传统和仪式的讨论中，其谨慎和关怀的道德准则得到了详细说明。大众认为学问都是可信任的，因为他们认为学者对他（她）所研究的有最完整、最清晰的理解，学者的学问代表了现今环境允许下最真实的、没有半点扭曲的知识。学者不能通过不诚实的渠道来汇报他们的发现，不能歪曲他们的结论以迎合预先设想的理论，否则他们就亲自对其声誉犯了罪。他们的工作不是说出大众想听到的声音，而是“让事实自己说话”。他们的研究结果代表了解释事物的框架，在这个范围内，他们知道那些框架对结果的易领悟性的影响有多大。学者们有义务认真对待他们的学问，因为他们认识到对知识的探索和揭示就如同智力工程一样是一种道德行为。

对学者来说，认识过程包含了一种对认识对象的仔细而全面的注意，包括聆听通过认识对象传递过来的无声的、细微的信息。它意味着把这些信息的最初理解放回到研究主题中，不断地询问，“你的意思是这样（或那样）的吗？我注意你的方法是你想对我说的方法吗？当我用这种方式说明时，我是否是从一个错误的假设出发了呢？这是你真正的含义吗？"学者一次又一次检验假设，对比所得到的信息，聆听着他的心声和思想。正如波拉尼所说的，学者们尝试着去了解研究对象，结果获得了对研究对象复杂性的一种直觉的、不可言说的认识，以至于在他们对结论的逻辑有更深的反思之前，他们对研究对象还只是一种模糊的认识，不能准确地表达自己是怎样知道的。[1]

大多数学者们在其研究领域都展现出一种迷恋。这种迷恋转变成了喜爱，他们"喜欢研究这类东西"。他们喜欢学习和理解知识。有些人轻蔑地认为学者是"嫁给了他们的工作"。对学者而言，他们与其研究事物之间的关系是如此令人满足、令人兴奋、令人着迷，它是他们的全部世界。

学者热爱自己的研究，但这并不意味着他们与研究对象的关系之间就没有挫折、没有痛苦、没有不一致。研究对象的差异性会扰乱学者的计划和时间安排。它们也许会悄悄离去，连续数周拒绝提供有关的信息；也许还会出现自相矛盾的情况，或至少是与学者得出的初步结论相矛盾。它们会拒绝与学者安置在其内部的技术合作。学者们会对它们咆哮，他们要控告这个不诚实的世界让这种异常的事物存在，并且抱怨研究对象是在故意欺骗他们。

知识利用的社会责任

除了知识本身及它与我们的关系之外，知识还显示出不同事物特性之间的关系。

我们知道各种类型的钢材，各种类型的气体，还有各种酸性物质。我们知道某种气体经过加热可以熔化钢铁；某种酸可以腐蚀钢铁；钢比木头要"强壮"，用钢的斧头能劈木头；某种法律可以保护市民的权利；白蚁可以吃木头。我们懂得红绿灯、人行道以及交通流量之间的关系。我们发现某种微生物有助于扩散一种石油溢出物。某种圆周管道在任何时候都只允许一定体积的水通过。然而，这种单一的、一对一的关系是很少见的。例如，水能否通过管道要根据压力条件，还有地球引力的条件；水是不能流经一根上坡的管道的，除非用抽水机，或者水源所处的高度高于那个山坡。微生物不能被引入水系统以消除石油溢出物，除非水很温暖，能够维持某种微生物的生命活动。反对诽谤的法律限制了保护言论自由的法律。

我们获得的知识不仅揭示了我们与世界的关系，而且揭示了这个世界是如何运转的，怎样运转的。借助一些发明创造，我们可以使其发挥作用。知识不仅教会我们尊重世界，而且显示出世界的真实或潜在的工作关系。

不论从个人角度，还是从集体角度，世上的知识对于我们的工作都是有益的。这里的工作不仅仅局限于"职业"，它还包括我们作为一个家庭成员，一个邻居，一个公

〔1〕 Polanyi, op. cit.

民，一个建筑师，多种组织机构的一员，作为人类的一员，作为自然环境中一个智能动物进行工作。通常我们的“工作”确实主要是指我们的职业，从某种意义上说，“工作”使我们能够为世界做出贡献。“工作”显示了我们的才智、技巧和活力，也包含了一种义务的基本观念。这种义务不是简单的指一个职员要为他一天的收入付出一天忠实的工作，而是一种对世界的义务——虽然我们对这个专业术语的定义可能很模糊——作出贡献，是对最低限度管理意识的一种回应。

不幸的是，有太多无道德的人运用他们的知识满足自己的利益。几乎每天都有媒体报道个人或公司违背了他们的专业或行业的信任：内部交易，偷税骗税，政府官员行贿受贿，假冒伪劣药品通过检验，故意捏造实验研究结果，可能威胁到汽车驾驶员的生命安全的削减成本程序，食品加工企业违反健康法则，保险公司违背保险政策规定条款，违反建筑的安全法规，对员工工作环境安全法规的故意侵犯，教师骚扰学生。因为职业完整性中的公共信任受到破坏，公众被激怒了。督导者的知识和专业地位导致了我们把自己生活的重要方面放在了他们手中。他们的犯罪后果比冲动型犯罪——酒店里打架闹事，吸毒者当街抢劫——严重得多。当专业人员运用自己的专业知识触犯法律、欺诈消费者时，就亵渎了我们对其公仆角色的信任和尊重。律师和医生、商业官员和政治家、教师和牧师，对他们令人遗憾的挖苦不仅是公众对他们的行为表示失望的一种表现，而且还是我们对其专业道德理想的持续高期望的一个表现。

两名教师对学习的不同理解

在我们思考学校里是怎样处理知识的时候，我们发现有两种不同类型的教师。我们暂且称呼其中一位叫斯坦·达德斯(Stan Dards)，另一位叫康尼·斯特拉克特(Connie Strukt)。斯坦·达德斯认为知识客观地存在在那里等待认识者的到来，学习是一件非常简单的事情，即通过记住课本中的公式，或是通过做实验，发展并掌握正确的探索技能，回答课本中的规定问题等方式去占用那些知识。知识只是获得和知晓那些正确答案，而正确答案是由专家掌握。在斯坦的课堂上，教师忽视了对“正确答案”背后的东西进行解释的过程，认为覆盖了教学大纲就等于掌握了国家课程标准所规定的客观知识。一个学期内，学生正确或错误回答问题的多少，决定了学生所获得的等级，表明了他(她)对于教学大纲掌握的多少，以及知识掌握的多少。当学生参加这些高赌注考试，他们的成绩决定于他们正确回答试卷中问题的数量。

斯坦·达德斯会告诉他的学生，他们已卷入了一个高赌注的(考试)过程。他们必须准备参加国家考试，这决定了他们能得以升学还是停滞不前。在国家考试中获得成功，表明将来通过努力，他们会成为一个对社会、对国家有贡献的公民。如果他们努力学习，保持集中精力，完成每天的作业，及时更正自己意识到的错误，跟上课程的进度，他们就会获得成功。为了帮助学生准备国家考试，斯坦会给他们提供很多练习题，列出国家考试中相似的问题。这样，学生就有机会练习怎样来回答这些问题。

斯坦·达德斯严格按照国家课程标准所要求的学术水平来安排学生每周学习计划。一周内，他会提供各种练习、知识点测验、小组竞赛等，以确保学生在作业上花足够的时间来学习课程标准中所包含的知识。学生除了练习考试技巧，还学习怎样缩小多项选择题的选择范围，以及在考试中怎样建构一个短文式回答的基本框架。

康尼·斯特拉克特的课堂教育经常折射出学习知识的激情魅力。学生们感到她是真的喜欢“在这些东西上面浪费时间”。通过学习，她向学生传授那些能激发热情或兴趣的事物，以至于有抵触的学生也配合她，以免伤害她的感情。康尼引导这些学生进入各种论题世界，不管是化学、数学、还是诗歌。因此，他们不再是这些世界的匆匆过客，他们进入了一个激情洋溢的世界，他们与自己学习的东西紧密联系在一起，为所学的知识担负起了责任。

康尼·斯特拉克特也建议她的学生参与到为高赌注的国家考试而准备的进程当中。然而，她指出，考试大纲可以帮助学习重要的和有趣的学习要点，但它只代表一个人为的被分成一个个独立的课程标准的学习序列结构，这样往往会忽略课程标准内知识之间的很多联系。她花时间来准备高赌注的国家考试，但她会将上下文联系起来学习，并视其为一个激动人心的灵魂旅途。她每周的课程计划是着眼于两点：一是课程大纲；二是创造各种与这个论题有关的对话，以激励学生对他们所学习的东西产生兴趣。通过鼓励学生将自己已有的理解、才能与正在学习的现实理解进行对话，她帮助学生学习有关知识对话的方法、测量的方法、观察的方法，怎样虚构出选择性的情景，怎样寻找证明各种关系的证据，以及怎样揭示一个关系背后的逻辑推理。

康尼知道这种理解力之间的对话是学生建构知识的一条必由之路。她也认识到，与学生建构知识体系一样，通过知识能建构学生。假定知识是这种关系的基石，那么知识将揭示掌握知识的人与他已掌握的知识是怎样的关系。当学习化合物时，不仅要解释与之直接有关的生态环境，而且要揭示这些化合物本身是怎样形成、变化的。学习二战历史时，要与他们自己为国家献身的愿望相联系，要与人们想要的非暴力道德伦理相联系，要与武器造成的大规模破坏相联系，要与民众所受到的苦难相联系，要与现实中的种族屠杀相联系，要与政治狂热相联系，要与当代历史的地缘政治论相联系。康尼鼓励她的学生既要对他们所知道的负有责任感，还要对他们所知道的负责。学生为了正确答案而进行的学习转换成为：学习怎样与他们所处的自然环境及社会环境保持融洽。然而对于怎样与环境保持融洽并没有任何所谓的正确答案。不过，学生吸收的知识仍然是为了解释他们与自然环境和社会环境之间的关系，并且揭示这些关系对他们的要求，以及对他们后代的要求。

康尼也为学生提供一些体验，让学生运用他们的知识解释现实世界中存在的问题，并让他们对这些问题作出反应。例如，通过计算机模拟，她让学生了解和学习工程机械知识、投资策略、人口普查的结果。仍然是通过案例学习和计算机模拟，康尼向她的学生介绍各方面的问题：大众健康、环境保护、食品加工技术，以及起源探索等。学习社会知识时，康尼让她的学生编写他们的家族历史，而材料来源于仍活着的家族成员讲述的故事，已过世的家族成员的信件，旧报纸中的故事，或家庭相册。她不仅要求学生描述他们的家谱，而且要求他们试着去理解他们的祖辈所面临的人权和公民权利问题，了解祖辈为了生存发展而拥有的技术条件，祖辈的文化、娱乐和他们的工艺制品等。

在学生学习国家标准课程的过程中，康尼教他们怎样去运用他们的知识，怎样把他们的知识运用到现实生活当中。在这个过程中，她教学生怎样重视生成知识和运用知识的工具，怎样诚实地报告他们的发现，怎样避免脱离证据，以及怎样演示他们运用证据时的推测过程。此外，她还要求学生运用他们所掌握的知识和想象，发现那些能改进他们学习处境的方法。通过监控食品的生产过程，或控制供应水的细菌含量水平，公众健康会有多大可能得到改进；通过鼓励尽早察觉严重的生产问题，公司有多大可能改变其经营策略；通过强有力地执行国际法，发展中国家的人权问题有多大可能得以解决。康尼鼓励学生运用他们的知识为当地人民服务，随后让他们体验为他人服务时运用知识的感受，而不仅仅是让他们在某项考试中得到好成绩。她希望她的学生认识到：上天赋予他们最初的才能，是为了让他们服务社会的，自身的利益是排在第二位的。

学生在运用知识进行练习的过程中，将伴随着持续不断的忠告，比如：知识带来责任；如果我们不运用知识改进人们的生活，知识又有何用？重视你的知识的完整性以及你掌握知识的方法；注意语言技巧和修辞；要尊重听你讲座的听众，给他们讲述精彩的例证，运用精确的语言，当他们昏昏欲睡时，适时幽上一默。

康尼给学生的主要训诫是：你们没有选择不学习的道德权利。选择不学习就是选择不掌握你为社会作贡献而应该掌握的知识。你选择无知，你就可能选择：提供发生意外事故的机会，失去生命，使一个重要计划以失败告终，使你的社会梦想遭受挫折，让那些对你的表现有所依靠的人失望。一个组织或一个社会的杰出成就，不仅依靠于他们当中最优秀人才的素质，而且依靠于像你我一样的人的才智合作。任何一个人的不良表现都将减低整个团队的成绩。我们已经取得的文明程度，无论伟大到什么水平、杰出到什么水平、良好秩序达到什么水平，都是因为有无数像你我一样的人知道做什么最有价值。对此，他们是有准备的。这就是为什么说你在学校里学习知识，不仅仅是一种公民权利，更是一种责任，对自己、对社会、对子孙后代都是一种责任。

这些有关斯坦·达德斯和康尼·斯特拉克特的描述，很明显是想象虚构出来的，是为了比较对学习的两种不同理解及由此产生的不同教学道德特征。大多数人不会认为斯坦·达德斯是个差教师。事实上，他代表了许多教育工作者、家长和方针制定者心目中认为的好教师形象。而康尼·斯特拉克特，有可能与斯坦一样，为学生参加国家统一考试而精心准备，她吸引学生与他们的学科进行知识对话，而这样的对话可以使他们充满自信，并灵活地应对国家统一考试。另一方面，康尼所教授的许多内容好像与考试并没有什么关系，而是对学生和社会未来的福祉具有多重价值。如果要使提高课程执行水平的努力开花结果，国家就需要更多的"康尼"走进教室。像斯坦那样的教师，仅仅简单地利用新的国家课程大纲，鼓励相同的无思考、孤立的学习，目前这种情况在很多学校都存在。学习的道德角色——既是为了建构健康的自我，也是为了虔诚地重构我们的世界——与掌握知识同等重要。我们提议不管是学习的哪个方面——知识或道德特征——都能够真正地与另一方融合。

给督导者的暗示

我们曾建议督导者要好好审视他们与教师目前的关系，看看是否有"背后的"问题阻碍了真正的工作关系。我们也曾提到督导者通过在学校组织或教育系统内的职位品德，可以对建构学校道德共同体产生重要影响。这需要他们近距离地查看一下学校的组织机构和发展进程，以了解他们是否为一些学生提供了良好的服务，而给另外一些学生带来了不利，从而形成了不公正的来源。一个道德共同体需要时不时地进行自我批评，保证自己所做的是所倡导的。而督导者拥有号召人们关注这些制度问题的有利职位。

看一下督导者对教师的关注情况：督导者应该承认教师的道德行为，不仅要把其行为视作专业品德，还要将其视为学习和教学德性的基础。然而，督导者会很自然地问：他们应该怎样与教学特性的教师发生相互作用呢？例如，假定在学校整个教员队伍中有许多"斯坦·达德斯"呢？我们曾经建议过，督导者应该把他们的权威至少建立在可接受的共同体规范之上，建立在共同体所提倡的共同价值或核心价值上。如此看来，讨论学习和教学的道德角色需要在整个教师团队中提出来，而不仅是在一个教室对一个教师观察的简单叠加。督导者应鼓励教师分享一些观念和经历，包括他们对于专业品德的理解，他们是怎样描述自己对于完整学习的看法。在教师中的这种交换一般来说会激励其他教师反思教学的道德特性。教师们也许就会开始把活页笔记本汇集起来，上面记录了教师在课堂上何时提出学习道德特征的案例。笔记本可以放在教师办公室的显著位置上。教师一旦开始很自在地讨论这个主题时，督导者便可以鼓励他们建立一些内在的责任基准，包括他们每周的课程计划内注意学习的道德维度。通过这种以共同体为基础的讨论，这种对于学习道德维度的正当关注，督导者就可以将这个讨论发展成为对于共同体的真正关注。

我们相信，教师体验工作的动力是来源于道德理想。这种理想激发并证实了他们作为人的完整性，它根植于他们对教育职业的理解。这是对教师行为的呼唤，它是教师的天职。

因为教学和学习是一种道德行为，督导分享了其中的道德品质。管理应该支持、培育和强化这种根植于教育内的道德理想。所以，督导作为一种专业活动，应该与教师的专业知识和教育专业的道德责任紧密联系起来。督导者要了解教育的复杂性、多层次性以及知识基础的多维艺术。除了要重视知识的复杂基础之外，还必须能够与教师进行对话，督导者有义务和教师一起将青少年带入学习的情境当中。督导者这样做是要帮助教师发现给学生更好回应的方式。

显然，这种帮助会使督导者的专业基础知识得以运用。下几章，我们将讨论这些专业基础知识的各个方面。然而，督导作为一种道德行为，所包括的不仅仅是督导者的知识，它还包括督导者的一种能力：促使教师在一定的道德层次上进行讨论，而这种讨论反映出教师为学生所示范的道德职责。最后，对于学生来说，教师所要做到的不仅是给予他们知识，尽管这是他们的主要工作，他们还需要懂得：他们为学生打开了欣赏生命之门，让他们体验到与他们密切相连的世界，一个具有挑战性的复杂世界，充满了美丽、痛苦和快乐。〔1〕

在教师所教的具体内容背后，教师从根本上想与年轻的学生们分享的是他们生活的一些较深层次的部分——通过对这个世界的各种透视所体验到的快乐和魅力。当他们的学生在考试中取得了优异的成绩，教师是非常高兴的；然而最令他们满足的是学生喜欢他们所学的东西。督导者就应在这个层次上参与，这是授权的一个基本方面。

---

〔1〕 Among other testimonies of this moral commitment to the human growth of students, see Tracy Kidder, *Among Schoolchildren*, New York: Avon, 1989; Philip Lopate, *Being with Children*, New York: Poseiden. 1975; Jay Mathews, *Escalante*, New York: Holt. 1988; Jo Anne Pagano, *Exiles and Communities: Teaching in the Patriarchal Wilderness*. Albany, N.Y.: State University of New York Press. 1990.

第五章 督导的教育平台

本书的自始至终，我们一直强调在重建学校核心工作中督导和教师参与的相互关系。通过区分督导Ⅰ和督导Ⅱ，我们想强调一种成为督导的不同方法，以及一种鼓励和支持教师思考工作的不同过程。督导Ⅱ看起来能更有效地使教师参与到重建工作中来。督导Ⅱ鼓励教师汇聚集体智慧，一起合作来重新设计学生的学习活动，以便使学生富有成效地参与到知识的积极生产和行动当中。这种对教学和学习活动复杂性的集体反思，促使教师来研究他们所应用的概念体系，因为这些概念界定并影响了他们所教授的课程。[1] 在本章中我们建议这种反思的实践活动在某些方面需要加入到每一位教师的教育平台上。除非教师和督导者们揭示了他们的教育平台，否则他们就不会建立一个相互理解的基础，这对于他们的共同努力能够建立在牢固的基础之上是非常必要的。

除了来自于直觉和概念体系的技术理解，还有一些为实践提供基础的信念、想法、价值观和态度，它们组成了所谓的"平台"。[2] 正如一个政党把它的决策和行动建立在一个政党的平台上一样，很多教育工作者的工作开展、决策和教学计划，也是建立在他们的教育平台上的。当问及一位教师为什么要以某种方式约束孩子时，他（她）通常的回应是所有的孩子应该怎样被约束。当被问及学习某一课程的社会作用时，教师常常会用关于孩子社会化的一套信念框架来解释。

一个教师的教育平台很少能从表面看得出来。它不是静态的或单一维度的，它来自于生活经历，来自于正式教育，尤其是来自于课堂上尝试—错误的经历。教师们在开始第一天的第一节课前，并不习惯于停下来回忆他们的平台元素。相反，他们的教育平台可以从他们的行为模式和与学生互动的习惯方式上看出来。

一个教育平台的位置是正确还是错误不是我们在这里所要关注的问题。知道平台的位置是"什么"，理解教学实践和

〔1〕 Donald A. Schön, *The Reflective Practitioner*. New York: Basic Books, 1983.
〔2〕 Decker Walker, "A Naturalistic Model for Curriculum Development," *School Review*, vol. 80, no. 1 (1971), p. 51 - 65.

平台元素的关系，注意言语的平台和实践中的平台的矛盾性，欣赏一个人自己的平台和他人平台的差异性——这些才是本章将要强调的要点。教师和督导者需要知道他们各自的平台是什么，他们需要调查出一致同意的方面和有分歧的方面，这些分歧是否会阻碍他们重新设计教、学的合作过程。在鼓励对实践进行反思的努力中，教师和督导者需要花时间来接合他们的平台。大多数教师趋向于拒绝这种实践，仅仅因为他们不习惯于显示他们的平台。他们仅仅根据对环境的感觉来行动。然后当他们确实书写出他们的平台时，他们就会感到对于他们的所做和为什么这么做的一种满足感。对工作本身和工作意义的更好的感觉会强化动机、满足感和对工作的责任感。[1]

接下来是开发(至少是部分开发)平台的几个例子。实际上，与下面的例子相比，教师的平台可能会更叙事或更零碎。这里所指出的是轮廓形式，倾向于把中心放在最主要的部分上。

最基本的能力平台

● 学校教育的目的是确保所有的孩子有一种最基本的描述技能和理解力。丰富并超出这些最低能力的学习活动是非常重要的，但是这是学校教育的第二目的。

● 学校在培养这些最低能力的教育方面千差万别。不能完成这些教育的人将成为没有生存能力的公民而生活在社会的边缘。

● 目前和将来的公民和工作要求获得这些基本能力。掌握这些能力将帮助个人在其他个人和社会领域中的成长。

● 教育者的工作是建立一种高度有序的环境，循序渐进地促进掌握阅读、书写、计算和科学过程这些基本的能力。这就意味着要对每一个主要单元的学习内容进行仔细界定，对出现的不足进行修正以仔细评估入学时学生的技能和理解力，用内在的矫正状态来仔细监控学生的进步，在继续下一个单元前掌握所需的知识，拓宽和加深掌握这些毕业所要求的能力。

● 如果给以足够的时间和正确的指导，几乎所有的学生，除了极少一部分有严重残疾的孩子之外，都有能力掌握这些最基本能力的学习。

● 学习活动中最重要的因素是“工作时间”，意思是多数上课时间会花在训练和练习上，以加强这些能力，并花额外的时间在有需要的学生身上，且每日的家庭作业将根据这些能力而布置。

● 当学生在学习一种能力遇到困难时(这种能力可能最初是强调的)，就会用其他的方法来替代。

---

〔1〕 Richard Hackman and Greg R. Oldham, “Motivation Through the Design of Work: Test of a Theory.” *Organizational Behavior and Human Performance*, vol. 16(1976), p. 256.

● 特别在低年级，会更少地关注高水平的学习和丰富文化知识的活动，除了那些已经掌握这些最基本能力的学生。

● 课堂纪律是通过更密切地关注学习活动来控制的，而不是用教师惩罚和重复纪律来控制。

● 所有的学校奖励措施需要优先考虑的是能够提高学习成绩。对其他合适的行为或成绩的奖励则要排列其次。

民主的社会化平台

我们必须从学习的本质开始。学习就是发展理解，通过理解产生行为，反过来从行为中获得理解。学习意味着发现一种中介的观念，通过它我们界定和建构我们自身，但这种中介常常是与别人一起或通过别人来完成的。学习包括共同创造出一个公共空间，在这里自身的自由发展是与促进全体人类的健康发展相一致的。学习因此包括制造出一个公共世界，同时创造出维持这个世界的程序，正如形成这个世界的基本价值观一样。学习的动力指意识到自身具有联系和沟通别人的独特品质。展现自我的学习条件具有社会性和政治性：即自我的现实性需要你的承认，你的才能需要我的支持。[1]

1. 教育的主要目标是使个人能够在社会中发挥作用。设想在一个民主的社会中，学校不仅要提高生存必需品的质量(工作、与人相处、管理个人财政、做一个有责任感的家庭成员等)，还要提高作为一个健康的民主社会必需品的质量(寻求共同利益的政治参与，为更高的目标而放弃自身利益的意愿，在公共问题和冲突中解决问题的技巧，对政治如何运作和如何影响公众政策的理解等)。

2. 学校应该有目的地进行组织，以使学习活动主要发生在共同体背景中。应该教会学生合作学习而不是彼此竞争。即使在鼓励发展个人才能时，团队项目、同侪指导、团队奖励和对社会问题的讨论也应放在首位。应根据个人对社会的贡献进行奖励，而不是仅仅根据个人知识的丰富程度进行奖励。

3. 学习最好是在共同体背景中进行。语言技能只有在与一定的和不同的团队沟通中才会得到发展。可以通过关注团队的历史和文化来培育历史和文化的意识。自我尊重和自信这些心理需求能通过主动参与团体活动来得到很好的满足。在具有共同体意识的情况之下，对差异的接受和个人的发展可以得到最好的沟通。价值观、法律和社会习惯也最好是在共同体的背景下教授。

4. 教育者在学习共同体中拥有一种特殊的权威感。教育工作者帮助并指导共同

---

[1] These observations on the nature of learning are adapted from John Nixon, Jane Martin, Penny McKeown, and Stewart Ranson, *Encouraging Learning: Towards a Theory of the Learning School*, Buckingham England: Open University Press, 1996, p. 50－52.

体的年轻成员完成学习任务，但是也允许共同体的动态议程在需要时干预学术活动。

5. 当教师和学生处在一个相对小的、相对自制的、相对自主的学习共同体时，其功能发挥得最好。因此，考虑到教师和学生团队可以有更紧密的持续联系，这些有大量学生就读的学校应转变成易管理的学习共同体模式。

6. 课程应由一套学校范围的学习结果控制，但是学习共同体在获取这些结果的方式上应该拥有相当大的自主权。教师团队有责任促进这些必修的学习，但是也应该允许教师设计一些特定的学习活动，这是把学生置于共同体中的最好方式。

7. 如果有可能的话，学习共同体可以通过父母的参与，或把市民共同体视为一个学习的实验室，或在市民共同体中讨论问题，或提高共同体的服务价值等方式，把市民共同体包括在内。

城市教师平台

你得理解孩子们来自哪种环境。许多学生是来源于一些规划项目，单亲家庭，主要是福利院的孩子们；有些是第一代移民，其中有一半是把英语作为第二语言；一些来源于比较老的经济公寓社区，少数民族的后裔，典型的工人阶级家庭。我认为对我和孩子们最重要的三个教育目标是什么呢？首先是纪律——我的意思是遵循规章，学会自我控制，促进控制。这些孩子生长在一个他们能见到任何事情的环境中——杀人、强奸、吸毒、卖淫，被地方团伙和个别集团（我们称之为恶霸）勒索，其中很多是女孩。他们生活中充满混乱、不可预测和低度的杂乱。因此当他们进入我的班级时，他们得学会在一个有序的社会里应该如何生活——安静、可预测、选择后的结果——他们必须知道他们得注意什么，同时也得知道不能对教师胡言乱语和欺骗。学生们做了自己的作业，他们就会被承认；如果不做作业，就要承担相应的后果——放学之后必须完成，然后回到家中告之父母，因为我要求如此。

因此纪律是首要的。其次是付出努力的习惯——工作道德，如果不付出就无法获得。你想要叫我从你背后走开，你就必须每天都做功课，做家庭作业和练习。每周的测验会告诉你做得如何。在“C”以下，你的母亲就会接到学校的电话，你放学后要留在学校里。我相信这些孩子能完成我布置的作业——所有的人。但是他们的出生环境，并不把工作道德看成是一件大的重要事情。或者是，孩子们住在公寓里，他们的父母努力工作，他们有工作道德，但不是“教育工作”的道德。居住在邻近的孩子们都在谈论他们如何讨厌学校。通常是父母都有工作，有时还做两份工作，没有时间督促孩子。也有例外，但是我不能一直和家长通过电话联系。孩子们已经知道在成人世界中工作并不那么有趣。但是如果他们要发展自尊，他们就要承担起责任，即使是令人讨厌的、没趣味的任务也要很投入。因此排在第二位的是：学会如何一贯地努力工作。

第三是称为礼节的东西。这些读中学的孩子，正在经历反叛的岁月。并不是仅仅学会说“请”和“谢谢”，而是要学会尊重别人，因为他们是和你一样的人。作为一个11岁孩子的母亲，我知道女孩子们要经历的事情。男孩子对女孩子的态度很粗鲁，当然女孩子也会对男孩子非常无礼，因此我常常和他们呆在一起。当他们在我班上时，我不会容忍那些取绰号、故意模仿别人以及欺负别人的行为。放学之后我几乎每天都和两到五个孩子呆在一起，处理一些闹意见、打架、取绰号的事情。我对自己能处理孩子们的这些事情而感到自豪。他们的父母告诉我，他们在孩子们身上看到了好的结果。

我对孩子作为学习者的看法如何呢？我认为他们不用我的很多支持，他们一直在努力着。我认为要成为一个好学生，你要相信努力学习会有一些结果，相信每日在学校努力学习就可得到回报。对于许多孩子来说，他们不知道学校与他们有意义的生活之间到底是怎样联系在一起的。对那些现在已经进入青春期的女孩子们来说，各种联系、男朋友、家庭、成为母亲是她们最大的现实。对男孩子们来说，运动、爱好、小团体，这些东西除了娱乐之外还会带来麻烦。学校对二者都有影响。作为学习者，青年人在寻求获得大学学位的同时，有潜力成为年轻的学者，但大多数学生对于他们的未来都没有看到这一点。那些展望将来职业的孩子们，觉得他们似乎会在服务性行业中工作。许多孩子感兴趣的惟一的学校作业是计算机和因特网。因此，我试着用计算机来教授很多基础课程。

对这些孩子我所用的教学策略通常是什么呢？首先，如我以上指出的，这些孩子需要组织、纪律、努力工作。因为这是一个比较传统的中学，除了艺术和音乐之外，其他的课我都要教，因此我安排了许多活动来充实一天的生活：句子结构练习、词汇训练、地理练习、分类和测量的科学手册练习、数学手册练习等等，孩子们非常喜欢。我让他们整天都忙碌着。他们很高兴能够脱离我的掌控，但是他们学会了做这些事情，有时候甚至还非常喜欢。

生态学平台

1. 主要现实既不是个人也不是人类社会，而是整个生态环境。因此，学校的教育生态应该包括环境的生存需要以及它对人类社会的意义。

2. 人类文化可以用生态比喻来形象地理解。人类生活在一种文化中，就像生物生活在一个有食物链、生命循环和四季交替的自然环境中一样。人类通过礼仪、传统、工艺品和人际关系这些基本生活元素来了解人类自身，因此学校除了教授这些基本的生态系统和结构之外，还应教授人类生存和发展所必需的文化生态学。

3. 个人不能离开自然或文化环境，而必须融入自然和文化环境之中。人类成就不是指逃离这个环境，而是找到与这两个环境和谐相处的方式。学习本身就是对个人与环境两者关系以及个人融入文化和自然环境的一种发现。

4. 学校教育的社会目的不是获得一些控制自然的技术，或者出于工具性的目的控制自然，而是摒弃那些破坏自然和文化环境的社会实践和社会计划。这就要通过探索公共的政策和实践，维持和尊重自然和文化的规律与模式来达到这个目的。民族中心主义、国家主义、男性主义、种族主义和所有剥削性的关系都否认自然和人类环境的统一性和完整性。当社会威胁到环境时，它也逐渐地危害到自身；同样的，当社会破坏了自然和人类之间的联系时，它也破坏了自身。人类不可避免地要与文化紧密联系，那些联系维持着人性并哺育着人类的精神世界。人类对自身的共同理解渗透到他们的文化当中。

5. 因此，知识不是个人获得或拥有的东西；它是所有人类的成就、遗产和能量。当一个人懂得一些东西的时候，他对它的了解和文化对它的命名是一样的。一个人之所以能懂得一些东西，是因为从知识中获得的关系中包括自身及自身与知识的关系。人类通常懂得的东西比他们能知道的更多，因为大多数知识是内隐的，并且存在于直觉的潜意识层中。身体至少和意识知道的一样多，而意识则比身体有更多的理解知识的方法。

6. 人类和环境与文化的关系是通过经历来获得的。用语言来描述这些关系的方式，可能是清晰的，也可能是歪曲的。语言不是表达的中性工具，语言的解释是建构于文化并被文化强加的。因此学校教育的部分任务是使渗透在文化中"想当然是这样的"的观点更清楚。日常语言包含很多曲解，像等级、大男子主义、理性主义、经济和种族中心主义等，依次展现了人类与自然环境之间、文明内部以及人类自身的许多混乱和不和谐。

7. 课堂本身代表了一种人为的文化生态，扭曲了孩子们看待自然环境、看待他们自身、看待科学和理性的方式。目前的学习课程所提倡的价值，是与生态的生存、文明的统一以及人类的一致性相背的。因此所用的教学方法和课程，以及对学习的评估，必须转变以反映出自然和人类环境的生存需要。

对知识和学习的两种观点

吉(Gee)指出了对教师和督导者平台的两种主要影响。[1] 一个观点来自于哈佛"零点项目"(Project Zero)的研究者们，他们强调"专家"或不同学科的学者所具有的知识和技能类型。[2] 内隐平台揭示了对学习，对将要学习的知识(课程)，对正确的教学，对知识的社会用途，以及对教育的主要目的的一种看法。哈佛研究者的工作延续了教育的一种传统，即学校教育的目的是让年轻人初步掌握学科知识，让他们逐渐发

〔1〕 James Paul Gee, "On Mobots and Classrooms: The Converging Languages of the New Capitalism and Schooling," *Organization, Self-Organization*, vol. 3, no. 3(1996), p. 385 - 407.

〔2〕 Martha Stone Wiske(ed.), *Teaching for Understanding: Linking Research With Practice*, San Francisco: Jossey-Bass, 1998.

展成为“初级专家”。在这一水平上，学生将（1）能说出和写出某一领域的中心概念体系或思想体系——文学、数学或经济；（2）理解并能使用调查的主要方法，或知识成果；（3）能解释那个领域中知识的不同用途；（4）能将这一领域的知识以各种方式呈现出来（通过图表、比喻、叙述、写作）。这样的一种学习方法能包括各门学科在内的各种丰富知识。它能通过模仿学者使用的研究方法，和他们报告研究发现结果的方法，像学者在这一领域里进行学习一样，来组织学习任务（用统计、研究报告、图表或研究叙事）。

第二种观点来自于一些认知心理学家的研究，如布朗（Brown）和坎皮恩（Campione），[1]贝雷特（Bereiter）和斯坎德玛丽亚（Scardamalia）[2]。他们认为在真实世界里所遇到的问题，并不能简单地等同于所学的内容，而是带着复杂的环境背景，需要从多个角度来说明那个问题。真实世界里解决问题，需要许多不同专长的人一起，他们没有人能够单独解决这个问题。例如，政府要清理一个有毒的废墟或修复位于城市边缘地区的一个河岸边废弃的工厂网络，或者努力吸引新公司，提供更多的工作机会和更实足的税收基础——这都需要专家组的努力。因此，这些教育工作者提倡青年学习者进行团队学习的方法，称做拼图法（jigsaw）。团队中每位成员必须研究问题的一个方面，然后大家聚在一起，每个人教团队中其他成员如何运用他（她）的信息来说明难题的一个方面。这种运用整个团队特定专业知识的方法使学生能对问题作出回应。吉坚持认为这种学习方法与后现代世界是一致的，在这里，知识不是一种通过各门学科不连续地掌握的静态知识，而是一种传导体，是根据对某一具体问题或事件的反应而组织起来的。学生在学习不同新内容时遇到新问题，他们会收集新信息，把与情境相关的信息拿来以创造出有用的组织计划，并把这种方式与其他人用不同的信息所创造出的组织计划结合起来。因此，知识和与其他不同知识的创造性结合，会产生出新的东西，并能组织起来回应特定的情境。

因此，基于这种观点的平台就能反映一种对教育目的的不同理解，一种对学习本质、课程、学校教育的社会目的和教学主要策略的不同理解。

平台的要素

在强调阐述平台的重要性中，我们认识到许多教师会发现操作起来有困难，他们的平台叙述可能有或可能没有在这里列举的那么清楚。另一方面，阐明平台的这种努力有助于教师更善于对实践进行反思。这样的反思有助于教师从直觉所不能解决的教育问题中拨开迷雾，也能使教师承认教学上的一些自相矛盾——虽然以前没有有意

〔1〕 Ann L. Brown and J. C. Campione, “Guided Discovery in a Community of Learners,” in K. McGilly(ed.), *Classroom Lessons: Integrating Cognitive Theory and Classroom Practice*, p. 229 - 270. Cambridge, MA: MIT Press, 1994.

〔2〕 Carl Bereiter, and M. Scardamalia, *Surpassing Ourselves: An Inquiry into the Nature and Implications of Expertise*, Chicago: Open Court.

识地承认，可能会产生一些偶然的不满意感。意识到这样的矛盾就为教学实践的改变打开了窗口。

此外，阐明平台为教师每天在班上所做的带来了更多、更明确的理解。它为教师讲述其经历提供了名称和话语，能使教师之间、教师与家长、教师与督导的对话更清楚。以上给出的例子提供了有关平台的一些细节的看法。通常说来，我们认为一个平台包括八种要素。不一定所有的平台都包括所有这些要素，一些可能以叙事的方式来表达，一些以一系列简洁的句子来表达，一些可能用图片或卡通来更好地表达。而且，平台并不是固定不变的，每年会增加新的要素，或者一些比另一些更多地得到了强调。重要的是明白一个人的平台是什么，而不是为学校董事会表达一些赞誉之辞。

平台的一般要素

1. **教育的目标** 根据优先顺序设定三个最重要的教育目标，不是简单的抽象的教育，而是中小学系统里所有孩子们的教育。

2. **对知识的看法** 有些人会强调知识是客观地“存在于那里”，必须要掌握，以便理解世界是如何运转的。有的人认为，知识是学者在与学校课程“公共”知识的对话中主动产生的。随着考试制度的形成，以及学生的知识结构越来越成为“正确的知识”，那些主动产生的知识逐渐地、越来越与课程知识相一致。还有的人认为，知识更多的是以实用化和社会化方式组织的，只对特定的情景有用，但是在不同的情景下，面对不同的实际问题时需要重新组织，学习如何社会化地组织这些有用的知识才是更重要的“课程”，而不是学习产生于任何既定实用情景下的知识内容。最后，还有人认为，知识完全由共享知识的人际关系和他们间的权力关系所主导。在一些权力分配的关系中，在占主导地位的人与居服从地位的人之间，知识就是占主导地位的人所定义的；在其他平等的关系中，知识来自于双方一致同意的结果。

3. **学生学习的社会意义** 一些教师强调职业学习，或通过学习成为良好的公民，或掌握独特的文化遗产。

4. **学习者的形象** 这个要素为了揭示一个人如何学习的态度和假设。学习者是一个用来倾倒信息的空容器吗？一些人可能会用相同的方式来观察学习者——好像所有的学习者基本上都一样，对同一种教学方式的反应都一样。一些人可能用群体心理学来解释学生如何学习，一些人关注可操作的条件，另一些人关注具体操作中，根据不同认知发展阶段所采取的教学策略。还有一些人对于学习风格和学习方法存在不同看法，其要点是更强调个人学习。显然，在这里我们所强调的是学习者要主动参与知识的生产和运用。

5. **课程的形象** 这个要素是有关学生学了什么。有人认为最重要的学习是直接能在“真实生活”中有用的学习，有人认为任何学习在本质上都是有价值的；有人认为如人文学科的一些学习在本质上更有价值，因为它们触及到我们文明的核心内容；其他人可能认为学科的学习价值，仅在于它能将不同能力和兴趣的人分类，并使他们能向有社会价值的方向发展。我们强调被学习和运用的课程。

6. **教师的形象** 教师是什么？教师是政府的雇佣者，遵循当地、州和联邦政府所制定的教育政策与实践吗？或者教师是社会雇佣的专家，将他（她）的专业知识运用于孩子们身上？教师是传统的代言人，传递文化财富？教师是一位政治性的工程师，带领孩子们发展技能改革社会？在这里我们强调教师是帮助和指导学生学习活动的人。

7. **喜欢的教育方法** 教师要控制学习活动吗？有人认为研究性学习是最好的教学方法，有人认为每一门学科都有适用的、优于其他教学方法的方法，有人更多地选择学生自主的学习，有人喜欢团队项目学习。虽然集中使用一种教育方法而不用其他方法会遇到一些抵制，但教师倾向于使用两种或三种更有效的教学方法。

8. **好的学校氛围** 这个要素考虑了各种环境方面的因素，如学校和课堂纪律的积极氛围，学生对学校的自豪感，员工士气，学校对不同生活方式的开放性，表达性的学习，以及个体的思考和行为方式。有人这样描述学习共同体的环境：开放的、人道的、可质疑的、灵活的、合作性的，有人选择了秩序和预期性，其他人更倾向于一个宽松的氛围，也许更喧闹但是同样更具创造性和自主性。这个要素与课程中所包含的价值观及学习的社会结果有很多联系。

显然，教师在检验以上所讨论的要素假设时，有一个内在的逻辑。那就是关于学习者本质的假设与师生关系的首选类型之间倾向于一致，这种一致性反过来又从逻辑上影响了教师对教育目的的信念。在教育者澄清以上八种要素的假设、信念和观点时，他们实际上所用的平台看起来应该很明显。也就是说，教育者们通常要对那些并不清楚或并不常用的，基于信念、假设和态度基础上的教学实践作出实际决策。然而，它们确实影响了甚至支配了行动。教育者对这些信念、假设和态度进行开放式的思考时，他们就能评估内在的一致性和可信度。他们同样能检验他们是否对其平台感到满意，或者他们是不是没有考虑到一些重要的要素。弄清楚他们隐藏在行为背后的某种观点后，教育者们也许会看到在特定领域内发展的需要，以提高教育活动的效率、拓宽能力。

督导者平台

以上对平台关键要素的分析也可用于教育平台。教育平台关注的是人们认为在一个正式的教育过程中应该发生的事情。它可能属于一位教师，一个学生，一位管理者，或者一位督导者。督导者可以阐明他（她）的平台，但是如果督导者能把他（她）的督导信念加入其中，就会变得比较完整。以下是有关督导的两方面：督导的目的和首选的督导过程。

1. **督导的目的** 有人说督导的目的是清除弱者和鼓励强者，一次对一位教师；有人说督导在目前学校改革的形势下，应致力于提高学生在标准测验方面的成绩。因此，督导们应和教师一起工作，编写出全部教学的课程标准。还有人会说督导者应设法使学校里所有教师形成合作，首先在国家的教学大纲范围内，其次是在当地的教学大纲内，努力提高所有学生的学习质量。这种对督导目的的看法，就是使教师进行合作，多年的努力后就会产生各种可行性的教学草案，使每个学生都参与到素质学习的活动中来。

2. **首选的督导过程** 有人说政府的改革政策使他们没有办法，只能采取一种等级的和权威的方式来督导；教师没有办法，只能通过认真关注国家的课程标准来提高学生在国家测验中的成绩；督导不得不监视每位教师的班级测验分数，并要求成绩不好的学生的教师修改教学策略。这就意味着严格控制教育的策略和方法仅仅关注那些直接与提高测验成绩有关的教学策略，也意味着教师有责任在表现不良的班级建立起早期预警制度。也有督导人员会说督导应该首先向教师传达一种信念，即教师作为一个团队，能有效地处理政府的学校改革议程。这名督导者可能是大学的，鼓励大学教师要有开创性、想象力以及合作精神。作为对政府教学大纲的回应，督导将提供时间、财务和专业发展方面的专业知识来支持教师的合作，并根据不同学生的需要发展相应的教学策略。

同样，要澄清一个人对督导本质所持的信念和内在假设，其要点就是要为成长、为共享思想和根植于基本信念中的督导行为打开大门。理想的方式是，在读本书之前和之后，写下督导平台的最后两个要素。如果本书中对督导的分析有作用，那么对这两种平台的叙述中就会呈现出差异。

解释平台的方法

对督导者和学校的所有教职员工的一种有用的做法是，确认国家在学校改革议程背后所隐含的思想。教育目标的说明主要是通过经济术语、功能效用术语、对学术责任的更传统的许诺来表述，还是以民主社会的形式来表现？学习者是一个被动地接受预先课程的容器，还是一个主动合作的能创造或组织出更丰富、更复杂知识的学习者呢？教师是一个公民的服务者，被希望能遵循详细的教学计划和教育方案，认真地运用期望的教学方法针对高难度的测验编制出所有指令，还是在传达国家制定的教学大纲的同时，能不断安排班级活动以满足不同能力学生需要的专业人员？对学生学习的评估就是那种对学习的肤浅理解，像回忆、把几种可能的答案缩减为一两个“正确”答案吗？

通过询问这些隐藏在国家学校改革议程背后的平台，教师和督导们能明白他们和学生的回应所需要达到的程度。对于政策环境及其要求的澄清，能使当地的学校知道如何满足这些需要，以及如何在对共同体的回应方式上增加价值。

许多教师可能觉得在对平台进行澄清时所做的最初努力很受挫折。这种事情他们并不是经常做，可能会感到尴尬。然而每个人都有一个未表达的平台，如果一位敏感的观察员对一位教师进行一两天的工作观察，就可能相对容易地推测出教师的教育平台，比如怎样才能使孩子们学得最好，什么是学习的重点，好的和差的教学等等。人们的行为通常能很清楚地反映其假设和态度。

两种不同的方式给督导者和教师提供了一种建构平台的方法。一种方法就是与所有的教师或团队中所有的人，以一种团队发展的形式一起工作。另一种方法就是让督导者和教师在一对一的情况下一起工作。

教育平台发展的团队方法

在员工发展的框架中，督导者会与一群教师一起工作。首先应该给出平台的解释和澄清方式，这可能会有助于其实践，接着应该提供平台的例子，然后教师会写出他们自己的平台。应该鼓励他们尝试一种形象或比喻，围绕着它所有的平台要素就可以串在一起。戴维·亨特(David Hunt)在与教师一起工作时发现，比喻能帮助教师明白深埋于实践中的理论内涵。[1] 教学的比喻，如引导旅途，指挥一个乐队，从帽子中取出一只兔子，挖掘黄金，照看一座花园，指挥一艘船，导演一场戏剧等等，这些包括了对学习、课程、学校教育的社会目标及教育方法等方面的信念和假设。许多人发现，对平台的八种要素进行排序，是开始教学的最便捷的方式。在第一个草案之后，他们可能想要重新排列和扩充，并在纸上写下来，这样可以让他们看到自己的指导思想。教师同样能核实思想要素和笔记要点之间的内在联系，以便在随后的教学实践中能理解自我和他人。另外一些人愿意采用一种结构较少的方式，在感觉到和意识到时让思想喷发而出，而不是把它们强迫分成一些类别，对此他们会感到非常不舒服。

有人发现找一个安静的地方写下他们的想法是很有帮助的，通常这些想法不是以一种特定的优先顺序出现的。教师一旦写下他们思想的要素，他们就能进行深入的思考，并将它们集中起来按重要程度进行排序。然而几乎每个有教育经验的人在教学实践中都会多次感到，需要给那些一般的叙述进行修饰和增加一些细微差异："我在既定的情境中所使用的教学策略，大多数要根据学生的背景而定。但是大体上我选择这种方式。""当我主要强调基本的智能的掌握时，我仍然认为花一些时间教孩子形成好的习惯是非常重要的。""我几乎总是喜欢以一种多彩的先头组织者的身份开始一节课的讲授，这样常常会引起学生的好奇心。但是有时候我也会做一些乏味的、陈旧的记忆训练。"

〔1〕 David E. Hunt, *Beginning with Ourselves*, Cambridge, Mass.: Brookline Books, 1987.

一些人发现写作练习太乏味了，就会努力找寻一位同事来讨论整个问题。自由地分享思想常常能激发澄清的过程。在这种情况之下，录音机也许会有助于会谈后的资料整理。有人可能发现把对话和写作结合起来是一种更好的方法。其他人可能仍喜欢采用正式方式来开始这个过程，这是学校或系统明文要求的。教师在研究教学目标并**探索其背后的假设**时，可能会发现很多一致或不一致的地方。

然而教师开始着手阐明其平台时，还有两个步骤证明是有帮助的。教师开始第一步尝试性的叙述时，应把他们的平台和其他两三个同事一起作比较，找出一致或不一致的地方，有时这可能导致他们修改自己的平台。也可能会接受更多的不同的观点，这当然能帮助教师建设团队工作。相互了解背后的态度倾向，能使教师在那些看法一致或能相互补充的领域中进行合作。

当教师一起讨论他们的平台后，他们应把自己的平台和学校或系统的平台作比较。学校平台可能不存在于书面文件里，但是它隐性地存在于学校或学校体制的执行政策里。他们可能会发现，学校声明要达到的目标和学校的教学实践之间存在着不同。考虑到这些矛盾本身有益于学校的发展。然而检查学校表达和未表达(但是运用着)的平台的目的，是为了对学校平台和教师平台进行更好的对比。如果发现两者之间有很大的分歧，那么教师和督导者会寻找一些方法来协调这些矛盾，修改一方或另一方使得它们更适合。

这种实践的要点在于不要采用抨击和挖苦，相反，而是要减少它们。如果督导和教师一起重建学校和学校制度，那么这项实践可能是一个很好的开始。正如迈克尔·富兰(Michael Fullan)所建议的那样，要一起改善学校和班级，教师必须参与这两种改进活动。[1]

有关平台的团队活动可以继续深入到各种讨论活动中。教师可以运用讨论来考虑重建课程，也可以对教育空间和时间作出新的安排。他们也可以以分享平台作为开始，讨论他们目前教学中忽视或冷落了的其他学生的学习结果，或者评估学生学习的其他方法。接下来的讨论要根据特定的教学内容和思想框架，或者根据学校里被观察的学生或专业的需要而定。在教师团体内讨论平台，同时他们自身的讨论也是有价值的，同样能产生各种额外的员工发展动力。

平台发展的个人运用

督导者同样能运用团队思想训练来与个别教师一起工作。对教师平台的讨论能使督导和教师了解教学事件对教师的意义。这样的讨论能使教师和督导们在教学事

[1] Michael G. Fullan, "Staff Development, Innovation, and Institutional Development," in Bruce Joyce(ed.), *Changing School Culture Through Staff Development*, Alexandria, VA.: Association for Supervision and Curriculum Development, 1990, p. 3-25.

件和系列事件内解释说明和探索各种可能性。阐明个人的平台，同样能使督导和教师一起探索教师的理论思想和实际运用思想之间的差异，也就是说，在特定的情形里，教师在班级里的表现可能与他们表述的思想不一样。督导和教师就必须讨论这些明显的矛盾，看看是否这种教学实践需要改变，以与他们陈述的思想保持一致。这里强调的并不是要纠正错误，而是说明教师与学生之间的理解与意图。在类似澄清平台的实践影响下，教师会对他们的工作思考得更多，他们的一致感会增加，对学生的回应也会增加。此外，通过对教师平台的讨论，督导者能基于教师的语言和观点，与教师进行谈话，得出基本框架，而不是得到一些概括性的教学模式。在督导和教师相互理解的基础上进行积极的对话，这样教师会觉得很舒服，因为他们是在处理他们自己的事项，而不是填写由别人编制的科层议程表格。

总结

在本章中，我们谈论了教育平台的概念。在提供教育平台的例子时，平台很显然是由教育工作者行为背后的基本假设、想法和价值观所组成。同样明显的是，平台有助于型塑教育工作者每天的活动。通过鼓励教师澄清他们的平台，督导者能促使教师对教学实践进行反思。其中的一些反思会发生在团队背景下，造成了重建学校工作的可能性。其他基于平台实践的反思可以发生在个体的基础之上，这种反思能为督导和教师提供一些共同语言和理解，从中可以产生出教学的新视点和学生学习的新的可能。

第二部分 督导基础

第六章 教学与学习

简 介

在更传统的时代里，人们希望督导到班级里去观察教师在做什么，记录教师的行为看它是否与督导或好的教学活动相符合。目前，督导需要加入到学生中的行动至少要不少于他们加入教师中的行动。这个关注点的改变是由政策促使学校改革所带来的众多变化而引起的。学校改革更关注与课程标准相关的成绩——学生知道、理解和能做的东西由此可检测。国家和当地政府对表现良好的学生和大部分表现不好的学生之间的差距表示不满，因此颁布了对成绩差的学生采取不容忍的政策。[1] 政府现在要求"所有"学生对课程教材都能理解。大多数基于学科的专业组织同样也提出了相似的观点，认为所有学生应该都能深刻理解各门学科。教育改革者之间达成了强烈的一致性，即评定一个好的学校应不只是它的教与学能在国家考试中表现良好。因此，在密切关注教师在课上的表现的同时，督导者要明确班级里所有的学生都对教学内容有一种发展性的、正确的、深刻的理解。

〔1〕 Peter W. Hill and Carmel A. Crevola, "The Role of Standards in Educational Reform for the 21st Century," in D. D. Marsh (ed.), *Preparing Our School for the 21st Century*, Alexandria, VA: Association for Supervision and Curriculum Development, 1999, p. 118.

由于这种对学生学习的关注，本章将强调教师应为学生学习提供各种机会。同样，在关于课程内容的下一章里，我们将关注学生对课程内容的参与，以及教师如何通过设计课程内容影响这种参与。这两章在某些重要的方面是有重叠的，因为对学生主动学习的关注是把制定教学内容与教学行为更有组织性地联系起来。此外，由于学习的评估对学习行为本身是非常重要的，评估看起来对教学更具内在性，和制定课程一样，因此，教、学、课程内容和评估是相互贯穿的部分，督导们在了解课堂上正进行什么时必须把此作为一个整体来看待。

对教学的四种思考

课程是根据不同专业系统化整理知识，并编写而成的各种教学提纲、课本和辅助材料。这被称为**计划好的课程**。教师拿到"计划好的课程"，根据他们自己的看法来调整内容，并补充一些商务或个人材料，强调课程的某些内容，而忽视其他一些内容。他们想出聪明的办法来教授课程的某些部分，而其他的部分则倾注较少的创造性和才能。这被称为**教授的课程**。

学生遇到"教授的课程"时，他们通常会这样处理：误解或歪曲其中某些部分；把其他部分与自己已有的知识联系起来(其实这些知识本身就是有限且易错的)；记住某些部分以便在考试中一字不差地重复；假如某天课堂上要求讨论某些重要概念时，学生就会逃课；他们还会遗忘某些课程的意思或重要性。一些学生觉得教材很有趣，而另一些学生觉得讨厌但短期内能容忍，还有一些学生没有学好以前的内容，不能建立新旧内容之间的联系。这就是**学习的课程**。即使绝大部分学生掌握了教材中足够多的日常词汇，能与教师交谈，但这种"学习的课程"对班级里的每一个学生来说都是不同的。

学生所学的知识要接受测验。测验内容仅包括挑选出来的那部分课程，即学生学习过的具有代表性的那部分内容。通常，测验只考察知识和定义的简单再认。有些测验由一些简单的问题、一些中等难度的问题和一些需要学生运用元认知才能理解的难题组成。有些测验是为了找出哪些知识学生不懂，有些则是为了找出哪些知识学生已掌握。许多测验的编制基于这样的看法，即成绩是所谓的正态分布的智力曲线的反映，测验的目的就是区分聪明的和不聪明的学生，因此教师的年级测验就应该能反映出这种正态分布的曲线。许多教师知道，太多的高分会被家长和学校的管理者认为是对学生要求不够严格，而太多的低分则会被认为是对学生不切实际的要求和不公平的期望。这被称为**测验的课程**。

当然，这种教育体制鼓励创造性和启发性的教学方法，也允许一些学生的个人理解(但是有创造性的代数学几乎不被认为是培养创造性的方式)，特别在文学、社会学和艺术方面。除了这些教学方法和个人理解外，课程的内容和教授方法基本上是与教学专家制定的各种学科内容相关的，并且按照课本的编排和学校或地区的教学大纲进行教授和学习。

所有学生的深刻理解

对课程和教学方法的传统理解，现在已转变为对"学习的课程"的强调。现在的重点是所有学生都能对教材深层理解。在传统的教育体制下，学校应保持成绩的正态分布曲线：10%—20%的学生得A，约30%的学生得B，约30%的学生得C，其他学生得D或F。但是现在，这是不能被接受的。实际上所有学生都被期待得到A或B。我们还可以进一步假设，如果他们不能全部获得A或B，那么教材的编制和教授就有问题。如果解释为是学生不认真，是他们懒惰而不专心，不再想解决问题，那么人们会问，为什么他们不认真，为什么他们不专心，为什么他们缺乏兴趣？这三个问题的答案暗示我们，学校（不仅仅是某一所特定的学校）不能使学生认真起来，不能用容易理解和引起注意力的方法来解释和呈现教材，不能激发起学生对正学习的教材和正进行的学习任务的好奇心和参与感。课程不再被认为是由专门机构编制的、让学生不加思考地接受的内容，而主要是根据学生今天的学习任务的背景而定，是对更大的知识框架的更广泛的理解过程的一部分，它强调已学知识和未学知识之间的联系。

在传统的教育体系下，课堂学习强调的是学生吸收教师讲述或阐述的知识，而现在则强调学生与教材之间主动的、互动的联系，通过联系获得教学课程所规定的知识和理解。这样，学生很早就学会使用思辨的技巧和调查的方法，赋予新教材意义。他们建立了一张可替换解决问题的清单，养成用不同观点看教材的习惯，学会用已有的理解来解决新问题。这并不意味着教师不再提供验证或总结或是理论上的解释，相反，教师的重点在于教会学生成为更独立的学习者。研究表明，即使在教师提供最初解释的情况下，学生也必须先在他们自己的脑子里考虑教师所传授的知识，并用已有的理解体系和技能在头脑中重建教师试图展示的东西。[1] 如果学生没有在头脑中进行这样的主动的活动过程，那就不能说他们已经理解了教师阐述的东西。此外，学生只有通过应用、解释，提供与概念或原有知识相关的大量的例子，他们才能获得持久而深层次的理解。这是对学习活动的一种不同认识。学生必须仔细研究教材，尝试不同的学习方法，并获得不同的成果，而不是试图记住别人告诉他们的东西。[2]

研究表明，学生拥有大量已有知识和经验以理解新教材。[3] 然而教师很少鼓励

---

〔1〕 See Bonnie Shapiro's research in *What Children Bring to light: A Constructivist Perspective on Children's Learning in Science*, New York: Teachers College Press, 1994. See also the illuminating essays of teachers doing research on their teaching in Marilyn Corchran-Smith and Susan L. Lytle(eds.), *Inside/outside: Teacher Research and Knowledge*, New York: Teachers College Press, 1993.

〔2〕 See the work of David Perkins and his associates at Harvard Project Zero, as elaborated in his *Smart School: Better Thinking and Learning for Every Child*, New York: The Free Press, 1992. John Bruer underscores the importance of challenging students to develop their own understanding as they grapple with knotty problems. See his *Schools for Thought: A Science of Learning in the Classroom*, Cambridge, Mass.: MIT Press, 1993.

〔3〕 For an illustrative example of such research with kindergarten children, see Irmie Fallon and JoBeth Allen, "Where the Deer and the Cantaloupe Play," *The Reading Teacher*, vol. 47, no. 7(1994), p. 546 - 551. See also the research reported in Corchran-Smith and Lytle, op. cit.

学生回忆已有的知识，也不教学生该如何具体地形成两者之间的联系，结果，学生只能盲目地进行摸索，就常常会歪曲或误解手头的学习资料。如果认真聆听学生解释他们是如何获得某些结论，教师就会明白学生在弄清事物过程中所犯的普遍性错误。[1] 当我们知道了学生思考问题的前提时，他们的“错误”答案往往就是“正确的”。教师必须要考虑孩子们对他们学习成绩的描述以理解他们的思考模式是如何形成和成形的。[2]

孩子们从他们父母和朋友的谈话中，从每日学校和家庭生活经验中不断地形成他们的世界。这种内在化的世界转而又影响他们以后的看法和理解。学校作业常常要他们根据新的理解来重新调整这些看法。教师只有理解了孩子们理解世界的方式，他们才可能知道这个学生已有的理解方式是否会歪曲或阻碍他对新教材的正确理解。

真正的教与学

近来我们对教与学的理解发生了很大变化。我们认为，真正的学习远不是被动地吸收知识，而是主动参与到知识的生产和再生产中来。最近的研究表明，学习者把信息转变成有意义的种类，再把这些种类建成各种网络体系；从不同角度来解释教材的意义；举出各种例子；运用对新信息的理解来应对新问题或新情况，并根据这种理解来推测新材料的意义。这样才是真正的学习。

即便如此，学生的理解并没有完成。必须把这种理解放到对一门专业课程的理解中，并表明在这一课程中，那种理解是如何与其他基本的理解相联系的。当学生把这种理解与学校之外的世界联系起来，并用它来解释和探索社会中的问题，及与社会中成熟的公民讨论他(她)的理解时，这种理解才更为成熟。[3]

关于学生是主动的知识产生者的问题，现在有了进一步的研究。一些研究已经表明，孩子们在学习活动中能达到元认知水平，他们能发现学习过程，能通过观察自己用于建立已有知识和新教材联系的习惯方法，最终明白这种理解的过程，也就是他们能通过思考自己一直在学习的事物来理解自己是怎样学习的。一群群用拼图方法参加同侪学习的孩子们，在教师的指导下能讨论当他们试着相互交流时是如何获得彼此理解的。[4]

戴维·珀金斯(David Perkins)认为要注意对课程内容的元认知，这种学习形式是学

[1] Shapiro, op. cit.

[2] Again, the accounts of teacher research documented in Corchran-Smith and Lytle, op. cit., are instructive.

[3] See the work of the Center on Organization and Restructuring of School, as reported in Fred M. Newmann and Gary G. Wehlage, *Successful School Restructuring*, Madison, Wis.: Center on Organization and Restructuring of Schools, 1995.

[4] L. Baker and A. L. Brown, "Metacognitive Skills and Reading," in P. D. Pearson (ed.), *Handbook of Reading Research*, vol. 2. New York: Longman, 1984. p. 353 - 394; A. L. Brown and A. S. Palinscar, "Reciprocal Teaching of Comprehension Strategies: A Natural History of One Program for Enhancing Learning," in J. D. Day and J. G. Borkowski (eds.), *Intelligence and Exceptionality: New Directions for Theory, Assessment, and Instructional Practices*, Ablex Publishing, 1987.

生主动学习过程中的标志性成就。[1] 他引用了下列一些元认知课程(metacurriculum)的例子：

● 鼓励学生在学习新教材时思考他们给自己提出的各种问题(如这是什么？这是如何作用的？它的意义是什么？)。

● 鼓励学生描述他们的一般解决问题的技巧(如把一个问题分解成子问题)。

● 让学生在试着理解新教材时使用一些如假设和证据来源之类的术语。

● 认识到从客观事物中接受的证据是不同的(如数学中的证明形式，科学中的实验结果，来自文学批评领域的引文和历史背景的证据等)。

这种思考性的学习活动，通常发生在与其他学生和教师的交流活动中，这就为在新的学习环境中发展如何学习的基本技巧提供了正确转变的基础。当这种实践活动在一种团体协作的背景下开展时，学生也学会了依靠团体智慧结晶这一重要的经验。在这里，每个人都有一些重要的洞察力或观点可以贡献，这样往往就能修正团体中其他成员提出的过于简单化的或歪曲的理解，也能弥补团体中其他成员没想到的空白。在场的教师则对仍存在于团体思考中的错误观点或曲解进行质疑。关键在于这种实践活动不是以教师解释元认知的内容与技巧而开始的，相反，要求学生得出自己的理解，从而培养他们在思考活动中运用元认知的习惯。

弗雷德·纽曼(Fred Newman)和盖瑞·韦利(Gary Wehlage)认为元认知课程需增加另一个方面——他们坚持认为这种知识有超出学校和简单的学业成绩的价值。[2] 学生的学习应更关注于那些美的、实用的或具有个人价值的公众物品或事物。学生应该能够理解他们社会中的公众事物，并运用对各种学科的知识体系和方法的理解，来与社会中的成年人进行讨论。不幸的是，社会很少期待学生做任何有益于社会生活的重要事情。孩子们对作业不满的理由之一是他们认为在学校以外没人需要他们所做的东西。孩子们被告知他们应该为遥远的将来，即"当他们长大后"的某些需要而准备。纽曼和韦利坚持认为作业问题是学校之外的一种公众事物，由此指出了能促使孩子们认真对待学校任务的被忽视的联系。此外，为产生某种能引起公众关注的事物所需要的专业和努力，必将加深他们对元认知课程的正确运用。巴巴拉·普雷塞森(Barbara Presseisen)把这种高水平的思考活动称为"意动"，即孩子们在把信息应用到他们真实世界中做一项工作时的动机性的影响。[3] 为了培养学生专心致志学习的习惯，许多研究元认知课程的研究者强调把学习活动分成三个阶段：(1) 期望性的活动，(2) 学习活动本身，(3) 接下来的活动。[4] 在期望性的活动阶段，学生被要求回忆

---

〔1〕 Perkins, op. cit., p. 101.

〔2〕 Newman and Wehlage, op. cit., p. 9 - 11.

〔3〕 Barbara Z. Presseisen, "Thinking Skills in the Curriculum," in James W. Keefe, and Herbert J. Walberg (eds.), *Teaching for Thinking*, Reston, VA.: National Association of Secondary Principals, 1992, p. 4.

〔4〕 This is a summary of several suggestions contained in essays in Keefe and Walberg, ibid.

以前学习的内容和学习步骤，这与目前学习活动有关，即建立与新材料的联系。而新材料的介绍以一些探索性的问题开始，集中于将遇到的一些问题的本质。当学生试图理解新材料时，他们被要求再次回忆许多要用的调查技巧。有时这被称为学习活动的演练。如果要求编组和协作，那么具体的责任和各项分任务，连同本次活动所期望的结果，都是很明确的。

在学习活动阶段，学生可以通过多种方式学习教材，例如安排学习任务，确定新教材的主要部分，提一些与教材有关的问题，应用各种以前学到的范畴概念，例如因果分析，比较—对比分析，说明性的假设，种类范畴，记叙结构成分，上下文变化的影响，文化价值观和思想，分类系统，证据来源和权衡证据，适当选择公式模板和方程式等等。当学习者开始对新教材有更深层的理解和意义时，他们就接近完成学习任务了，可以是要求用简洁的语言写一段说明文，评估一场政治辩论，或者比较两位诗人或画家，或者是解释一篇由三种不同观点报道的历史事件，或者辩论社会中建立一所新的污水处理工厂的公共政策的优点。在完成学习任务之前，他们在脑海里可能会有一张清晰或隐含的列表问自己一些问题，如学习结果与练习的定义和目的有关吗？接下来的步骤是什么？我遗漏了哪些分析和辩论的步骤？实验报告结构把主要观点都表达清楚了吗？我的文章语法正确、形式优美吗？诸如此类的自我检查能改善报告内容的参差不齐，并且进一步从认知上掌握学习活动。

在接下来的活动中，教师应该要求学生解释他们的结论或发现，巩固他们用来获得结论的方法，或解释他们的发现如何与更广的领域或学科相关联（如，阐明一条基本原理，或者补充一些遗漏的、与这门学科已学过的知识有关的信息或观点）。要求其他学生评估团体报告，而团体也应该注重这些评估的正确信息。最后，教师还应该要求学生解释他们在练习中学会了什么，包括学科内容及学习过程，解释他们的学习对现实生活及他们自身有何用处。在这一运用过程，教师还应该要求学生思考他们的学习对其他新学习活动的应用。

在阐述以上内容时，元认知的三个阶段看起来对高层次的学生在完成论文的最后一年最为适合，而不是针对初中和高中学生。然而研究表明这些年龄的学生能够通过这些学习活动思考他们的方式——不是成人的复杂语言，而是思考内在的元认知过程。[1]

学习者的内容

对成功或灵活的学校进行研究的结果，为研究学习过程提供了许多珍贵的认识，

---

〔1〕 See the remarkable achievements of formerly low-achieving minority students in the learning projects designed by Ann Brown and her colleagues, as reported in Ann L. Brown and Joseph C. Campione, "Students as Researchers and Teachers," in Keefe and Walberg, op. cit., p. 49 - 57.

我们把这些认识纳入对不同学习内容的理解中。这些学习内容包括对自我概念长久而深刻的个人影响，表达方式，社会观点，学习者对家庭和团体的归属感。学生的种族、生理标志、社会阶层、性别和家庭背景对学校，对权威人士，对所谓的主流文化，对课堂教学的传统学习任务都有重要的影响。如果把新的学习任务与已有的经验、学习者的真实生活环境联系起来是重要的话，那么很少关心或实际上漠不关心种族差异、文化差异、少数民族差异、社会语言差异或社会阶级差异的学校环境，就只会使学生对专业课程产生肤浅的理解。

例如，西格尼塞阿·福德姆(Signithia Fordham)和约翰·奥格布(John Ogbu)就已经证明了学校如何使一个非裔美国人被他(她)的非裔美国同学们认为是“装作白人”。[1] 对许多非裔美国年轻人来说，特别在青春期的早期和中期，如果根据教师和学校当局的要求获得高分和荣誉，会被认为是接受白种人的、中产阶级的语言和文化，并且是装作地位高于其同伴。因此，许多非裔美国年轻人在学校进行文化抵制，坚持讲“黑人英语”，坚持在只有非裔美国人的团体里活动。西班牙或拉丁美洲的学生同样贬低白人的文化和语言，亚洲学生也是如此，但程度要轻一些。当文化差异加上阶级差异时，来自于贫困家庭的不同文化背景的学生，在中产阶级的文化和态度占据主流的学校环境里，会被巧妙地或直接地认为他们是“其他人”，因此地位要低一等。[2] 并且，在课程里缺乏女性声音和观点，这是长久被忽略的——很显然，女性、少数民族和贫穷孩子的学习内容也许在学校里是最不被关心的。

解决的办法是培训教师，让他们使孩子们生活的世界更协调，并把学习任务与生活联系起来——即生活是高贵的，人类的所有方面都是值得尊敬的。可是教师会带着与普通人一样的文化观和阶级观进行工作。基本上教师代表着美国的文化主流，认为他们的工作就是把学生带入主流文化中。通常他们在做时并没有意识到，他们传递给学生的观点是主流文化——比孩子们生活的世界更好、更高一等的、更具合法性的阶层的文化。此外，课本、测验和年级体系、学校规章——这构成学校的所有部分——传递了相似的信息。这就是为什么我们在本书开始就强调团体作为学习的一种必要和必须的环境的重要性。教师需要与家长和社会一起合作，以理解学生生活中的真实事情，包括渗透在课本内容中的不同价值观和假设，在试图进入主流社会时适应主流社

---

〔1〕 Signithia Fordham and John U. Ogbu, “Black Students' School Success: Coping with the Burden of ‘Acting White’”, *Urban Review*, vol. 18(1986), p. 161-176.

〔2〕 See the penetrating analysis of the Teach for America project by Thomas Popkewitz, “Policy, Knowledge, and Power: Some Issues for the Study of Educational Reform,” in Peter W. Cookson and Barbara Schneider(eds.), *Transforming Schools*. New York: Garland, 1995, p. 415-455. Popkewitz's home insights are confirmed by the research of critical ethnographers who study the antagonisms between students' home cultures and the school-imposed mainstream culture which often attempts to delegitimize the students' home culture. Cf. Bradley A. Levinson, Douglas. E. Foley, and Dorothy C. Holland(eds.), *The Cultural Production of the Educated Person: Critical Ethnographers of Schooling and Local Practice*, Albany, NY: State University of New York Press, 1996; also, Paul E. Willis, *Learning to Labor: How Working Class Kids Get Working Class Jobs*, Famborough, England: Saxon House, 1977.

会的努力，以及捍卫他们自己国家文化价值的努力。

基于以上理解，教师应在学生和学校的教学大纲之间建立相应的联系。这包括把更多的文化观引入课程中，在学生的生活世界和所学的教材间提供更多的参考意见。这同样意味着支持学习活动，即把学生的生活世界作为合理研究的舞台(如住房工程的经济学，国家的移民史〔包括祖父母、舅公舅婆口头传承的历史等〕，国家的古典诗歌，祖先发源的地理位置，妇女们在文明中的贡献等)。如果学校是学习者的社会，教师将接受学生和家长的教导，并能加强这些不同文化间的斗争和英勇行为的比较。"保持与众不同"，这将有益于那些寻求和而不同的生活氛围中的人获得一种更广大的社会感。

教学的意义

关注学生的主动学习和学习的课程，是对教师的新挑战的代表。确实，优秀的教师已经运用教学方法增加学生的主动学习并更深层地理解教学大纲。现有的学校体系基本上已鼓励了一种引起学生被动学习的氛围，导致了学生对学习活动的冷漠和疏远。学校失败的证据就是它们没能使学生形成被公众和学者要求的深层理解和元认知，这归咎于学校董事会、家长和课本出版商，还有学校管理者、教师和授课的教授们。要解决问题就必须要求由各方联合起来努力——学校董事会、课本出版商和教学专家、学校管理者、大学，当然还有教学活动本身。

现在，让我们假设学校其他的股东们都愿意支持教师改革学习环境。在这样一种理想的环境里，我们需要的教师是什么样的呢?

学校需要的理想教师是：

- 坚持认为所有的孩子都能成功地进行学习并且能通过自己的努力达到这个目的。
- 相信真正的学习活动只能通过学习者主动参与而获得并以多种真正理解的表达形式表现学习成果或成绩。
- 坚持与学校里其他教师合作，建立一种灵活的、反馈性的和使每个学生都参与的学习环境。
- 懂得他们教授的学科内容和质疑这些学科的教学法。
- 懂得元课程的内容——高水平的思考；这些学科主要的概念体系、模型和教学方法——能识别学习者们在元课程方面所表现出来的教学成果和成绩。
- 能控制各种教育性的草案和策略，对孩子们开放教学课程。
- 能设计各种个体的和团体的学习活动，能最大程度地加强对教材积极主动的参与性。
- 通过对话和行为的研究来持续地考察学生的学习活动，以评估一个学生是否遇到了困难，发现这些困难的来源，作出相应的反应使学习任务顺利完成。

● 坚持与家长合作，支持他们的孩子所参与的学习活动。
● 能以形成性和总结性的程序，评价各种成绩和草案。
● 能与家长、管理者和学校董事会一起合作，在必要时重建学校的学习环境。

显然，要想成为能适应新需求的教师，目前多数学校里的教师们还需要有一个转变。督导的工作就是鼓励教师在转变中作为同事一起工作。督导们不会为此而制定法律，这必须由教师自己达到。我们再次回到共同体作为转变环境的重要作用。如果在形成专业共同体时，教师就能一起工作，以促使更多学生真正学习而达成一致，那么他们自身转变的氛围也就形成了。督导需要促使这类专业共同体的形成。

真正的教育学标准

纽曼和韦拉格曾就真正的教学给出了自己的精确定义。他们指的是能获得真正的学习活动或成绩的教学。[1] 真正的学生学习活动是学生对教材的主动参与过程。这种真正性就需要在学生的成就中反映出：(1) 知识的建构；(2) 科目咨询；(3) 产生超出学校成功意义之外的言行结果。[2] 真正性的标准需要学生展示对教材的成功分析、对构成学科的基本概念的理解、对有关学校外世界的详细阐述。纽曼和韦拉格对真正教育的标准概括在表 6-1 中。

表 6-1 真正教育学的标准：指导

知识的建构
标准 1：高水平的思考：指导学生运用知识和观点进行综合、概括、解释、假设，或者获得产生新意义或新理解的结论。
科目咨询
标准 2：深层理解：指导学生表达一个课题或学科的中心思想，充分探索联系和关系，产生相对复杂的理解。 **标准 3：大量的交谈：**学生与教师或者同学关于学科进行拓展性的交谈，以获得对观点或课题的提高性的、共享性的理解。
学校之外的价值观
标准 4：与课堂之外世界的联系：学生在大量的知识和公共问题或个人经验间建立联系。

来源：Fred M. Newmann and Gary G. Wehlage, *Successful School Restructuring*, Madison, Wis.: Center on Organization and Restructuring of Schools, 1995, p. 17. Used with permission.

纽曼、西卡达(Secada)和韦拉格提出了评估真正教育的三个分阶段：评估教师布

〔1〕 Newmann and Wehlage, op. cit., p. 17.
〔2〕 Ibid, p. 11.

置给学生完成的任务，评估教与学的弹性，评估学生实际做的学习任务。[1] 他们为此还提供了有研究基础的标准和评估标准。评估任务的草案提供在附录 7－1 中。教与学以及学习草案可以从威斯康星教育研究中心获得。

纽曼和韦拉格的标准体系——知识、科目咨询和学校以外的价值观这一结构——看起来很简单，但他们提供了教学策略和教学干预这种广泛的表达方式。他们对学生知识产出和理解的关注，与先前的假设形成了鲜明的对比，学生在由教师"传递"的课程过程中可以更主动。这种方法强调教师对学生如何进行学习的理解，以及学生在已有的知识上产生新内容的理解。同样，在这种教学方法中，学生是主角。相反，教师更多的是指导者，他把各种组织好的学习活动联成一个与专业课程的知识体系和教学方法一致的整体，他能持续地提出在学习活动中没有被学习者提出的问题，他能使学生思考他们在学习什么和怎样学习。

在这种体系中，教师的效率因为同事的参与而得以提高。在合作性工作中，他们能探索新的方法，讨论问题的领域，思考研究结果，对学生对他们工作的所思所感进行自己的研究，使用如因特网和光盘等新的资源。

关注教学结果

卡尔·瓦伊兰德(Carl Vigeland)叙述了一场由几个高尔夫爱好者就一次高尔夫球完美挥击的讨论。在比较不同的击球者时，有人提到了李·特里维诺(Lee Trevino)的挥杆。其他人认为特里维诺的挥杆不算是经典的。特里维诺的支持者说，"看看球进洞的地方，球会告诉你谁打得最好"。相反，在他打第一杆时，特里维诺把球放在他最想放的地方，这比其他看起来更完美的击球者们更为稳定。[2] 这个故事对教师的意义是不管他们的教学计划看起来如何充满想象力和完美，关键在于是否所有的学生都能成功地学习。教师要明白学生的愿望和兴趣以及先前的学习，以便使他们一直能参与学习中。显然，特里维诺没有赢得他参与的所有比赛，而教师也并不总是成功的。这就是为什么他们得一直研究他们的工作，更好地掌握、练习各种方法，直到找到一种方法让他们能够与学生始终保持良好状态。

这个故事同样对学生适用。一个学生可能不会显得特别闪亮或有创造性。他(她)可能不会顺着问题的正常思路，使用的风格和方式会显得异类。但是要看结果。结果显示出了对所学教材的深层结构和知识系统的深刻而个人化的理解吗？特里维诺的教练能看出他放球的位置，甚至通过他的挥杆知道并不足够完美。好教师应该能理解促使学生得出答案的学习策略和过程，尽管他(她)的学习风格可能不同或异类，

〔1〕 Fred M. Newmann, Walter G. Secada, and Gary G. Wehlage, *A Guide to Instruction and Assessment: Vision, Standards and Scoring*, Madison: Wisconsin Center for Educational Research, 1995.

〔2〕 Carl Vigeland, *Stalking the Shark*, New York: Norton, 1996, p. 23.

甚至有点可恶。

新出现的教学观点反映出对学生所提课程问题更多的关注。以学生和教师所提问题为基础，教师要花大量时间(通常与同年级的其他教师一起)来计划和设计学习活动，并且经常与学生对话，探讨所安排的活动是否有道理。这一计划包括问诸如此类的问题：关于这份新材料，学生的原有知识会为他们提供什么帮助？学生的哪些生活经历可以与这份材料联系在一起？是否有同学有嗜好、兴趣或特殊才能能促使其他同学加入这份材料？此类的问题可以帮助教师围绕着新单元搭起隐喻的认知支架，这样就可以帮助学生在其先前知识和经历的基础上创造出新的知识。这样一来，教学工作就包括了所有这些前期的仔细规划和设计。督导人员在关于课堂工作的交谈中，对教师工作的所有关键方面都应该要研究。下面是教学活动前期任务的案例。

理解性的教学

一群来自波士顿各校的哈佛教育研究者和教师参加了一个为期多年的项目，叫做“为理解而教学”。他们对如何“为理解而教学”提出了一个基本框架，包含了对理解的一种完整性、表述性的观点。来自哈佛大学的戴维·珀金斯解释了四种国外的原则，给教师和学习者提供对理解所包含的表述性方法的看法。[1]

● 理解的学习主要是在对可理解的但具挑战性的理解活动的思考中产生。

● 新的理解行为建立在已有的理解和教育背景所提供的新信息的基础上。

● 学习大量的知识和理解的窍门，需要一系列具有挑战性和多样性的训练。

● 理解性学习通常会发生与原有知识，如行为理解、相关的思想和概念相冲突的现象。

这些教育家提出了把以上原则运用到班级日常工作中的基本框架(见图 6－1)。框架中的这四种活动指的是所有基于这类学习的重要的计划。

1. **生成的主题**是巨大的伞状主题，产生了所有不同的分支主题，可以由教师和学生自由决定探索方向。生成的主题应在一种或多种学术规范内引领重要的学习，给学生提供与真实生活问题的多种联系。如果这些主题的各种观点已经或正在和各种观点发生矛盾，迫使学生形成一种看法并维护它时，这种主题就是有用的。教师和学生需要有必要花时间来展开这些主题，以便使学生在这个主题或它的某些方面能获得充分的认识。

2. **理解的目标**陈述了在这个单元里学生需要理解什么是最重要的。需要充分地阐明这些目标，以鼓励学生有更多种类和层次的理解行为。

3. **理解行为**指的是期望学生如何阐明他(她)掌握理解目标的水平。理解行为不

〔1〕 David Perkins, “What is Understanding?” in Martha Stone Wiske (eds.), *Teaching for Understanding: Linking Research with Practice*, San Francisco: Jossey-Bass, 1998. p. 52－54.

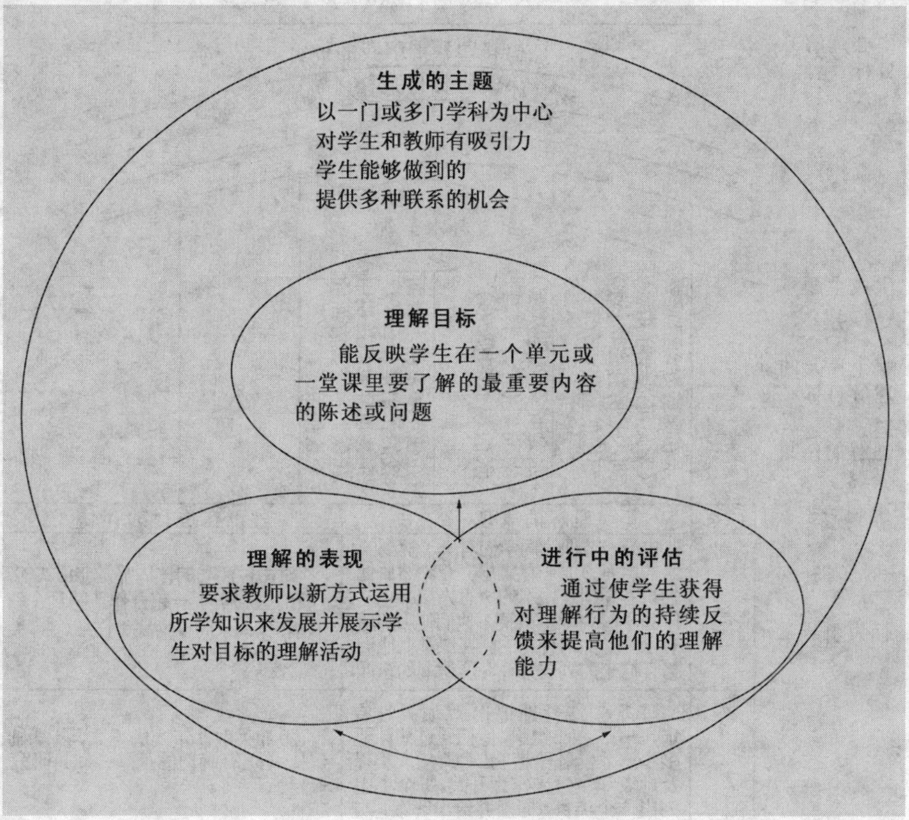

图6-1 理解框架的教学

来源：Tina Blythe and Associates, *The Teaching for Understanding Guide*, San Francisco: Jossey-Bass, 1998, p. 19.

止发生一次。相反，他们认为理解通过几次实践后会变得更加复杂。因此，学习活动将包括各种实践，从简单的、最初的实践到更先进的实践，从更先进的实践再到更复杂的最后的实践。并且，不断发展的复杂实践将给学生不同的智力水平提供足够的多样性。

4. **进行中的评估**是对实践的持续反馈过程。评估包括自我评估，同事评估，教师评估和社会中其他人的偶然评估。学生不仅通过实践，而且通过对实践的思考获得理解。经常在评估中学生会出现更深刻的洞察力，会修改或发展一种更丰富的、集中于实践的理解。学生和教师需要提前建立评估的标准，这个标准与理解的目标是紧密联系的，并且公开运用到各种实践中去。

这些框架发展成为图示结构（见图6-2和图6-3），作为教师们制定下几周工作安排的工具。

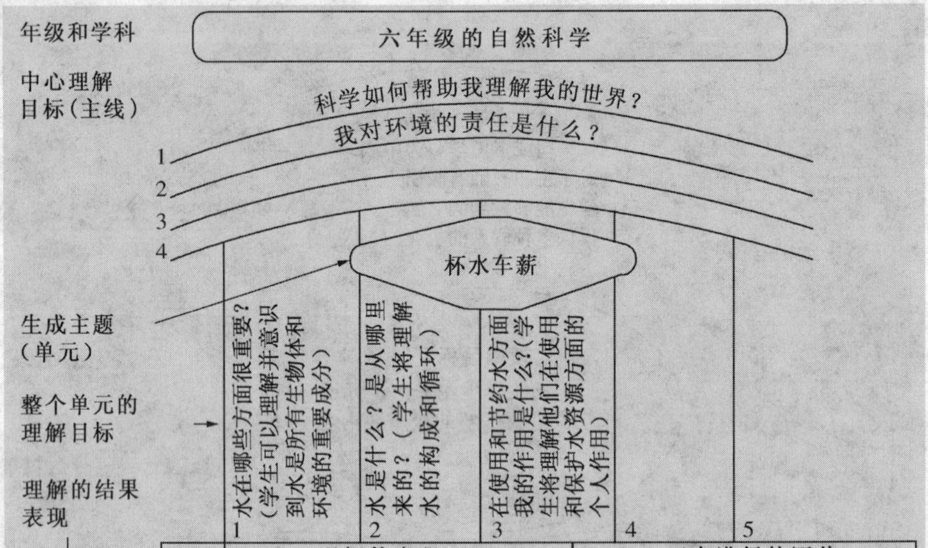

	UGs	理解的表现	正在进行的评估
行为引导	#1	a. 作为一节课，同学们对所了解到的水的所有方面进行集思广益。然后他们试着想出使用水的所有方法。	对两种活动的评估都是非正式的，教师鼓励学生一起合作，并且在叙述和作记录时要彻底、详细。
	#3	b. 24 小时内学生记录下他们使用的所有水，是如何使用的。在课堂上他们修订原来的列表并补充所遗漏的东西。	
指导性的质疑行为	#1	c. 学生创造性地提出："如果没有水，……"在小组中，他们通过估计要多少水才能补给植物、动物、人类以及地表和空气来作为开始。每个小组列出一个类目，探索并给出答案，与全班同学共享。	教师采取非正式的方式，其基础是：(1) 有确切的信息；(2) 研究技巧。
	#2	d. 在小组当中，同学们创造出水并解释他们是如何创造的。然后他们运用造水的技术来解释和分析水循环是如何在环境中发挥作用的。	学生做最初的自我评估；评估的基础是：(1) 解释的准确性和清晰度；(2) 分析的进展程度和解释程度。
行为总结	#3	e. 学生讨论在有冲突的情况下水的作用(例如，在工业和农业之间，或者农业和环境保护之间)。在小组里同学们研究这些问题，确定矛盾，列举双方的理由，进行十分钟的辩论。	教师检查并对学生在准备时所做的笔记提供信息反馈。学生倾听反馈辩论；教师提供反馈；学生自我评估，所有这些都是以学生和教师预先形成的标准为基础的。
技能标准	#1,#3	f. 学生以小组的工作方式，创造并开展一项在共同体中培训一个小组的计划(孩子们，商业等等)。	小组预演并从彼此及教师那里获得反馈。陈述的听众同样要填写到反馈表中。

☒ 1. 研究技能
☑ 2. 合作学习技能
⊡ 3

☒ 主要焦点　☑ 加强　⊡ 不支持/需要

图 6-2　六年级科学教学单元的例子

来源：From Tina Blythe and Associates, *The Teaching for Understanding Guide*, San Francisco: Jossey-Bass, 1998, p. 19.

在……情况之下，你知道你是为理解在教学

学习是生成的：

☐ 教学集中于几个中心主题。
☐ 主题本身对你和你的学生都很重要。
☐ 学生主动参与活动。
☐ 教室里弥漫着真正的研究气氛。

理解目标是清楚的、明晰的：

☐ 中心目标或中心线在课堂上得到了明确地陈述和充分地了解。
☐ 一定教学单元的目标与中心目标紧密联系。
☐ 你和你的学生定期讨论和思考单元目标和中心目标，以帮助学生在他们所做的与为何这样做之间建立联系。

学生进行理解的行为几乎常常是：

☐ 学生积极参与各种形式的活动；追求事业并独立思考，以小组形式进行合作和讨论，并与整个团队发生相互作用。
☐ 学生在思考或使思考在理解行为中具体表现出来，以挑战他们的错误观念、思维定势和偏颇想法。
☐ 学生能解释他们正在做的事情，以及为什么这么做。
☐ 你花时间来指导、开会、领导和参加讨论，有时候还做演讲。
☐ 房间里塞满了学生的作品，包括已经完成的和正在进行的。
☐ 工作的责任和权威由你和你的学生共同承担。

评估的进行：

☐ 学生参与起草、思考、评论、回应和修改他们自己和别人的作品。
☐ 你和你的学生分担评估的责任。
☐ 每个人都根据规定的质量标准进行评估，这与理解目标是紧密联系的。
☐ 评估常常是随意的、谈话式的和自发的，周期性的评估更正式，要做记录并进行计划。
☐ 自我反思以各种形式经常出现。

图 6－3　理解的教学列表

来源：Tina Blythe and Associates，*The Teaching for Understanding Guide*，San Francisco：Jossey-Bass，1998，p. 105.

我们可以认为这是教学计划与发展的工作，也可以认为这是教学工作的前期准备。教学不是孤立的一系列行动或行为，而是一种随着时间的改变而进行的活动，与学生用智力风暴法产生出主题的活动有关，并关注运用诸如图表形式的工具来进一步计划单元教学，它的部分最终结果来自对学生最后行为的对话评估。督导们需要考虑整个教学的复杂性，把它作为一种发展性的、有目的的活动。理解的教学项目提供了教学内容的一种全面的纲要，在下一章中在我们看待有些教学内容框架，认为这是督导们和教师可能运用此项目和学生一起提出丰富而强大的学习活动时，我们还会再谈到这个话题。

布莱思(Blythe)和助手们给教师提出了一个评价他们能否以及如何为理解而教学的目录(见图 6－3)。督导们可以用这一目录作为衡量班级里发生的普通讨论的标准。

通过设计达到理解

另一个教学的例子可以在格兰特·温金斯(Grant Wiggins)和杰伊·麦克泰伊(Jay Mctighe)的工作中找到,正如在以上部分直接描述过的,即探寻一种对理解的丰富和复杂的观念。同样,他们的工作把教学、学习、课程内容和评估,作为师生合作活动整体的一部分,我们将在本章和下一章论述课程和评估中考察其中的一部分。温金斯和麦克泰伊探索了"理解"的涵义,指出了"理解"的六方面涵义,这六方面组成了对"理解"的一种广泛而复杂的认识。他们认为,当我们真正理解时,我们应该能(有):

- **解释**:提供现象、事实和数据的全面的、支持性和可证性的证据。
- **说明**:说出有意义的故事;给出恰当的解释;对思想和事件提供明显的历史或个人角度;使之个人化或使其通过图像、轶闻、类比和模型而便于获得。
- **应用**:灵活性地运用,适应我们所知的不同内容。
- **观点**:通过挑剔的眼睛和耳朵来观察和听取各种观,从大局着手。
- **强调**:在别人觉得奇怪、陌生或难以置信的地方发现价值所在,在已有的或直接经验的基础上敏锐观察。
- **自我认知**:认为个人风格、偏见、投射和思维习惯形成并阻碍了我们自己的理解;认识到我们大家不理解的东西,并认识为什么理解是困难的。[1]

正如我们在下一章会看到的,对理解的理解与曼西拉(Mansilla)和加德纳(Gardner)在理解的教学项目里提出的有所交叉但也有不同。[2]

温金斯和麦克泰伊提出了理解的有效性和自我指导方面,这在理解的教学项目中是遗漏的(也不一定是排除在外)。温金斯和麦克泰伊提出了理解六个方面的不同深度,从最表面的开始——他们称为**天真**;然后发展到不完全、但却有洞察力的水平——称之为有**直觉感**;接着是一种更个人化的掌握——他们称之为**成熟**;然后是更加敏锐、知识丰富——称之为**深入**;最后到一个完全的、一流的和创造性的水平——他们称为**老练**。他们用篮球来比喻对学与教发展方面的良好感觉。中心目标是使打篮球的学生以一个团队的方式打一场比赛,但是教练把中心目标所需的各种技能和理解拆成零散,从最基本的技能开始。他(她)把诸如运球、传球、投篮的活动,整合成更复杂的练习单元,同时,提供各种活动的反馈,坚持更多地练习用左手拍球,然后用两只手传球。

---

〔1〕 Grant Wiggins and Jay McTighe, *Understanding by Design*, Alexandria, VA: Association for Supervision and Curriculum Development, 1998; *The Understanding by Design Handbook*, Alexandria, VA: Association for Curriculum Development, 1999.

〔2〕 Veronica Boix Mansilla and Howard Gardner, "What are the Qualities of Understanding?" in M. S. Wiske (eds.), *Teaching for Understanding: Linking Research to Practice*, San Francisco: Jossey-Bass, 1998, p. 161－198.

教练知道这些年轻人如果不具备与他们同龄人相当的体力和敏捷，就更需要加强他们的活动强度。

温金斯和麦克泰伊提出，教师应该知道课本上的知识最初是如何被顺畅地为世人所知（伽利略对太阳和地球关系的思考；牛顿对原子运动的思考）。学生需要努力理解以前的发现和已有的知识，以获得更深的理解。他们需要通过类似于知识的创作者所经历的一系列实践来创造出自己的知识。他们最初的想法可能是混乱的、部分的、不清晰的，但是通过质疑，并运用到实际中，也就是说，为了逐渐获得更清晰和更深层的理解，他们将围绕理解的方方面面，不停思考可能如何运用，从运用到结果的解释，到这些解释如何与他们所知的其他知识相协调的理解，以对这些有明显矛盾的解释获得更多的看法。

好教师指导学习的这些方面时会设计出学习活动，逐渐并逐步地使学生开始进行这些更大教学单元的活动。最早的活动会以设计好的简单练习开始，需要和发展不太复杂的六方面理解，学生和教师则进行评估。这些评估将成为新一轮设计学习的组成部分，其目标在于理解更大的目标，并再次从更高的水平上反映理解的六方面。

温金斯和麦克泰伊强调在学生初次接触学科时要"吸引住"学生，这非常重要，可以通过一些启发性的陈述或问题，通过不断地思考看起来与已有想法不一样的教材的某些方面（如"两点间最短的距离并不是直线"），通过提出相反的观点，开始一场辩论，进入一个重要时刻，提出实验性的意外等。这些吸引活动应能获得对这个教学单元学习结果的最初理解，这些结果以大量问题的形式表现出来，他们称这些答案为发现（见图 6－4 的例子）。这些问题能加强对理解的六方面的认识：

- **解释**：你可能会如何解释那样的事情？
- **说明**：这些聪明的、目的明确的人如何理解同一事件的不同解释？
- **应用**：如果我们将这个案例付诸实践，不同观点的双方如何收集论证？
- **观点**：比较和对比这两个国家的地理环境。
- **共感**：如果发生在你家，你将如何撰写家族史？
- **我认知**：因为你属于这类人，这就意味着什么？

教师同样能运用理解的六方面来设计学习活动：

- **解释**：学生组织一次研究时需要何种数据、问题、实验？
- **说明**：何种事件、内容、逻辑或政治团体、公众人物为这种说明提供了反面事例？
- **应用**：在哪种实际环境中和哪些观众面前，应用他们已经懂得的东西？
- **观点**：哪些活动和资源将产生各种观点？
- **共感**：何种直接或启示性的经历会促使学生主动与其他人联系？
- **自我认知**：何种经历或活动会帮助学生思考他们所知道的，或发现他们视野的盲点或刻板印象？

显然，这种方法与教学的联系，多少是基于教师对学生的看法，教师与学生通过对

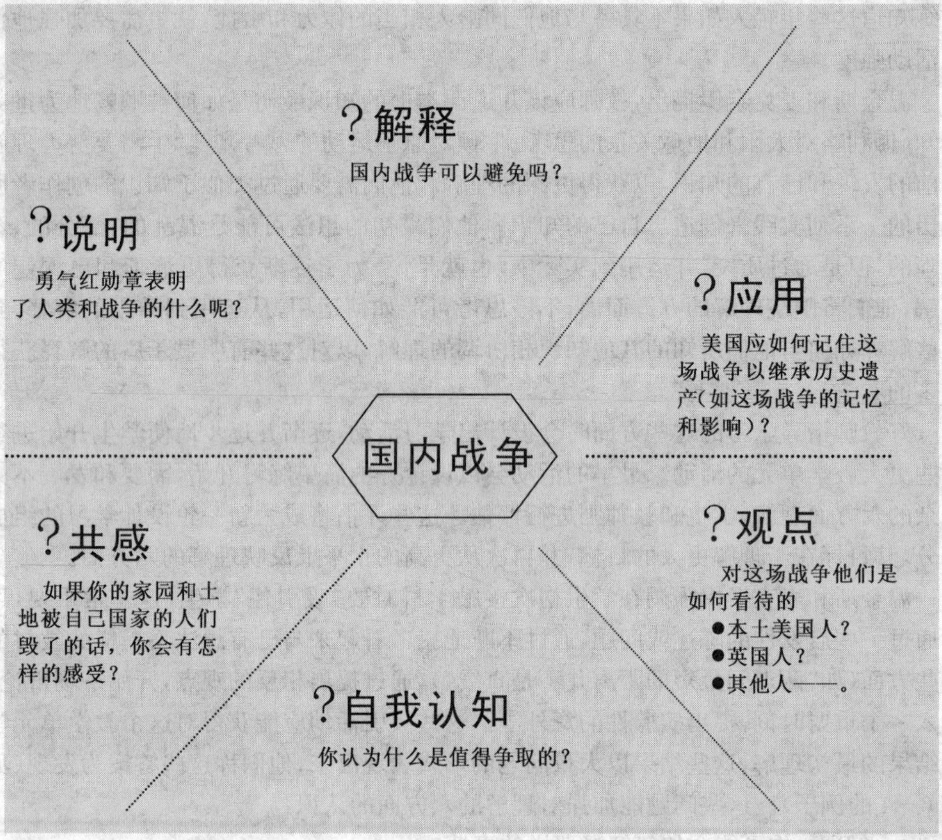

图6-4 理解的六个方面的课程运用

来源：*The Understanding by Design Handbook* G. Wiggins and J. McTighe Alexandra，VA：Association for Supervision and Curriculum Development. 1999，p. 118.

话了解学生感兴趣和关心的东西。另一方面，没有理由放弃必修学科内容。对教师来说，面临着一种公众的批评，即他们有责任提高学生学习国家大纲的水平——这不是教师的选择，实际上从来也不是。但是温金斯和麦克泰伊建议教师需要思考国家标准，理解国家标准要求的知识和技能，对此作出重要的理解。我们在下一章将继续探讨。

在教学的首要计划里，教师开始设计学习活动，把学生与学科内容联系起来，通过想象学生各种最初的行为，使他们形成各门学科内容要求的理解。从一个方面来说，教师的工作就是修订传统的东西。在传统的假设里，教师在各自的学科教育中把自己的理解与设计好的教材联系起来，通过学校当局和课本出版商，形成需要学习的内容范围和系列（计划的教学内容）；然后教师在课堂上通过解释、说明、例子模型、练习、操练、团队活动（教授的课程）来表达课堂内容。学生吸收了课本和教师讲授的内容，然后通过各种布置的练习来重复课本和教师所说的内容(学习的课程内容)；最后教师根据选择的教授课程内容来设计测验，来考察学生是否能理解课本上和教师解释的正确的答案(评估的课程)。

教师在一次或几次组合中，使用温金斯和麦克泰伊设计的程序，根据理解的六方面开始课程。教师设计最初的活动，希望学生会遇到困难，但是期望的自我评估活动、同事评估和教师自己的评估，能使学生随着清晰度和复杂度的提高而获得额外的理解(作为学习的课程和被评估的课程的一部分)。教师对学生最终的学习结果就能知其然并且知其所以然。因此教师对学习课程和最后活动的评估的想法，会改变其对实践和练习课程的探索。考虑到这些，教师开始课程设计(作为系列活动，循环反馈，解释，评估，更多的活动等)。只有此时教师才开始教授的课程——教学发生在练习和预演的课程内容范围内，而不是之前。教师知道他(她)的教学设计是否真的使学生达到理解六方面的理想水平时，然后所计划的课程——一系列教学单元设计，开始呈现出明白的形态，学习有了清晰的结果，恰当的发展和准备，以前的活动中所隐含的对教学的理解就有了正确的方向，并表现出知识构建的逻辑性。

对理解教学的最后建议是，在这个教学框架里工作的督导们，需要与教师讨论所有这些基本的工作和真正的班级教学，以便对教学的整体活动有个清晰的想法。

最佳实践的研究

泽梅尔曼(Zemelman)，丹尼尔斯(Daniels)和海德(Hyde)在他们对国家和各学科的专业组织的研究中发现，人们对学校应该教什么和孩子们应该学什么，以及教师如何最佳组织教学和班级方面有高度的一致性。[1] 他们列举了教师通常的六种实践——主要来自于米德韦斯(Midwesr)，他根据新标准成功地进行了教学。[2] 这六种组织教学和班级实践的方法比较符合所推荐的教学实践，即在理解的教学项目和相应的教学设计中提出的。

1. **一体化单元**。这里包括关于更大主题或话题的多个星期的教学，让教师处理许多教学领域，如数学、生物、历史和艺术、生物和健康。它让青年人在一个能提供意义和联系的框架中学会抽象的事物。这些实践在低年级比较容易，教师需要全程参与所有的学习活动；有迹象显示，高中教师会安排“面对面”的活动，或者一周安排几天这样的活动，以促进学生进行更一体化的学习。

2. **小队活动**。教师和学生三五成群或组成临时的团队、长期合作的团队，进行合作性的学习。这部分工作包括彼此教授的练习过程，包括质疑其他人的工作，学习团

〔1〕 Steven Zemelman, Harvey Daniels, and Arthur Hyde, *Best Practice*: *New Standards for Teaching and Learning in America's Schools*, 2nd edition, Porsmouth, NH: Heinemann, 1998.

〔2〕 Ibid, p. 183－216.

队与其他团队竞争，学生每天在班级里花 20—40 分钟轮转通过学习中心。

3. **符号学习**。最初是基于"通过写作来学习"的设计，后来扩展到运用各种表现方法来吸引注意，提出问题，澄清想法，把想学的东西视觉化。这些表现方法包括画一幅画，使用维恩图表，记下推断或假设，头脑风暴可能的解决方法，思考中心问题，使各种关系图表化，画出潜在的因果或影响因素等。这使教师和学生的思路开放，并能通过一对一的对话来澄清问题，集中或再集中思想，清除学生思维中不必要的障碍。成功的教师能让学生多学习、多看书、多思考，让他们能经常回顾以思考的方向。

4. **班级工作室**。这代表了学生在一段时间(30 分钟到 1 个小时)能做的事：读一个故事，研究一份历史性文件，聚集在科学实验室里，写一份创造性的报告。班级工作室的必备品质是学生可以选择他们在那段时间里做什么。如果学生在时间没到之前结束了一个项目，那么希望他(她)能在剩下的时间里开始另一个项目。在工作室里，教师到处视察，提供想法，与单个学生进行一对一的谈话。这类工作室需要团队共同工作的氛围，并建立在所有人都愿意的基础上。

5. **可靠的经历**。这项练习包括师生间的对话，有关他们的兴趣，有关与他们的生活、与"现实世界"相联系的主题，这包括要求学生用新的媒体练习现代事件的活动。在某些情况下就意味着把各个不同的聪明学生的学习活动带进工作中，或者把工作与家庭或当地社区的居民联系起来。可信的经历需要学生对他们的学习进行自我评价，对社会其他成员进行评价。一些教师使用摄像机作为工具来进行学习项目，或者用来表达学习项目的结果。

6. **反思性评估**。这项练习让学生记录他们所做和所学的东西，记录他们最佳工作的组合。这些记录使一个学生能与她或他的教师会谈，讨论工作，他们能使一位教师把指导与评估结合起来。评价能推动学习活动，学生能因此经常检查错误并改正它们，或者看出工作为何是一维的，然后开始更复杂和更具挑战性的行为。

同样，关注学生在做什么是令人惊讶的。这应该是教学的最佳实践例子，但是它们却是关于教师如何使学生参与主动学习。有人可能问，教师曾"直接教学"吗？要保证全班指导的时间。在一些项目开始时，教师可能需要解释如何使用其他的学习资源，这同样给那些进行学习项目有困难的小团体学生很多上小课的机会。然而，人们更欣赏学校的主要工作是学生的主动学习。教师组织学生们开展学习活动，在学生遇到困难时很清晰地提供反馈、教练、促进、鼓励。

这项关于教学的新研究，得出的大部分结论是教学不仅仅是遵照课本和督导，不仅仅是学习这些课本。[1] 随着教学变得越来越前后联系具体、与主题相关，督导变得

---

[1] See, for example, Lee S. Shulman, "Knowledge and Teaching: Foundations of the New Reform," *Harvard Educational Review*, vol. 57, p. 1-22; and S. M. Wilson and A. E. Rechart, "150 Different Ways of Knowing: Representations of Knowledge in Teaching," in J. Calderhead (ed.), *Exploring Teachers' Thinking*, London: Cassell, 1987.

越来越组织紧密并且依赖教师。督导们没有让教师努力符合统一模型。有意义的并不是能事先觉察并以手稿的形式呈现出来。相反，有意义的教学必须来自教学活动本身。例如，许多是依靠教师所教授的学科的理解；随着何种主题理解的变化，有意义的东西也随之变化。主题相关的知识包括隐藏在学科结构之下的事实、概念、原则和原理。"教学内容知识"也是隐藏在学科结构之下的内容。[1] 这类知识指的是教师有能力把对学科的理解，转变为对学生有意义的学习活动。

在这个列表中，我们增加的督导将逐渐被认为是一个角色自由的过程。教师在创造出有关教与学方面的新知识的过程中，要成为主动的参与者和合作者，他们要保证不仅是有原则性地作为督导和管理者的合作伙伴，而且同样是与其他教师一起作为督导的合作者。确实，未来显示，领导者包括校长和其他管理者之间合作的督导活动，没有督导和教师间的合作重要。

底线

正如以前提到的，督导必须一直考虑底线问题，即是否所有的学生都能成功地进行学习。正如我们在以后章节中看到的，成功地使所有学生进行学习，包括督导和教师寻求提高教学的策略，以及：

- 教师之间横向和纵向的合作关系。
- 与家长一起合作。
- 利用学校内的空间、时间与技术。
- 支持实验性的学习共同体的方式。
- 学习的道德责任。
- 教师的专业发展机会。

现在，可能很清楚，从督导Ⅰ到督导Ⅱ的转变过程中，督导需要寻求他们自身的专业发展。有关学生学习和教师行为的研究发展得很快，很多值得督导学习，以理解教师教学和学生学习的更深层的转变。随着督导职业的发展，我们相信，对教学将会有更深层的复杂的理解，对教师如何朝正确的方向发展也会有进一步的认识。

---

[1] Shulman, op. cit.

第七章
督导参与的课程和评估

简介

正如我们所看到的，学校有关国家和州标准的改革议程提高了对“所有”学生的期望，要求他们都能理解课程内容，以前在多数学校可能只有三分之一到一半学生达到这样的理解水平。并且，对这种理解的期待程度，在多数情况下更复杂，或者是比以前期望得更高，即使对名列前茅的学生来说也一样。由州课程政策和注重学术规范的专业组织共同提出的课程标准，显示出了对新政预期的严肃性和幅度。

知识内容的标准

肯德尔（Kendall）和马赞诺（Marzano）把来自于不同国家委员会和组织的大量有关课程的建议，组织起来形成一份综合的 K－12 课程大纲。[1] 他们区分了“基准”和“标准”。本奇马克斯（Benchmarks）指出，教学中标准知识的要求是，能达到一个具体的年级水平或几个年级的水平，有一系列可接受或所期望的行为，常常这样表达“到四年级结束时，学生应该能……”。学生的行为基准常常以 1 到 4 分来评分。内容标准概括了所有年级水平总计所达到的各种基准，希望所有的学生在他们特定的年级水平都能达到要求。达到标准意味着学生能运用知识标准来理解他们的世界和生活中正发生的事情，但并不意味着学生能成为这一知识领域的专家。“所有”学生，无论是不是上大学还是直接进入劳动力行列，都希望他们能在毕业前达到这项标准。肯德尔和马赞诺同样区分了“生活技能”标准，它横贯所有训练，包括问题解决、创造性思维和自我管理技能。

如果要确定年级群，如年级六、七和八，注意到这些年级的所有学科的内容标准，期望他们要掌握的绝对的知识量是挺吓人的。每一个主要学术领域都有非常多的内容标准（如数学、科学、语言艺术、世界历史、美国历史、地理、公民守则、美术、世界语），在每一项内容标准之下，都有许多基准用来描述年级群的内容标准情况。例如，在肯德尔和马赞诺的框架

〔1〕 John S. Kendall and Robert J. Marzano, *Content Knowledge: A Compendium of Standards and Benchmarks for K－12 Education*, Alexandria, VA: Association for Supervision and Curriculum Development, 1997.

里，科学的内容标准＃11是："理解能量类型、来源和转化，以及它们与热度和温度的关系。"[1]这项内容标准对六至八年级来说有下列六项基准：

● 知道能量是许多物质的属性（例如，热能存在于分子的不规则运动和放射现象中；化学能量存在于原子的排列组合中；机械能量存在于运动的物体或有弹性的弯曲物体中；电子能量存在于电极的相互吸引或排斥中）。

● 理解能量既不能被创造，也不能被消灭，只能从一种形式转变为另一种形式。

● 懂得太阳是如何作为主要的能量来源改变着地球的表面（例如，太阳通过放射光线损失能量，其中一部分光线以光波包括可见光、红外线和紫外线放射的形式传递到地球）。

● 知道热能通过传导、对流、放射的形式改变；热从温度较高的物体传递到温度较低的物体，直到两者的温度相同。

● 知道电路能提供电能转变的方式，产生热、光、声音和化学变化。

● 知道多数化学和原子反应包括能量的转化（例如热、光、机械运动、电流）。[2]

我们必须意识到这些基准所指的只是至少12项内容标准中的一部分，每一项标准本身还有几项基准仅仅针对科学课程。不仅这样的知识量很难应付，而且相对抽象的概念和比喻的理解水平，可能会或可能不会超过孩子们的认知水平。教师可能很好地掌握了这些物理学的抽象概念，但是教师能把这些知识转变成有意思的学习活动，使学生能初步掌握这些知识，还是学生直接重复记忆但并不理解呢？假设教师知道怎样把这些年级的学生的学习活动变得有意义，那么督导呢？督导应很好地掌握这些知识，知道如何运用这些材料来符合学生的理解水平，判断教师选择的学习活动是否恰当吗？如果督导不能熟知材料，那么督导如何与教师进行对话，让教师独自判断学生是否在学习这些教材？

对同一年级群，我们现在来解释社会学的学习课程。肯德尔和马赞诺的内容标准＃19中写道："理解随着中国经济的强大和伊斯兰教的扩张，信息、贸易和文化交流的地区间体系是如何成熟的。"[3]七到八年级，下列基准揭示了内容标准是如何在课程内容中获得发展的。

● 理解儒教如何在10世纪和12世纪发生变化的（例如中国主要朝代的变化对儒教的影响；朱熹把儒教、佛教和道教融合起来形成新儒教）。

● 理解中国宋朝的社会和经济结构（例如，增长的农产品和贸易如何促进了宋朝城市和商业阶层的发展；中国传统社会对商业和商业活动的态度；宋朝的重大成就和发展，宋朝的苛刻制度和对居民服务要求的阶级限制）。

---

〔1〕 John S. Kendall and Robert J. Marzano, *Content Knowledge: A Compendium of Standards and Benchmarks for K-12 Education*, Alexandria, VA: Association for Supervision and Curriculum Development, 1997, p. 91.

〔2〕 Ibid, p. 92.

〔3〕 Ibid, p. 236-237.

● 理解镰仓时代的政府和政治（例如，日本和中欧灭亡的异同；在镰仓时代历史上的重要事件）。

● 理解佛教流派在日本发展的影响（例如，在社会、政治和宗教力量下，佛教如何发展成独特的形式；武士文化对普通人和佛教流派发展的影响）。

● 理解东南亚国家的发展（例如，东印度、吴哥、傣族如何积累实力和财富；儒教、佛教和印度教对这些国家和地区的影响）。

● 理解伊斯兰地区中伊斯兰教和日常生活的发展（例如，来自土耳其斯坦的土耳其移民如何进入亚洲和印度，帮助伊斯兰教拓展，并击退了拜占庭和希腊基督教文明；埃及的犹太人和基督教社区的生活是怎样的；在伊斯兰教地区学生的生活是怎样的）。

● 理解不同地区的贸易要素（例如，开罗和其他城市作为国际贸易和文化中心的重要性；伊斯兰教的发展如何与中亚、东亚、西亚、印度沿海和东南亚的贸易联系；亚洲、非洲和欧洲单独社会商品贸易的重要性；印度洋的季风对海上贸易、中亚和中东城市的大旅舍和旅馆的特色和作用的影响；印度洋的船只对贸易往来的意义）。[1]

即使不需要学生理解以上世界各地的宗教信仰、神学或伦理学的核心思想——如果忽略这些宗教信仰的思想不算冒犯的话，那就很困惑——现在把这些宗教信仰归结为符合经济原则，希望学生所吸收的知识和抽象化水平同样是很令人惊讶的。同样，我们必须意识到以上列举的基准仅仅是根据 20 项内容标准的其中一项所列举出来的，每一项标准有一套本身的基准，是根据社会学的研究所制定出的标准。我们要问，教师为学生提供的知识材料是怎样促进学生理解的？即使他们提供的知识与课本属于同一范围，是辅助材料的补充，教师知道如何把这些知识转变成有意义的学习活动，以使学生发展他们的理解力吗？相似的问题可能会出现，关于对教材和理解所知甚少的督导是否能对教师有帮助？我们甚至不会提出有关标准测验制定者的知识和他们对教材方面的理解问题。

国家课程标准

当我们转向国家课程政策时，我们会发现相似的苛刻标准。调查表明，按照 K－12 年级学生在毕业前所要达到的社会学科方面的国家标准，学生要：

● 理解美国历史上所有重要的发展事件，理解所有世界历史上的重要发展事件。

● 知道如何像历史学家那样思考，能够权衡原始的和二手资料，以区分出解释性和杜撰性的事实。

● 理解理想的公民的权利与义务（尊敬、公平、平等等）。

● 广泛地理解经济原理、政治原理和人性的本质。

---

〔1〕 John S. Kendall and Robert J. Marzano, *Content Knowledge: A Compendium of Standards and Benchmarks for K－12 Education*, Alexandria, VA: Association for Supervision and Curriculum Development, 1997, p. 236－237.

● 理解科学、数学和技术的历史，以及它们对人类生活、环境、福利和经济的影响。

● 理解地球的地理环境及对农业、贸易、移民、交通的影响，对环境改变及物种灭绝的影响。

● 理解经济学的基本概念，如成本分析、供应与需求、资本、劳动力市场；区分当代美国经济和世界经济的各方面；社会技术对全球市场的影响。

● 理解公民与政治学的主要概念，如权威、权力、法律、公民责任、公民权利、人权。

● 熟悉美国的宪法及其推理。

● 理解政府在地区、国家和联邦各层面上如何运作；理解政府机构如何保证公民权利。

● 理解所有人享有平等权利的原则；知道保障公民权利的主要障碍和威胁。

● 能评价政府在司法、效率、公共安全、经济与社会流动性、教育机会方面的行为。

以上概括了对小学和中学社科知识方面的期望。除了这些知识内容外——听起来有点"野心勃勃"——"所有"学生必须掌握其他学科和相关教材内容，这看起来更令人惊讶。一天中有足够的时间让学生——"所有"的学生——理解所有这些内容吗？"理解"是什么意思？教育工作者们同样在思考这个问题。

理解课程内容的教学

哈佛的研究者和波士顿的教师经过多年的研究提出了一个模型，准备把对"理解"的一种理解应用到所有课程中。[1] 正如我们在前面的章节中所看到的，他们的研究在班级中已经被检验过，并且证明是有用的。他们的模型中提出了理解的四个"维度"和理解的四个"水平"。理解的四个维度是：知识、方法、目的和形式。

● **知识**：那些组织充分的概念网络使人能自如地看到细节与概要。

● **方法**：专业人员在知识领域所运用的策略、方法、技巧和程序，以此来构建并证实可靠的知识。

● **目的**：在知识领域中那些基本的问题和兴趣促使人们产生质疑，以及这些知识的可能用途。学生能对他们所学的东西有个人的立场。

● **形式**：那些表达他们知识的不同方式：说明性的或创造性的解释；根据不同的观众和要表述的内容，运用语言、象征、仪式、类比、图表、颜色、说明性的模型等等。[2]

不仅要让教师保证学生理解学科的基本概念图式，而且学生还要能证明他（她）知道如何用正确的方法和程序来创造知识，无论是一位历史学家、诗人、生物学家或者统计学家。此外，学生必须合理地掌握知识的各种用途，不管是运用到健康、高速公路、

〔1〕 Martha Stone Wiske(ed.), *Teaching for Understanding: Linking Research with Practice*, San Francisco: Jossey-Bass, 1998.

〔2〕 Veronica Boix Mansilla and Howard Gardner, "What are the Qualities of Understanding?" in Martha Stone Wiske (ed.), *Teaching for Understanding: Linking Research with Practice*, San Francisco: Jossey-Bass, 1998, p. 161 - 196.

骑马或园艺，还是以上所列举的一部分或全部。学生应同样能够把他(她)的学习任务解释给这一领域的专家或低年级的同学听。把理解的四个维度结合起来表明了要精通学科教材。理解评估体现为四种水平：始学阶段、初学阶段、学徒阶段、掌握阶段。

- **始学阶段**：学生运用直觉、虚构的信念、民间故事来理解教材。
- **初学阶段**：学生通过直觉和信念来组织各种学科知识的片断。
- **学徒阶段**：虽然学科概念居主导地位，但是学生不能在学科知识框架下创造性地进行推理。
- **掌握阶段**：学生能容易地、有目的地应用学科概念和知识框架，并运用常识性的推理来组合它们，发展学科知识。

理解的四个维度和四种水平能组合成一个课程内容矩阵来表明学生的进步(见图7－1)。正如我们在最后一章中看到的，教师可以用这个矩阵设计出一系列学习活动(计划过的、排练过的课程内容)，来表示出学生的一系列行为表现，也就是在他们要教授的内容内(教授的课程)产生学生的学习活动(学习的课程)。这个矩阵同样可以用来进行学习评价并给评价记分。如果理解的水平与温金斯和麦克泰伊提出的理解的六方面不同的话，我们就可以识别理解的列表是如何重叠在一起的。

	知识	方法	目的	形式
始学阶段				
初学阶段				
学徒阶段				
掌握阶段				

图7－1 评估学生学习的理解四维度

处境认识

国家课程政策中在内容标准方面对师生的新要求是非常重要的。如果人们接受了以上讨论的理解列表(知识、方法、目的、形式)，那么就要求所有学生掌握理解水平的“学徒阶段”或“掌握阶段”的标准，这对学生和教师提出了更多的挑战。我们已经看到，如果督导们的工作有意义而不是空洞的、官僚主义的表现，他们同样面临着这些课程政策带来的挑战。但是还有其他的挑战。对“学校学习”持批评态度的人认为，学校课程要求的学习活动被学校教育的人为文化所控制，知识脱离了它的存在背景和专业背景，呈现在一个无背景的学习环境中，这样必然会歪曲和限制学生所"学习的东西"。分析一下每天的认知活动，如在贸易当中、在各种职业当中，实际上几乎在每一种工作环境中，都揭示了知识是在一个丰富的、"情景化的"、文化背景下使用和获得的，这种背景是由各种社会化的理解、价值、仪式、规则、细微差别的意义和表现方式交织而成。[1] 无论是木匠、海军军官、编织工人、现金出纳员、厨师、医生或建筑师，他们的认知活动都会碰到常规的，或错误建构、错误定义这样的问题。然而他们对工作的总体认识，使自己的认知活动处于各种线索、意义和技术当中，这样他们凭直觉就能在他们工作的环境中运用，并对出现的情形作出反应。[2] 学生进行的许多学习活动并不是专家或其他工作者进行的活动，因为专家的活动是脱离具体情景的人为活动，就这一点，在大学的案例教学中，有经验的教育管理博士计划的参与者也许能说明这个问题。当提供一个案例，并要求使用以前学到的一个或几个理论框架来作出反应时，那些有经验的实践者几乎不会作出快速的反应，并拒绝用老师以前在课上教授的理论逻辑来给出一个清晰的分析。他们几乎总是要指出缺乏信息，缺乏情景性的线索，缺乏环境的自由性。对此类案例中的经历，他们的通常反应表明，他们从来不会让条件恶化到如此程度，他们将运用各种沟通系统来处理将出现的问题。换句话说，这些实践者不去解决"案例"；他们会在每天工作中处理各种灵活变动的沟通问题，麻烦的线索，微小的困扰，一些无法预料的线索。他们整天都在即席发挥，运用他们知道的东西直觉地作出一定的反应。他们所面对的主要问题，并不像案例那样，而是需要一段时间进行处理，运用各种沟通策略，尝试一错误的实验，探索其他的代替方式，与其他人一起作出一系列小的解决问题的方式。通常，问题没有得到解决，他们会等上几个星期、几个月、几年，同时会作出一些小调整，并运用社会机制来控制这些问题。已解决的问题不可避免地会直接引起新的无法预料的问题，因此每天的工作就是继续在"泥泞中跋涉"。

为了避免对学校改革议程的课程标准的简单理解，注意到脱离具体情景的学习活动会产生比较差的或歪曲的理解是重要的。人们可能认为，课程材料在故事中和例子中渗透得越少，学习活动可能组织得越有效，就能产生正确的理解。近来学者的建议正好相反，也就是说学生需要在他们所要掌握的学科里像个学徒那样。因此，我们设计的学习活动，就要贴近学者、研究者以及技术人员们所面临的那种乱糟糟的、结构错误的现实。毫无疑问，这就意味着减少"教学内容的覆盖面"，教师感到必须要完成的。然而，这样的"联系问题"将使学校学习更有用和更真实。通常情况下，这意味着学习活动所要包含的远不止一门学科。

---

〔1〕 John Seeley Brown, Allan Collins, and Paul Duguid, "Situated Cognition and Culture of Learning," *Educational Researcher* (January, 1989), vol. 19, no. 1. 32－42.

〔2〕 See the work of Lave, who has done much of the ground-breaking ethnographic studies: J. Lave, *Cognition in Practice*, Cambridge, MA: Harvard University Press, 1988.

澳洲的布赖恩·考尔德伍德(Brian Caldwell)建议，21世纪的课程有必要包括更多的跨学科学习，因为网络跨越了所有学科的界限。[1]计算机辅助学习将提高对真实生活问题的逼真探索，而不是传统的发生在学校实验室里的人为问题。实际上，考尔德伍德预测，随着学生和教师通过电子网络进入地区性和全球性的各种资源，以及处理当代重要问题的资源，学校教育的虚拟性将不断增加。哪里有设备，哪里就是学校。各门学科不会消失，它们有一个必要的基础，即使这个基础可能要求解决跨学科的问题。考尔德伍德同样建议，学者所坚持的认知问题，也就是学生以团队形式工作的问题，因为这是21世纪更现实的工作形式。

回顾一下学校改革议程中课程和评价发展的某些细节即可表明在教育系统内督导者的一些主要工作。督导者需要接受再教育，正如他们对传统的教师要求的那样。他们的工作被认为是真正的教育工作，虽然也有些官僚化。为了让督导们在面临学校改革的挑战中真正发挥作用并对教师有支持作用，督导们需要理解一定标准的课程内容以及对教师和学生的要求。督导们需要把自己对课程内容的思考与自己对真正学习的理解联系起来。现在让我们来看看督导理论上的一些情况(他可能就是你)。

对讲授课程的观察

假设你在进行一天的繁忙的督导。你拜访了五位物理学教师，发现每位教师使用的教学方法很不同。一位教师把班级分为小团体，大部分时间用来讨论他们进行何种实验来研究光线是微粒还是波的问题。另一个班级里，教师出示了一幅生动的卡通画来表明光线的不同属性，然后把哪种光线的原理是正确的这一困惑留给了学生，随后得出结论。教师把学生团体分成小组进行辩论。在第三个班级里，教师把牛顿的粒子物理学说和社会学中各种理论联系起来，然后把物理理论和更多的社会学观点作对比；课快结束时让学生就学生较低的士气和学校里学生"做自己的事"这样主流的趋势进行一场热烈的讨论。在第四个班级你发现学生在物理实验室用一个水波槽在进行一个实验，仔细地遵循实验指导和重复课本里的实验步骤。这里没有课堂讨论，教师很少在实验室里走动，偶尔指出一个错误的测量符号或告诉学生小组停止"不认真的工作"。在第五个班级里，学生一直在阅读艾萨克·牛顿(Issac Newton)的传记，教师分配小组任务去组建一个牛顿的实验室模型。这个班级以教师向学生提问的方式开始——牛顿接触了先前的何种科学知识，可能对牛顿的实验方法产生了重要影响。

傍晚时分，在你回到办公室前半个小时，你必须去做篮球联赛四分之一决赛的裁判。明天你计划与今天你观察过的所有教师进行个人会谈。除了班级管理的常规方

〔1〕Brian J. Caldwell, "Educating for the Public Good: Strategic Intentions for the 21st Century," in David D. Marsh (ed.), *Preparing Our Schools for the 21st Century*, Alexandria, VA: Association for Supervision and Curriculum Development, 1999, p.45-64.

面和学生的注意力，你对每位教师使用的，特别是与学校课程有关的教学方法有何评论？假如观察到每位教师在教学中表现出来的优点和缺点（自信，好的语调，正确提问等），你还能说一种方法比另一种方法更好吗？每一种方法都是源自于一种不同的实际上的或假定的课程思想？这些方法相互之间互相排斥吗？在一种教学方法中学到的内容与另一种教学方法中学到的内容是完全不同的吗？或者人们可以在每种教学方法里发现某些相同的学习内容？用不同的教学方法所教授的内容进行同一种学科考试是公平的吗？这些学生在国家物理考试中的得分是怎样的？在你开始区分出这些令人厌烦的问题时，铃响了，你必须冲到体育馆去赶篮球比赛的班车。

在这一点上，我们把虚构的督导留在幻想的篮球比赛中，更精密地看看这五位物理教师所教授的课程。我们需要继续对底线的关注——真正的学习——与科学的课程内容有关的每一节课都应如此，这些课程必须符合国家制定的科学标准，尤其是要适合于物理学的标准。想想理解的四个维度和理解的六个方面，仔细辨认来自这五个班上的任何活动，都可能会产生一种特别的理解。

对教师观察后的深思

再过一天你将在五位物理教师空闲的时候与他们会面。下面是这些观察后会谈的三项摘录。

观察后的会谈 1

督导：莫林（Maureen），我对你在课堂上所教授光线波粒二象性的教学方法很感兴趣。通常你是鼓励学生那样进行实验的吗？

莫林：是的。每次在我们开始一个新单元时，在我们阅读课本前，我会解释将要研究的元素的某些性质，试着提出至少三种可能证明这些性质存在的实验来。因此本班遵循着学生所熟悉的教学模式。你看，我想要他们像科学家般地思考，运用想象力和逻辑推理来设计实验。实际上，我相信一些最具创造性的科学工作是在设计实验中完成的，而不是在通常与“真正的科学工作”相联系的测量学领域中完成的。

督导：我注意到这是一个大学预备班。莫林，但并不是所有的孩子都是火箭科学家。你是如何考虑那些反应比较迟钝的孩子的，以保证他们能跟得上？

莫林：在这一点上，我必须对自己要仔细留意，因为对最聪明的学生所提的建议我可能会非常热心。在这些实验里，我努力使有问题的学生与至少两个中等以上的学生建立朋友关系，这一做法好像能够使他们跟上班级进度。有一个男孩叫乔艾·奥伯恩斯（Joey O'Burns），我课后时不时地给他提供一些额外的帮助。我们好像拥有了不错的关系，并且允许他寻求额外的帮助。现在，这门课没有人不及格。有四个平均分是 C 的学生，在我们于星期一仔细查看了他们的错误之后，对上周的考试进行了重考。我努力保证每一个学生都有机会至少达到B等级。

督导：如果学生提出的实验设计太简单了而不起作用，你将如何回应？

莫林：我鼓励全班对每位学生提出的每个设计进行充分的讨论。每个人必须提出一个设计能进行或不能进行的理由。对学生的评价更多的是他们的推理能力和创造力，而不是设计能否进行。我想要他们明白从事科学研究包括大量的探索性研究，而大部分研究是不起作用的。

督导：听起来很奇妙。比起仅记忆课本上的知识，你的学生将获得更多对科学家的真正经历的感受。你期待他们对想出的设计思想如何进行呢？

莫林：一般来说，学生设计好实验，然后向全班说明这个实验如何进行，这给了学生完成作业后的一种自豪感。我们在过去的四年中已经送了六个或更多的学生到地区科研机构里去，我相信，主要是这种教学方法所激发的想象力与科研机构所支持的科研项目的要求相一致。此外，我对学生强调，设计实验的工作将对他们以后的职业有所帮助，不仅仅是科学家，因为它包括了各种解决其他事情的实际方法。

督导：那么你的实验是根据学生的主意进行的吗？

莫林：不完全是。我们通常是做课本里的实验。关于这个，我们在下周进行实验——乔·施瓦茨与他的助手们正在一起研究这个水波槽。

正如你看到的，与莫林的谈话中有许多重要的信息，有关教师的想法，在本课以前和以后的课程，学生对学习活动的准备，班级中期待的结果等。

我们离开这次谈话再看看与第三位教师的谈话，就是把光线的波粒二象性原理与社会科学理论相比较的那位教师。

观察后的会谈3

督导：弗兰克，我对你班上学生内容广泛的讨论十分感兴趣。这是你一般上课的特色吗？

弗兰克：不完全是。通常在快下课时我会进行你今天看到的上课内容。通常我很坚持与课本上的结果和课后的补充材料相接近，偶尔阅读隐藏在物理学上某些新发展背后的文化历史事件。今天你所看到的，也是我觉得作为一名自然科学教师感受比较强烈的方面，即我们所拥有的有关物理世界的所有知识对我们作为人类来说是有着更广泛的意义。有点像人类的某种比喻。当我们谈到能量、混沌、碎片、相对论——类似的概念——我花时间来探索这些对我们人类来说可能有重要意义的概念。这些不是为了缓解厌倦而人为制造的，或是为学生绘制一种图像使他们保持科学理解的兴趣，人类是自然的一部分，自然存在于我们本身，当我们理解自然界如何运作时，我们会更好地理解我们自己，不仅仅是作为自然物，而且作为我们人类本身而存在，因为我认为物理现象大量地存在于人类经历中。我知道这听起来有点遥远，但我发觉在最初的几次讨论中，孩子们发现了要点所在，这在某种程度上改变了他们学习科学的方式。我努力与院系的其他教师一起分享我的教学方法，但他们看起来并不想尝试。

督导：继续，弗兰克。告诉我这类思想是如何渗入到我所观察到的班级讨论中的。

弗兰克：哦，就像这样。如果你认为物理世界是由分散的东西组成的——原子、分子、岩石、椅子、人类——问题在于理解它们是如何相互作用的。牛顿对原子的理解，即原子是物质的最小组成部分，是一种分散的东西，就是说它的运动和速度是受其他原子的影响的，很可能彼此独立，彼此相离。我相信他对物理世界的观点是与随后的关于社会的哲学原理一致的，即社会是由分散的、独立的个人组成的，他们间的相互关系是完全工具性的。因此，从这种观点来看，社会是自给自足的个体的集合体，个人出于自我利益而相互联系。但是当一种关于物理世界的不同观点成为社会观点的比喻时，注意会发生什么事情。在夸克物理学里，所有的粒子组成了能量场，在那里每个粒子与其他粒子多少有点联系，没有粒子能在能量场里单独运动。当物理世界的观点变成人类社会的主要观点时，个体的人就与社会中每个人相联系，不是出于理性选择，而是出于自然性。

督导：这很深奥。你认为孩子们能理解吗？

弗兰克：有些人难以理解，但我鼓励那些率先领会这种思想的人用他们自己的话来解释，然后其他孩子也开始理解了。有些人理解了我试图要阐明的东西，但认为这太诗意了、太奇妙了。他们早先的科学教育使他们完全把科学知识与有关人类事物的知识分离开来了。

督导：弗兰克，你期待他们进行这类学习活动，是吗？换句话说，如果你这番努力成功了，那么这种新的理解将如何改变他们呢？

弗兰克：我希望他们能发现他们在多大程度上彼此相互依赖，依赖他们存在的自然环境，他们会理解他们应为彼此的联系而感到骄傲。例如，我把讨论扩展到学生在这里如何管理学校工作。我认为这里的孩子有一种矛盾的心情，想有一种归属感，想被接受——另一方面想保持个人主义，做自己的事。我认为孩子们管理学校工作的方式反映了社会作为独立个体的集合体的观点。如果他们用不同的观点来看待自己，作为自然属于彼此的共同体中的人，那么他们想要一个不同的学生政府吗？

督导：我看得出这些是相当强大的思想。从场理论到一个新的学生政府！告诉我，你认为花时间讨论这些是否远离物理教学大纲？其他教师总是抱怨他们没有足够时间来完成教学。

弗兰克：实际上，我认为这类讨论有助于他们更好地理解物理概念。不幸的是，物理知识的标准测验从来对这些来自物理学概念的应用不感兴趣。我发现发起这些讨论，甚至通过占据他们宝贵的时间，能激发学生学习下一章内容的动机。

这是与莫林不同的观点。然而，弗兰克对他教学方法的谈论看起来是来自对科学知识和人类联系的深刻理解。看得出弗兰克和莫林对课程的观点是来自于他们个人的信仰和价值观。[1]

然而当督导与第五位教师会谈时，出现了另一种反应。

观察后的会谈 5

督导：我对 17 世纪相对落后的实验方法了解很多。马文(Marvin)，有意思的是你如何使孩子们理解许多科学实验的早期原则呢?

马文：是啊。我认为课本上对物理学的解释隐藏了像牛顿这样的人物在工作中所面临的困难。带着这种观点看待历史事件能帮助他们理解如牛顿这样的天才人物，以及科学需要许许多多科学家在彼此工作的基础上进行多少缓慢的、艰苦的工作。花时间来用心地看历史发展同样有助于孩子们理解世界的主流观点，甚至语言也会限制科学家看待问题的能力。其中一件令人惊讶的事是对牛顿手稿的研究表明他很清楚光线的某些波的性质。他的后继者们关注他在微粒子方面的解释，得出牛顿只关注那方面的解释。通过研究历史，我们能纠正课本中不确切的叙述。

督导：你在授课中使用了历史性的方法?

马文：我想如此，但是太花时间了。例如明天我们将用凸透镜做牛顿的实验，看看它如何形成不同颜色的光圈。问题是课本上跳过了实验和哈伊金斯(Huygens)的工作，直接到了扬(Young)的实验。因此我们做了牛顿的实验、哈伊金斯关于光线在水中的折射实验后，直接进入到扬的实验里，我会花一周半时间做课本上要求在两节课上完成的内容。另一方面，当我们讲到水波槽实验时，比起他们快速学习课本上的内容，孩子们会对于光的物理性质有更深层的理解。因此我加快速度结束课本上的其他内容，为的是赶上其他教师的教学进度。

督导：你的学生结束课程后学到的知识会与上其他物理课的学生一样多吗?

马文：是，也不是。主要取决于你看问题的方式，在物理学上几乎有无限的东西要学习。不管哪位教师上物理课，他(她)必须得选择。我试着要完成两件事情，一件是学生要形成如何做科学这样一种意识——通过成年累月的尝试和失败，在其他人的工作之上进行着艰苦的劳动，最终只能取得部分结果;第二，他们了解一些物理概念的极好例子和非常合理的理论。我们在这两类基础知识上再增加对其他概念和理论的浅显理解，以便能使他们在标准化的多项选择物理测验中得高分。你在一门课上只能做到这样。

在这三个观察后的会谈中，你能看出这些被观察的课是如何成为这三位教师设计

[1] For a clear example of this in the literature, see George H. Wood, “Teachers as Curriculum Workers,” in James T. Searles and J. Dan Marshall (eds.), *Teaching and Thinking about Curriculum*. New York: Teachers College Press, 1990, p. 97 - 109.

好的连续课堂计划的一部分。虽然有所不同，但每节课都符合每位教师的基本思想。作为教育者，他们每个人都相信他们为学生提供了最有价值的学习内容。督导者面临的问题是，我对这些教师怎样作出回应？

假定你是督导者，行动的困难之一是，你没有每节课的完整讲稿。你不知道教师如何运用具体的教学策略，如对已学知识的回顾，即时的创造，对主流问题的陈述，用因特网来说明主要观点。更详细一点的话，你要能够与每一位教师探讨其他的可能性。但是，在这个时候，不要考虑技术，主要关注课程问题。这些督导事件所提出的有关课程的问题是什么呢？

提出的第一个问题是关于学生学习活动的质量问题。在所有这些不同的物理课上学生学到了物理学的精髓了吗？他们在标准物理测验上得分如何？一个班级里的学生得分会比其他四个班上的学生高吗？那就意味着这位教师对这门课的教学安排更优秀吗？需要对每个班级进行前测和后测来决定哪个班级学得最好吗？

然而每位教师的教学内容都不仅仅是课本上的物理学概念和原理。每节课上的内容都与物理学的学习内容合理相关，但又不是标准测验的考试范围，这方面的情况怎么样？学生的学习活动是发展了理解的所有方面，还是只发展了理解的六个方面或四个维度？那些学习活动中的哪些看起来更"可靠"（如，和处境的认识更接近），哪些更具创造性，哪些更虚伪，哪些与情境无关？教师是否对所有孩子的学习质量都很关心，还是倾向于把课程内容定在与"聪明"的学生步调一致？对于你的结论，你可以引用的证据是什么？

预设的学习目录是否假定所有的教师都会创造出相同的教学内容并上演那些学习活动？难道院系的教师不应该经常聚在一起讨论他们的差异并形成某些共同的学习成果？即使他们对共同的学习成果表示赞同，但是实际上，如果方法不同，会产生相同的结果吗？"共同学习"意味着什么——记住一个理论的定义，或在多项选择测验中选择同样的选项？或这意味着五个班级中的学生应充分地讨论他们的物理课学习内容，使他们在理解方面的差异不会影响他们在物理学的基本概念意义上达成一致？

其他课程方面的问题则出现在对这些物理课中的更深层的分析。科学知识获得的方法方面，教授了什么内容？科学知识是以最纯洁的知识形式、最精确的知识形式呈现出来的吗？以至于其他的知识形式（如，画家、音乐家、理论家、父母、朋友的知识等等）被视为不精确的、有缺陷的、主观的、情感上混淆的？课程包括科学知识与应用的公共政策决策方面的讨论吗（如核能工厂的利弊）？当科学证据是互相矛盾的、无法下结论时，提出有关公共政策决策的问题了吗（如，由于受碳氟化合物的影响而引起大气变化，射线起到了什么作用）？是不是隐含了这样一种假设，即普通市民应该把比较复杂的技术、经济和政治决策交到那些有机会和真正懂得科学知识的专家们手中？

由自然的客观事物和力组成的自然物理世界被看成仅仅是"在那里"的，如果是这样，那么它们是在等着对它们进行探索，发现它们本质的物质属性，并使用知识来控制它们，将它们应用到生产领域的人类思维和科学技术吗？科学知识是作为人造事物，受“在那里”的影响与人类使用仪器和类比来研究事物的影响一样多吗？在科学课程上，应该多久才鼓励学生保持一种对他们所研究的自然世界的敬畏感与参与感？

这些问题并不容易回答。经过思考，很明显由教师和管理人员有目的地计划和一致同意的统一课程表面看来不需要坚持仔细的检查。对社会学、文学或艺术课的分析很可能揭示了课程实际教与学的多样性和可变性。[1] 强调贯穿在课程中的教学认知与元认知过程的研究揭示了教学方式的多样性，它受到学生年龄和已有的教育机会、个人背景以及形成教学内容的思想这些因素的共同影响。[2]

关注其他课程

在课程领域已经出现了挑战传统课程观的新声音。最近，美国黑人、西班牙人、本土美国人和其他学者，就学校课程中的文化和社会相关材料的排外性提出了异议。他们说，学校课程在支持欧洲中心化，或者是白种人的、男性的、中产阶级的观点方面是不平衡的。这些学者鼓励在历史与文化方面资料更加丰富化，给学生提供不同的文化观，让他们产生在人类事务中的共同体归属感，并促使学生更好地理解和尊敬社会中不同团体的文化与历史。越来越多的国家在教师资格培训方面要求多元文化的教育课程，并且修改课本以更多地关注多元文化。这些是沿着正确方向所采取的步骤，但是很明显多元文化的课程议程将会继续获得发展，不仅仅包括地方和国家的争论。女性主义者也发出了她们的声音，认为课程排斥了一系列典型的女性角色，忽视了女性对很多事件的观点。[3] 当修改一些课本以促进学习教材包括更多的女性观点时，这类课程计划的发展就显得很缓慢。然而，课程中忽视了相关的历史信息，表现出大男子主义观点，对于这种性别歧视的模式，督导和教师需要更加关注。正如许多女性主

---

〔1〕 See C. Evertson, “Differences in Instructional Activities in Higher-and Lower-Achieving Junior High English and Math Classes,” *Elementary School Journal*, vol. 82, no. 4(1982), p. 329 - 350; William H. Clune, “Three Views of Curriculum Policy in the School Contest: The School as Policy Mediator, Policy Critic, and Policy Constructor,” in Milbrey W. McLaughlin, Joan E. Talbert, and Nina Bascia (eds.), *The Context of Teaching in Secondary Schools: Teachers' Realities*, New York: Teachers College Press, 1990, p. 256 - 270; A. Gamoran, “The Stratification of High School Learning Opportunities,” *Sociology of Education*, vol. 60(July 1987), p. 135 - 155.

〔2〕 See Beau Fly Jones, Annemarie Sullivan Palinscar, Donna Sederburg Ogle, and Eileen Glunn Carr(eds.), *Strategic Teaching and Learning: Cognitive Instruction in the Content Areas*, Alexandria, VA.: Association for Supervision and Curriculum Development, 1987; Lauren B. Resnick and Leopold E. Klopfer(eds.), *Toward the Thinking Curriculum: Current Cognitive Research*, Alexandria, VA.: Association for Supervision and Curriculum Development, 1989.

〔3〕 For a sample of such authors, see Jane Roland Martin, “Sophie and Emile: A Case Study of Sex Bias in the History of Educational Thought,” *Harvard Educational Review*, vol. 51, no. 3(August 1981), p. 357 - 372; Jane Roland Martin, *Reclaiming a Conversation: The Ideal of the Educated Woman*, New Haven, Conn.: Yale University Press, 1985; Madeleine R. Grumet “Women and Teaching: Homeless at Home,” in William F. Pinar (ed.), *Contemporary Curriculum Discourse*, Scottsdale, Ariz.: Gorsuch Scarisbrisk, p. 531 - 539; Madeleine Grumet, “Conception, Contradiction and the Curriculum,” *Journal of Curriculum Theorizing*, vol. 3, no. 1(Winter 1981), p. 21 - 44; Lillian Robinson, “Treason Our Text: Feminist Challenges to the Literary Canon,” in Elaine Showalter (ed.), *Feminist Criticism: Essays on Women, Literature & Theory*, New York: Pantheon, 1985; Jo Anne Pagano, *Exiles and Communities; Teaching in the Patriarchal Wilderness*, Albany: State University of New York Press, 1990.

义者所指出的那样，大男子主义不仅包括课程中排斥性的语言，而且包括对女性思考方式的忽视。[1] 正如女性研究和分析的那样，为了得到持续发展并获得更多的支持，一些生动的会谈随后将在教师、督导们和课程开发者之间展开。

对课程的批评还有其他的观点，认为它过分技术化，[2]整个社会都在复制压迫的思想体系和结构，存在过分的职业化或工具化倾向。[3] 这些批评指出课程应该潜移默化地反映世界运作方式的思想定义，因此课程传达了对权威、财产、物质需要、社会认同、工作与休闲等价值观与态度，这些都支持经济与政治地位说。[4] 引用目前的国家学校改革报告，这些批评表明了学校改革主要受经济利益的驱使以保持国家经济霸权或竞争力。学校的学习被看作是一种工具性的东西——为了找到工作和获得工作所需的技能。批评指出课程缺乏对发展公民的参与技能、理解能力或环境修养的关注。[5]

把这些意见加到那些环境主义者的意见上时，我们就能理解目前学校课程缺乏了多少东西。[6] 诺埃尔·高夫(Noel Gough)建议一种后现代的认识论——一种回归到亚里士多德"智慧"说的古老传统——实践判断的认知，一种与政治实践相联系的认知，在亚里士多德看来，也就是社会寻求提供作为一个社会本身是如何生活的实践判断。高夫指出一种新的教育范式，即课程将自然环境的研究作为一个相互联系的整体来看待，[7]这种新的教育范例鼓励社会中所有种族和文化的男性与女性一起考虑和寻求实践判断——如何使彼此之间以及与环境之间以一种和谐的方式生存和生活。[8]

这使知识——学校知识，首先为人类和环境的需要服务，只有根据这些需要才能

---

[1] Jo Anne Pagano, op. cit.: Carol Gilligan, "In a Different Voice: Women's Conception of Self and Morality," *Harvard Educational Review*, vol. 47(1977), p. 481 - 517; Mary Field Belenky, Blythe McVicar Clinchy, Nancy Rule Goldberger, and Jill Mattuck Tarule, *Women's Ways of Knowing*, New York: Basic Books, 1986. E. Doyle McCarthy, Knowledge as Culture: The New Sociology of Knowledge, New York: Routledge, 1996.

[2] See Robert V. Bullough, Jr., Stanley L. Goldstein, and Ladd Holt, *Human Interests in the Curriculum*, New York: Teachers College Press, 1984.

[3] See William Bigelow, "Inside the Classroom: Social Vision and Critical Pedagogy," in Steven Tozer, Thomas H. Anderson, and Bonnie B. Armbruster (eds.), *Foundational Studies in Teacher Education: A Reexamination*, New York: Teachers College Press, 1990, p. 139 - 150; Michael W. Apple, "The Culture and Commerce of the Textbook," *Journal of Curriculum Studies*, (July-September 1979), p. 191 - 202; and Henry A. Giroux, "Critical Pedagogy, Cultural Politics, and the Discourse of Experience," *Journal of Education*, vol. 167(1985), no. 2, p. 22 - 41.

[4] See Robert Dreeben's book, *On What Is Learned in School*, Reading, Mass.: Addison-Wesley, 1968, as evidence by a "mainstream" scholar that supports the critics' contention.

[5] Roger Soder, John I Goodlad, Timothy J. McMannus (eds.), *Developing Democratic Character in the Young*, San Francisco: Jossey-Bass, 2001; Roger Soder(Ed.), *Democracy, Education and Schools*, San Francisco: Jossey-Bass, 1996; James A. Beane, *Curriculum Integration: Designing the Core of Democratic Education*, New York: Teachers College Press, 1997; Jeannie Oakes, Karen Hunter Quartz, Steve Ryan, Martin Lipton, *Becoming Good American Schools: The Struggle for Civic Virtue in Educational Reform*, San Francisco: Jossey-Bass, 1999.

[6] See C. A. Browers and David J. Flinders, *Responsive Teaching*, New York: Teachers College Press, 1990.

[7] Noel Gough, "From Epistemology to Ecopolitics: Renewing a Paradigm for Curriculum," *Journal of Curriculum Studies*, vol. 21, no. 3(1989), p. 225 - 241.

[8] For an approach to curriculum as embedded in a social environment, see the interesting essays contained in Joe L. Kincheloe and William F. Pinar (eds.), *Curriculum as Social Psychoanalysis: The Significance of Place*, Albany: State University of New York Press, 1991.

为商业需要服务。因此，把这些问题考虑到课堂中去的督导会在与教师的会谈中一开始就问这些问题。

从这种观点来看，课程呈现出一种戏剧感，剧本是关于人类生存和生态生存的。学校教育被看作是一台戏剧，在这个戏剧当中，社会的未来是以预期的方式上演。课程可以看成是剧本，但又仅仅是写得不完整的剧本。教师和学生不得不即兴而作，经过实验来完成这个剧本。[1] 在这个剧本当中，教师按照指示采用了多种姿态：有时是排练这个不同版本戏剧的导演，有时是学生表演的批评家，有时又训练学生克服剧本中所提出的问题。从学校作为一台戏剧的比喻当中，教师不得不在其权力范围内以演员的身份进入，因为他们同样与课程的结果有利害关系。

以上有关课程的观点要求修改或转变对课程的传统理解。这些有关课程的批评表明，教师和督导者在开展工作时面临着重要选择。他们要么无批判地接受从州或区所下达的课程，简单地把所传授的课程描绘成内容标准，或是与这些标准进行批判性的对话。后一种选择可能会导致对所教课程的修改，以便弥补标准方面的明显不足。但是，这些选择及其原因应该与学校的其他教师进行讨论，然后他们的共同观点会被传送到区的协调员那里（可能与督导者一起进行干涉），以便这些缺点能够在课程标准的随后版本中得到重视。教师作为专业人员应该在决策所教课程的具体形式上有发言权，施以必要的辨别使其教学和学习活动设计适应地方环境。教师影响课程的研究表明了教师课程选择的个体性。[2]

以上论述所指出的，对于督导者来说是一项议程，它超出了对具体教学技术或方法的狭隘关注，而是与教师进行更广泛的教育会谈。我们坚信，这种会谈为教师提供了更多的机会来思考他们在做什么，并且为教和学探索新的可能性。

教师的反思活动

唐纳德·舍恩(Donald Schön)对专家式的专业人员的反思活动的研究引起了教师和研究者们对教师实践的广泛兴趣。[3] 这些对反思性实践的广泛兴趣同样导致了对舍恩的这个概念定义的某些误解。[4] 舍恩强调的是专业人员如何工作的传统理

---

〔1〕 See Robert J. Starratt, *The Drama of Schooling/The schooling of Drama*, London: Falmer Press, 1990.

〔2〕 See David E. Hunt, *Beginning with Ourselves*, Cambridge, Mass.: Brookline Books, 1987; Peter Woods, "Teacher, Self and Curriculum" in Ivor F. Goodson and Stephen J. Ball (eds.), *Defining the Curriculum: History and Ethnographies*, London: Falmer Press, 1984, p. 239 - 261; William Pinar, "Whole, Bright, Deep with Understanding: Issues in Qualitative Research and Autobiographical Method," *Journal of Curriculum Studies*, vol. 13. p. 173 - 188, July-September, 1981; F. Michael Connelly and D. Jean Clandinin, *Teachers as Curriculum Planners: Narratives of Experience*, New York: Teachers College Press, 1988.

〔3〕 Donald Schön, *The Reflective Practitioner: How Professionals Think in Action*, New York: Basic Books, 1983; *Educating the Reflective Practitioner: Toward a New Design for Teaching and Learning in the Professions*, San Francisco: Jossey-Bass, 1987.

〔4〕 See Hugh Munby and Tom Russell, "Educating the Reflective Teacher: An Essay Review of Two Books by Donald Schön," *Curriculum Studies*, vol. 21. no. 1(1989), p. 71 - 80.

解，即他们在自己的专业研究中吸收理论知识，并把这些知识应用到他们自己遇到的事情中——这种理解是错误的。他的研究表明，熟练的从业者在进行一个项目时会生成知识，并自然地形成某一特定情形下所要求的直觉。这些直觉是在他们以往实践的成功和失败的经验中形成的。他们的理论知识，例如在影响实践时是隐性的方式；只有在别人提问后他们才能对行动作出解释。直到那时，他们也许不能表达他们在某一特定情形下的所有知识，因为在他们的实践中有那么多的假设。他们的反思活动通过行动来反映，即思考发生在行动中，与行动同时发生。舍恩不是指对行动的思考，思考通常发生在事情之后；也不是指单独或与同事一起讨论。当专业人员在面对另一个人或一群人时，这个活动发生在与所面对或要治疗病人的生动谈话中。因此，专业人员对病人进行治疗，通过即时的信息反馈和交换，使得治疗过程由病人对专业人员治疗的反馈而逐步形成。反应活动是一种被治疗人存在的表现，也是对专业人员治疗的反思。实践者知道他（她）进行的活动进展如何，知道这些活动对病人的影响。

把这种对反思性活动的理解应用到督导—教师的关系中，你会发现督导者通过对课堂事件的观察反思，是如何使教师参与观察后的会谈中的，以便督导者能理解教师的反思活动——课堂事件的行动知识（直觉）。督导同样能帮助教师重视自己的反思活动。双方的反思活动在这里得以展开，其间教师在思考和明确他（她）自己的默诲知识，这些知识在课堂的教学活动发挥了重要作用。这种实践帮助了督导者和教师理解影响教师课堂行为的潜在知识，明白它们是否合理而精确，是否在课堂事件中对学生有足够的回应，追寻的课程结果是否恰当。

学生的反思活动

督导为鼓励教师的反思活动而做的示范是教师对每个学生都应该做的。当一个学生通过学习而获得进步时，教师应被问到这样的问题，如你是如何获得结论的？你坚持这样解释的理由是什么？当你在解决那个问题时在思考什么？当你完成实验时你问的第一个问题是什么？你能把这个结果与上个星期的结果作比较吗？如果有人反对你的假设，你如何作答？如果变量间的关系颠倒会发生什么事情？这种知识有什么用？你在这个实践中学会了什么？这节课对你来说有什么意义？你如何把这种知识应用到自己的生活中？这使你想起了社会中的哪类问题？这种测量方式与其他测量方式相比较，有什么相同和不同？你如何把这个教给你的学生？

让学生反思他们的学习活动，这常常使他们进入元课程——一种高水平的思考方式，把学习活动与学科中更大的体系、实际生活的应用以及与问题解决和调查相联系的方法性思考联系起来。引用哲学家查尔斯·桑德斯·皮尔斯（Charles Sanders Pierce）的格言，马修·李普曼（Matthew Lipman）敦促教师把课堂转变成"一个质询的共同体，在那里学生怀着尊敬彼此倾听，在彼此的思想上形成自己的观点，彼此间相互挑战并为那些不被支持的观点提供理由，相互支持从已经讨论过的东西中进行推理，寻求确认彼此假设的一致性”。[1] 回到五位物理教师的教学案例中，那么哪一位看起来是例证了这样一种共同体的质询方式？

对学习课程的评估

如我们早先强调的，计划好的课程、教授的课程和学习的课程应相互紧密结合。对测验（或评估）的课程同样适用。由于与测试和测验相关的许多负面内涵，我们更愿意用“评估”而不是“测验”。评估意味着对所学课程质疑方法的多样性。“真正评估”的定义表明评估与计划好的和教授的课程，以及学习的课程最接近。真正的评估通常包括整个学习任务的完成，反映出复杂的和多水平的学习活动对产生评估结果是非常必要的。

正如督导需要回顾教师设计的让学生参与课程的学习活动一样，督导同样需要对教师要求学生进行的学习活动的类型与质量进行回顾。实际上，仅评估一项就能揭示出计划课程和教授课程、学习课程的很多内容。

为了加强督导者对评估事件的注意，我们将首先看看格兰特·威金斯（Grant Wiggins）提出的基本原则，然后看看学生自我评估的一些例子。这会引起对教师评估的教授课程和计划课程方面的关注。

格兰特·威金斯，促进真实评估的领导者之一，他为更重思考的评估系统提供了九条基本原则。[2] 他的原则假设了一种教学方式，强调了学生对教学材料的主动参与。他们不仅把它应用到期末考试中，还用到较短的评估任务中。当你阅读这些基本原则时，试着对案例中的物理课进行评估。

基本原则 1：对经过思考所达到的熟练程度的评估需要让学生确证他们的理解和技能，不仅仅是背诵传统的观点或是很愚笨地把技术应用到真空状态下。

在这里威金斯要学生解释或为他们的成果辩护，无论是学期论文还是实验报告。

基本原则 2：学生是自由艺术家的学徒，应得到相应的待遇，通过接触学习榜样进行反馈和评估。

学生需要优秀的榜样并有机会来模仿这些榜样，这就暗示着要建立树立优秀的榜样、实践榜样、反馈和精炼任务这样的循环。无论学生创造了什么样的评估结果，都应该展示他们以前学习活动中所达到的优秀水平。

基本原则 3：真实的评估体系应建立在众所周知的、清楚的、公共的、不武断的标准和规范之上。

这项标准暗示了学生要预先知道得分标准并看到榜样，不管是论文还是行为录像。前面的测验提供了得分类别，使学生提前知道给分的标准。

---

〔1〕 Matthew Lipman, *Thinking in Education*, Cambridge: Cambridge University Press, 1991, p. 15 - 24.
〔2〕 Grant Wiggins, *Assessing Student Performance*, San Francisco: Jossey-Bass, 1993, p. 47 - 67.

基本原则 4：真实的教育是以自我评估为中心的。

这就暗示了自我评估是经常性的、正常的事件。主要的学习，可以要求学生上交学习的自我评估。

基本原则 5：我们应把每个学生看成是可能的智力表演者，而不是博学的旁观者。

这项原则并不否认我们想要学生成为艺术、政治的或科学的合格评论家。然而，我们坚持在评估中强调学生自己创造出成果与成绩。

基本原则 6：教育应该揭示学生的智力风格和呼声。

这暗示了教育不仅要反映语法或方法的错误，而且还包括那些令人厌烦的、无组织的、乏味的、没有学生参与的工作。同伴阅读和评论报告在这里会有所帮助。

基本原则 7：对于理解的最佳评估，是追问学生问题而不是仅仅记录他们的答案。

这项原则建议应通过学生提出的问题、对已有观点的批判、对不引人注意的问题的探索，以及寻求一些替代性的观点等等方式，对学生进行评判。

基本原则 8：教育的重要目标是让学生了解思想、理论和体系的界限和边界。

在评估中，我们应该让学生指出知识或知识系统的偏见或假设的本质，以避免对任何一门学科的绝对看法。这可以通过向他们展现学科历史或学科内的争议来完成。

基本原则 9：我们应评价学生智力方面的诚实和其他思想习惯。

这暗含了自我评估，以及期望学生能够坦承他们确实知道的东西和伪装的东西。评估对于这一基本原则的关注，将使学生从项目一开始就做文件记录，描述其间的困难和成功。在团体任务中，要求学生讲出他们在团队其他人的帮助下学会了什么。

作为课程一部分的评估

当我们反思威金斯的九条原则时，我们开始意识到评估不是主要在学习发生之后为了打一个等级而要做的事情。它确实要服务于这一目的，但这个目的应该是第二位的。评估是教与学过程本身的一部分。当学生占有了手边的材料时，给学生提供一项明确的任务来完成。当完成之后，它为评估所要表达的学习活动提供了非常重要的反馈和反思的机会。

教育工作者倾向于认为学习活动只有当学生正确地完成任务时才会发生。然而，大多数的学习活动发生在他们没有很好地完成任务的时候。当学生没有正确地完成任务的时候，他们不得不断定他们需要做什么、学什么。对学习活动的回顾常常会形成很多方面的重要见识，例如，正确的程序，更明确的表述，及没有被意识到的更深层的关系模式等等。科学历史在这里具有指导意义，最成功的科学突破发生在实验室的多次尝试与失败之后。对许多艺术工作同样如此，对不满意的尝试进行多次修改之后，名著或成功的作品往往就会诞生。

学习活动包括一点一点地前进，并且常常发生在许多错误开始出现之后。进步是一种与犯错误联系在一起的事情，只有通过尝试，发现它们没有作用或仅表面有意义后，再进行纠正。理解一开始带着偏见、混乱和支离破碎，在学习者清除了不相关的联系、不切实际的应用、事物彼此间相互混淆，理解的轮廓就变得很鲜明了。只有通过不断跌倒、在黑暗中探索、在泥泞中跋涉，直到有一天这些都离去了，然后回到下一天继续更多的探索和跋涉，最后学习才能取得进步。

当所有一切在进行的时候，学习者是很脆弱的。毕竟，没人想在别人和自己面前显得傻气。结果，学习者经常伪装，试图保持他(她)懂得手边材料的形象。

教师经常会问诸如此类的一些问题以暴露这些弱点，如“谁对这方面的理解有困难?”或“清楚了吗?”以便可以继续下面的内容。这里的问题是大多数孩子不愿意承认他们迷惑不解。教师必须使学生相信，感觉学习困难是很正常的，提问是一种教师期望的东西，是不会反对的。不幸的是，教师在孩子们问许多问题时常常显得很不耐烦，他们有时表达了一些没有说出口的信息，就是提问是不受欢迎的。许多教师忘记了他们在学生时代的感受——害怕同学认为他愚笨，不愿被教师忽视。教师在讲授内容时会感到有压力，这是事实，因此，班级授课进度由于两三个跟不上进度的学生而变慢时，他们就会变得不耐烦。让其他学生继续学习课程，同时找到灵活的方法使这些学生跟上去并不容易，特别是教师在同督导者一起工作的时候，督导者希望教学步骤对全班来说是相对统一的，或者希望一定比例的学生在进程中不及格。

埃姆斯(Ames)的研究，[1]以及 C. i. 迪恩纳(C. i. Diener)和卡罗尔·德韦克(Carol Dweck)的后续研究表明，孩子们的早期学校经历所采取并依靠的要么是“成就动机”，要么是“学习动机”。[2]具有成就动机的孩子关注的是完成任务，获取高分，赢得教师和家长的赞赏。具有学习动机的孩子从学习体验本身得到满足，觉得解决新问题或研究新材料有一种实在的价值感。在面对自己不能解决的问题时，这两种学生对他们失败的归因完全不同。具有成就动机的学生倾向于说他们不够聪明，他们对此无能为力，因此，他们很容易就放弃了。具有学习动机的学生会试着解决问题，尝试一下其他的方法，对他们来说，不是因为缺乏聪明。具有成就动机的学生对智力有着静态的看法(你或者是聪明的或者不是)；具有学习动机的学生认为智力是不断发展的和增加的。埃姆斯的研究说明智力的静态观和成就动机在早期的教育中就草率地开始了。她的研究表明变换课堂协议能使学生获得一种更强烈的学习动机，当他们成功地解决了更加令人满意的学习方式时，他们相信智力可以不断增加。

这些发现指出需要经常使用非正式的评估来决定学生是否成功，一项特别的学习

---

[1] Carol A. Ames, “Motivation: What Teachers Need to Know,” *Teachers College Record*, vol. 91(1990), p. 409 - 421.

[2] C. I. Diener and Carol S. Dweck, “An Analysis of Learned Helplessness: Continuous Changes in Performance, Strategy, and Achievement Cognitions Following Failure,” *Journal of Personality and Social Psychology*, vol. 36 (1978), p. 451 - 462.

任务是否存在问题。教师必须很敏锐地听学生说明困难及其处理任务的方式。他们必须设计出替代性的建议来澄清一个主题或任务。当更多正式的评估揭示了不受人注意的误解后，这些现场评估能极大地减少矫正的需要。此外，如果澄清了误解，同时学习取得了进步，那么学生不应该在随后的正式评估时获得一个不好的分数。这是使所有学生在学习活动中获得成功的一部分工作规则。

然而，更多的正式评估还是必需的。随着目前学校强调学生理解的主动性结果，所有的评估应基于高质量的学习。对知识简单回忆的测验不再适应关注学习活动的趋势了。相反，非正式的和正式的评估应关注某些智力活动的成就。

在准备正式的评估时，教师应该回顾一下受人欢迎的优秀成绩范本，教师应回顾一下这些标准，对两三个学生的反应进行头脑风暴，满足评估的每个问题的一部分或所有这些标准。在学生完成成绩评估后，教师可能要再次回顾一下那些标准，看一下评估在实际上是否引出了高级思维和理解的不同特点。

自我评估

让我们回到威金斯处理学生自我评估的基本原则上。接下来的例子也许能帮助督导者认识教与学来源的丰富性——包括学习课程活动在内。

考虑到普通的班级设置，一个独立的高级中学给了一个诗歌班很高的荣誉，这个班是由一位教师和 24 个学生所组成。这个班级刚刚结束了两首诗的比较。以前的课已经论述了诗的各方面，如情感、语态、节奏、单词、形象和象征，学生也已经阅读了各种诗，并进行分析和批评。本节课的目的是让学生讨论为什么一首诗比另一首诗“更好”。这一点符合课程的更大目标，就是要让学生学会区分文学表达的好和差。

在快下课时，教师觉得很满意，大多数学生都表现出了对分析性概念的良好掌握，并把它应用于讨论一首诗的好坏。在试着进一步加强学习内容并考察她对全班已经达到教育目标的印象时，她说：“现在我们暂停一下，想想今天我们学了什么。什么新事物给我们留下了印象？什么使我们理解得更清楚？我们今天所做的是否与我们以前所做的相符？那么整个体验有什么实际用途？”

重现学生的回答。听一听理解的六个方面中的一个或多个。

“我知道当你大声地读一首诗时情况有所不同。我能听出来第一首诗何以比其他诗好。”

“我知道你更喜欢第二首较差一点的诗——我的意思是，嗯，我们通过应用各种解读方式，第一首诗更好，但我喜欢第二首诗，因为它表达了我很多次感受到的孤独感。一首诗是普通的，但并不意味着不好。”

“我知道在我形成任何感觉之前，我至少要把两首诗读四遍。看起来对诗歌，有点儿像对音乐，实际上在对你有所启示前你要在一定程度上熟悉它。”

“我知道所有的艺术并不完全是一种感觉，你知道，所有东西都是来自于某个人的内在想象。有某种与之相关的东西，某种智力。你可以聪明地谈论诗歌，而不是简单地听任喜欢或不喜欢的主观感受。”

“我知道我没有诗歌般的想象力。我从来没有过这些想法。我想知道一个人是如何成为诗人的——你天生如此，还是你能发展出诗歌般的想象力？”

“我实际上不太理解是什么东西使一首诗达到了‘和谐’。这个词在我看来意味着完美，像一个完美的圆或其他什么东西。因此如果一首诗是和谐的，那么必须意味着每个词、每行字都在完美的地方。但是谁决定了这些呢？可能我需要看看真正和谐的诗歌例子，和一些类似的东西，我才能理解。”

“我知道发现许多人同意我的结论感觉是很不错的。在课开始之前，我不能确定我选择的第一首诗是否正好与正确答案一样，你知道的。但是当其他人给出的理由和我的一样时，我真的感觉不错，因为我——是的，第一次——知道我在理解诗歌活动的所有要素。”

教师继续上课，是关于学生提出的一个问题即什么使诗歌和谐，要求其他学生对这个问题作出回应会引起支离破碎的班级讨论。教师列举了另一个学生的意见，即诗歌像音乐，并问一个学生怎样才能知道歌曲是和谐的，这样就导向了更深层的例子，班级开始区分叙述的和谐性和感想的和谐性，并引发了更深层的问题——诗歌本身是否是和谐的，或者诗歌是否在读者那里创造了和谐感。教师又问全班学生是否感觉到每天的生活是一种和谐，这就引起了一些有趣的反应。最后教师让他们写一首表达一种有成就感的诗歌。

这个例子说明了学生学习活动的范围，它不仅反映了教师教学目标的完成，而且通常会出现特殊的、辅助性的学习活动。这个例子强调需要花时间让学生思考他们学过的东西。的确，三年级或四年级的学生会有一些简单的反应，但是让他们养成对自己的学习进行评价的早期习惯会带来很大的回报，这种习惯会培养他们一直不断的思考，并让他们在进步时获得一种真实的满足感。

学生对所学课程的评价会产生认知上和情感上的结果。通过思考他们对于学习任务的掌握程度，他们会澄清自己所理解的内容。通常，对课堂内容或教学单元的简单回忆会加强学生对内容的掌握。当学生在一种没有威胁性的环境中进行思考时，他们同样可以澄清并承认他们没有掌握或已经理解的东西。他们会重新梳理课堂教学的顺序，找出对教师或课本不理解的地方。这种对于没有掌握的知识的澄清常常会引发对学习的欲望。

在情感层面，可以鼓励学生回顾他们所学过的东西，不要过多强调智力上的理解，而仅仅是为了欣赏。感到需要多次读诗的学生会发现如何才能欣赏出诗歌的意味。这种欣赏并不局限于人文科学中，一位敏感的生物教师或物理老师也可以让学生重复地欣赏他们所学的东西，有时候会引起一种真实的惊奇。

无论是反思或情感层面，学生对学习活动的评价会产生一种所有权。当他们对已学过的东西进行再认识时，它的意思、与以前所学内容的联系、如何使用它、掌握一种技巧或发现一条令人惊讶的信息所带来的激动和欢乐，都将使学生形成把学习占为己有的想法。一旦占有，学习就会很有效果，也就是说学生在不远的将来会在很多方面拥有它、使用它。不幸的是，许多教师并没有花时间来鼓励这种所有权意识。他们没有鼓励学生进行自我评价，从而缺乏了对学生真实满足感的了解，即他们不了解学生实际上所吸收的知识量，也缺乏在学习中观察个体微妙差异的爱好。此外，教师进行的大多数正式评估并没有注意到学生在自我评估时所提供的一些明显线索。如果要帮助教师发动学生进行自我评估，督导者可以在促进教学和项目进步方面提供激励，这比做几个学期的主题报告要有效得多。

诗歌班的例子中，教师在课堂上对学生学习活动所使用的是自发评价，并使学生探索对教材的更深层的理解。她同样能使学生运用自我评价把材料与他们自己的个人经历联系起来，然后写出他们自己的诗歌来。在这个例子中，我们可以看到自发评价是如何很容易地进入到课程细化中的。评估变成了教授课程和学习课程的一部分。

巴巴拉·米恩斯(Barbara Means)指出，在不久的将来，在社会学习的项目中，学生在课堂上、在家里都能使用低廉易带的计算机设备。[1] 这些设备能连接到局部的、地区的和全球的网络上，因而能使学生介入并运用信息来完成所布置的各种学习项目。学生的学习成绩会放到计算机上，教师可以看到。因此，教师会监控和评价学生有没有进步并通过计算机网络给学生提供反馈。此外，学生能看到别人的作业，可以与自己的项目做比较，或者参与讨论较难的作业，或者帮助那些学习上有困难的同学。这种计算机辅助教学的学习项目同样给教师提供一份没能及时交作业的学生名单，使教师能对学生的作业进行总体评价。对学生作业的调取和评分的技术工具使教师可以把班级评价与更大规模的地区或州的评价联系起来。

评估的真实性

除了正式和非正式的评估，教师必须设计出一种更加独立的，学生也对其负有责任的评估形式。测验在设计上常常会有一种或更多的缺陷，结果是传达了有关学校学习本质和目的的错误信息。[2] 我们寻找的是“真实”的测验。威金斯对于真实性的规则阐述在这里对我们会有所帮助，他在规则 3 中说道：一个真实的评价系统必须建立在了解、清楚、公共和非权威的基础和标准上。他的真实性标准如下：

- 评价任务是成年公民、顾客或本领域中教授们都会遇到的问题。

---

〔1〕 Barbara Mean, “Technology in American's Schools: Before and After Y2K,” in Ronald S. Brandt (ed.), *Education in a New Era*, Arlington, VA: Association for Supervision and Curriculum Development, 2000, p. 185 - 210.

〔2〕 See Richard J. Stiggins, “Revitalizing Classroom Assessment: The Highest Instructional Priority,” *Phi Delta Kappan*, vol. 69, no. 5(January 1988), p. 363 - 368, for a commentary of teachers' faulty construction of classroom assessments.

● 评价包括真实生活中的因素，如获得资源的方法，不同时间的机会和限制，清晰的相关因素（如观众、预算和目的）。这种标准尝试着去消除无关学习所带来的错误认识。

● 这种评价任务表达了真实的问题，不是程式化的模板反应。真正的问题需要应用各种各样的知识和技巧并且要对工作范围进行排序和组织。

● 这种评价是一种学习任务。我们已经对任务的实施做了充分的准备；学生已经有了自我评价和自我调整；这项任务可能要经过讨论、澄清，甚至在与评价者的讨论中得到修改。在测验中，要有一致的反馈和自我调整的可能性。评价结果（评价者的判定）将公开讨论，可以修改。评价结束后，教师和学生将讨论这次评价是否是并且为何是一次好的评价。

● 这种评价需要学生进行判断、解释答案或选项。期望每位学生理解他（她）懂得的东西并进一步完善。

● 这种评价是寻求统一的工作模式的多种评价之一，以形成通过不同表现进行思考的习惯。

先前假设的力量

在任何评价活动背后都隐含着对教与学以及课程本质的价值观认识和假设。把真实性的标准和其他理论假设和观点作一下比较，以下观点看起来好像是隐藏在许多教师的测验协议背后的：

● 知道或理解事物就意味着给那个问题一个特定的答案。

● 课程的设计或课文包括了这类知识领域中最合理的，或是惟一合理的东西（例如，从一个北美人的观点来看待现代拉丁美洲的历史），因此用测验来考察学生知识的方法，就意味着他（她）懂得这类知识领域中某些真实的、客观的、有效的东西。

● 使用公共课程的语言进行评价是测试学生学习效果的最佳方法（而不是采用诗歌、音乐、图片来测试）。

● 教师或其他的学校官员有能力决定评估的标准和学生的等级排列。

● 学习活动主要指学习其他人已经发现的东西（很少是他们发现的方式），因此评估也是在这种水平上来监督学习活动。

● 在学习和教学（而不是学习和学生研究、质疑、实践、尝试与错误或者逻辑推理）之间具有因果关系，因此评估学习活动就意味着评估教学。

● 大多数学习活动的场所是教室，因此评估从来不把教室里的学习（具有教室的全部限制条件）和其他环境中的学习做比较。

以上列举的要点，目的在于鼓励督导者创造出对评价活动的一种距离，使得他们和教师能察觉到在评估程序中内含的价值假设。因为这些假设并不流于讨论的表面形式，它们对教师的测验和评价的形成有着强大而持续的影响。把教师聚集在一起探索真实评估的替代方式，这可以使他们共同工作，以改造评估实践。如果教师中间能发展起一种健康的共同体感，那么这种基于专业基础的信任将会为改变这些根深蒂固的观念作出不懈的努力。

总结

现在我们希望，根据教育工作者和政策制定者给学校制定的21世纪的发展方向，即将发生的根本改变会更加明朗，包括全国性和国际性的。正如我们在最后两章中会看到的那样，教育的传统观念将发生重要变化。列举如下：

- 所有的孩子都能够并必须根据更高的学习标准进行学习，而不是像以前认为的那样。以前对名列前茅的学生的要求变成了现在对所有学生的要求。
- 所有学生都要成功，整个学校共同体都要动员起来支持这条首要原则，包括学校董事会、主要办公室人员、学校管理层、教师、家长和学生自己。如果没有具备高质量的学习活动，没有所需的学校环境、支持及动力，那么成功或失败的主要责任就不再仅仅归于个体教师身上。
- 学生的活动、主动参与课程、他们的课程表现，三者是学校的主要任务。教师的角色是帮助、导航、促进、训练、指导、鼓舞、鼓励、激发动机、评价和纠正学习活动。学校重新构建的焦点在于提高学生学习表现的质量。
- 以上的推论是，教师关注的是学习课程，也就是学生对知识和理解的成果和表现。相关的语境是：(1) 学生的性别、文化、发展阶段、阶层、家庭背景、学习风格、兴趣和以前的经历；(2) 与学习任务相关联的"真实生活"的变化；(3) 学科的方法和概念框架。这种关注取代了对于所教课程的被动记忆。重要的是学生掌握的知识，而不是书本上的知识。
- 为了提高学习课程的真实表现和成果，测验和评价程序要反映出对学生学习活动的不同理解和不同方法。
- 学校将围绕学习活动和方便学习这一核心工作进行重组，通过对现有的教授资源、每天每周和每年的课表安排、地点、学生的学习团体、家校合作、社会资源、行政安排、预算和评价这些方面的重建来支持学生学习活动并使其达到最佳水平。
- 那么，督导工作变得越来越复杂，越来越精细。权力、职责、责任感将为教师所共享。在对个人课堂表现关注的同时，要把更多的重点放在共同创建一种用户友好、学习友好的学校氛围，这样就有利于建立更加灵活、更易引起响应的教学，为学生提供更加一致的高质量学习。

本章附录中我们包括了对真实评估的标准和评分的一种延伸性处置。对于课程评估形式的细化，再次表明它与学习课程和计划课程间的紧密联系。

附录 7-1：评价任务的标准和评分准则

概要和一般原则

这里的主要观点是，对于一项给定的任务，估计教师根据标准传递给学生的期望达到何种程度。要成功地完成任务，需要每条标准所显示的认知活动到达何种程度？

七项标准与真实成就的三项和一般的标准之间的关系如下：

知识建构	信息的组织
	替代性的思考
科目咨询	科目内容
	科目过程
	详细的书面交流
学校之外的价值观	课堂之外的相关问题
	学校以外的听众

A. 如果一项任务包括了不同的部分，暗含了不同的要求（如学习记录表/简要回答问题和要求解释结论的一个问题），分数应反映教师的主要或全面的要求。总的要求表现在对于不同的学习任务部分所花的时间比例或努力程度，以及教师提出的评价标准。

B. 分数应考虑在这个年级水平对学生的合理要求。

来源：Fred M. Newmann, Walter G. Secada, and Gary G. Wehlage, *A Guide to Authentic Instruction and Assessment: Vision, Standards and Scoring*, Madison: Wisconsin Center for Educational Research, 1995, p. 80-85. Reprinted with permission.

标准 1：信息的组织

这项任务要求学生在表达一个概念、问题或论点时要对复杂的信息进行组织、综合、翻译、解释或评价。

考虑这项任务要求学生组织、翻译、评价或分析复杂信息到何种程度，而不是回忆或复制知识碎片或重复应用以前学过的算法和步骤。为了得高分，这项任务要求对主题的细微差别进行解释，要更深入而不是表面的显现或熟悉。

3＝高分

2＝中等分

1＝低分

当要求学生收集报告的信息时，表明了某种可选择性和组织性，而不是机械地复制，但是不要求翻译、评价或综合，给 2 分。

标准 2：替代性的思考

这项任务要求学生在表达一个观点、问题或论点时要考虑替代性的方案、策略、观点或要点。

在这项任务中考虑替代性的方案、策略、观点或要点到何种程度才算成功？为了得高分，这项任务应很清楚地把学生包括在内来思考替代物，或者通过明确提出替代物，或者通过隐含在任务中的替代性测验来成功完成活动。它并不需要学生列出或权衡替代物这样的最后总结，但这可能是学习任务要求的一个令人印象深刻的标志。

3＝高分

2＝中等分

1＝低分

标准 3：科目内容

这项任务要求学生显示出对思想、理论或以学术或职业科目为核心视角的理解与(或)运用。

这项任务在何种程度上促进了学生在思想、理论或视角上的理解与思考？在学术或专业科目中，或者是权威性跨学科领域中，这被认为是非常重要和关键的。数学方面的例子包括比例、均数、集中趋势和几何空间，社会科学领域的例子有民主、社会阶级、市场经济，或者进化理论。参考一些孤立的事实描述、定义和算法——虽然在一门学科内进行质疑是很必要的——不会成为重要学科内容的标志——除非学习任务要求学生应用强大的学科思想来组织和解释信息。

3＝本项任务中成功地理解了学科的中心概念、思想或原理。

2＝本项任务中看起来成功地理解了学科的中心概念、思想或原理，但是学习任务没有使之非常清楚。

1＝本项任务中表面上(或根本没有)成功地理解任何学科的中心概念、思想或原理。

标准 4：科目过程

这项任务要求学生运用具有学术或专业科目特征的质疑、研究或交流方法。

这项任务引导学生运用具有学术或专业科目特征的质疑、研究或交流的方法到何种程度呢？某些有力的质疑过程可能并不是惟一地和特定的学科相联系(如解释图表)，但如果这项任务要求使用与学科内某些重要的用法相似的方式，那么这些过程在这里会有用的。

3＝成功完成这项任务需要使用质疑或讨论方法，这是非常重要的学科行为。学科质疑的方法案例包括寻找数学模式或解释主要来源。

2＝成功完成这项任务要求运用质疑或讨论的方法，这不是主要学科行为。

1＝成功完成这项任务没有使用任何特定的质疑或讨论的方法。

标准 5：详细的书面沟通

这项任务要求学生通过写作详细地阐述他们的理解、解释或结论。

这项标准是为了测量一项任务需要学生通过一门学科的延展性写作来阐述他们的思想或结论到了何种程度。各门学科对详细的书面写作的期待各有不同。我们给出数学和社会学科的标准。

4＝分析/说服/理论

数学：这项任务要求学生显示他(她)的解决方法并证明这种解决方法，也就是给出逻辑上的论据来解释他(她)的思维方式或证明结果。

社会科学：这项任务要求对形势、问题或主题进行概括、分类和相关的解释。例子包括尝试辩论、确信或说服、发展或检验假设。

3＝报告/总结

数学：这项任务要求对材料进行某些组织。要求学生给出他(她)解决路径的明确的证据，但是不需要进行数学辩论来证明他(她)的解决路径，或者解释他(她)的思考方式。

社会科学：这项任务要求叙述特定的事件或系列事件(“发生了什么”)，概括性的描述，或事件再现模式、程序步骤的描述(“发生了什么”;“完成的方式”)。

2＝简答练习

数学：只要求给出一种结论。可能要求学生完成一些任务，但是并不强调也不需要很多细节。

社会科学：每个问题仅需要一两句简短回答。

1＝多项选择联系；填词联系(回答不超过一句话)。

标准 6：与课堂以外的世界相关联的问题

这项任务要求学生表达一个概念、问题或论点，这与他们在教室外的生活中遇到的或可能遇到的很相似。

这项任务要求学生表达他们在学校之外的生活中真正遇到的或很可能遇到的疑问、论点或问题，达到何种程度？在数学领域，估计个人预算等同于实际生活的一个问题，但完成一项几何证明则不是。在社会科学领域，学生防御强制性社区服务以捍卫自己立场是个实际问题，但描述二战的起源则不是。

某些种类的学校知识被认为是同课堂外的社会、文明或对话情景中所需要的社会资本或文化遗产一样重要(例如，知道一项草案如何变成一项法律，如何计算一项投资的利息)。然而，任务要求确立文化上的价值，“基本”知识将不会在这里列举，除非这项任务要求运用那样的知识来解决可能在课堂之外遇到的问题。

当学生被允许选择有趣的主题时，可能同样表明知识在教育背景之外的应用。但是允许学生选择的任务并不一定与课堂之外的问题有联系。为了在这项标准上得高分，必须清楚学生在校外生活中所遇到的或可能遇到的相似疑问、论点或问题。

3＝这些疑问、论点或问题明显与学生在学校之外的生活中遇到的或可能遇到的相似。这些相似性非常清楚，不用教师解释，大多数学生也能掌握。

2＝这些疑问、论点或问题对学生来说是与现实世界有某些相似，但是相关联系不直接、不明显。这些联系如果经过教师解释就会变得非常明显，但是这项任务需要并不包括在 2 所作的解释中。

1＝这个问题实际上与学生在学校之外的世界中所遇到或可能遇到的疑问、论点或问题没什么相似之处。即使教师试图指出这些联系，也难以有说服力。

标准 7：学校之外的听众

这项任务要求学生向教师、课堂和教学楼之外的听众，传达他们的知识，描述成果或表现，或采取一些行动。

第三部分

督导、评估和复兴

第八章 发展中的教师领导

在前面的章节中，我们已经逐渐把督导过程转移到了教育事业的核心——教学、课程、学生学习之中。这种督导过程看起来并不像官僚主义作风所表现的那样按照规定的行为将教师和学生的表现排列等级，而是便于师生完成手头的学习任务。我们已经理解了督导Ⅱ的本质含义。然而我们对督导Ⅱ的含义探讨得越多，有一点就变得越明显，即督导过程不可能限制在任何一个角色或位置上。可能是一位校长、一位行政管理者、一位教师、一个师范院校，甚至可能是一个学生对它进行了运用。过程的重要性反映在发生之事的重要性上。

作为一个过程，为了在教育时机上获得更宽的和更远的视野，为了取得一种整体的看法，督导包括监督。简而言之，督导并不完全是上级视察者对于教师的看法，而是一种高远的眼光，一种对于这些特殊人群在这种时刻这种背景下，教育可能意味着什么的观点。也许更精确地说，督导过程就是一群社会学习者在深思熟虑之后，试图获得这种教育的深邃视野。所以，督导对那个时机可能性的洞察力，可以引导他们向着更满意、更丰富的事物上转移。

在研究督导Ⅱ的重要性上，督导过程越来越需要一种公开、灵活和好奇的态度。这个过程并不是依据一组固定的、看似很客观的标准来判断行为，而是会导致理解建构和实际判断，这种建构又导致了试验性和实验性选择——参与者能够通过想象对那些能发现自我的特殊事件的反应来发现自我。参与者在其反思性活动中，决定哪些选择对他们来说是合适的、有用的。这并不是说，那些在反思性活动指引之下的实用是完美的。相反，在特殊情况下，要考虑反思教与学的给予和付出，要考虑在特殊的情况之下，什么起作用，什么不起作用；什么有意义，什么没有意义；什么有利于学生表现，什么不利于学生表现。在教师、学生和督导者以特殊的方法研究材料之前，谁都不知道将来会发生什么。[1] 他们一直在不断地建构教学时机。督导者试图在所有的多维空间和可能性里看到教学时机。

作为专业人员的督导者

尽管对学生来说，参加这个督导过程是可能并可取的，但是更正规的督导责任是教育职员的专业职责，包括教师、管理者和提供专业支持的全体人员。为了履行这种专业职责，从事督导过程的人需要有（几乎不会全面的）高瞻远瞩的能力。换句话说，他们必须对理想的教育时机和理想的教育蓝图有一些构思。一个人的教育平台通常以下列观念作为基础，即孩子如何学习的观念，什么是最有价值学习的观念，所学东西的社会重要性的观念，管弦乐曲学习方法的观念，团体意义、自我管理以及为了学习、在学习中的社会特征的观念。许多教师心照不宣地拥有这些观念，但总被日常琐碎的学习任务所限制。在督导过程中，为了自己和学生，教师通过合作性的、思考性的谈话可以重新获取超级视野。

作为专职的教育者，从事督导的人需要对学校教育的目标有更深的了解。如果考虑到督导过程的相邻背景、团体的社会经济实体、家庭的文化组合，他们就必须意识到这些学生和这位老师是如何在这一教育时刻体现学校更大目标的。这种教育意识并不是随着州所颁发的资格证书与生俱来的，它需要一种持久的努力去保持学生的文化和社会现实，需要一种持久的努力去确切地理解世界，思考世界像什么、意味着什么；同时也需要从内部来理解学习任务，可以说，这并不像一页教科书上或课程大纲上的一个建议那么简单。督导者必须想出多种办法投身于学习任务。他们必须通过反复试验了解教学策略在特殊情况下起了什么作用。当一种方法不起作用时，督导者和教师都应该坦率地说：“这不行，让我们看看那个，试试另外的方法吧。”

通过教学的反思性活动而得到的超级视野，不是一个演绎的、逻辑的、线性的推论，也不是从一个已说明清楚的观点出发，而要经过三个或四个程序步骤，最后以选出一种特殊的学习活动作结束。实际上它与手头的任务有着非常明确的联系，这个任务表现为一种如何工作的直觉和一种通过师生交流而得来的更深层的知觉——即教师

[1] Michael Huberman, "The Social Context of Instruction in Schools." Paper presented at the Annual Meeting of the American Educational Research Association, Boston, April 1990.

能明白学校所倡导的目标和价值观。超级视野来自于任务，而不是来自于推理水平上一个短促的停顿。如迈克尔·法拉尼(Michael Polanyi)所说的，有经验的教师知道，超级视野是默默地存在于任务的特殊性里。[1]

然而，这样的直觉仅来自于时间、经验和反思。我们很难获得对这些复杂现实的感知。它需要聪明的调查，反思性的评估，需要非常熟悉教材。如果考虑刚才所提到过的背景变化，它还需要对影响教与学的制度障碍作一个批判性的评估。换句话说，督导工作是一项脑力工作，尽管不是高级的脑力劳动，但是必须通过努力去理解、建构理论框架以解释师生之间发生的事情，并提出它怎样发生才更恰当。我们不应该把督导工作描述成那种仅依靠列在清单上、一般看来是正确的教师行为而进行的工作，或者依赖于由管理位置想当然的知识假设上，或依赖于一个教师浪漫化的个人经验。督导Ⅱ的实践是把挑战性要求放置于那些运用它的人身上。

督导Ⅰ的实践倾向于在地位说范围内促进增量变革。因此，有相对统一的公式定义了"好的教学"，这种相对来说比较肤浅的学术知识的构成概念可以作为有效的测量方式。一种自以为是的观点认为，教室计划的制度安排、学习空间的安排、年级安排程序等因素假定了教与学必须在这些范围内发生。认为知识独立存在于某个地方之类的观点——在教科书里、图书馆里、教师的头脑里——当然也将传播给学生，所有的人都视其为适合学生考试而加以接收，并且给督导Ⅰ的判断和教师排名工作提供了途径。

督导Ⅱ的实践挑战以上所有的这些假设。但是这些假设是不能被挑战的，除非已有人准备了替代性的假设并有理智的辩论。那么，当我们说督导Ⅱ需要一种更大范围的专业承诺时，我们的意思是需要对儿童和青年的发展有一个深刻的把握，致力于教学与学习的理解研究，培养不同教学设计和刺激的新观点、对学生评估复杂性的新认识，对专业权利作为科层、合法权利必要补充的概念进行修正，加强对成人学习的了解，发展一种可能灵活设计学校教育的想象力。

督导Ⅱ要求实施人从督导Ⅰ中界定的传统角色转变到实施者、政策创新者、资源发现者、发明者、学院的实验者、知识分子、批评家、教练、制度制订者、社区医疗者、预言家。督导Ⅱ把单个教师或教师团体的工作看成是一种互动的巨大努力的一部分——共同努力把学校转变成一个学习型共同体。

在这本书的前几版中，我们倾向于把督导的领导权看成是行政管理者或是总办公室管理者的领地。现在我们逐渐认识到教师在其自身的权利当中也是督导者——学生的知识产品和行为的督导者。在第四章中，我们看到了督导工作的道德来自于它与教和学的内在道德事业的相联系程度。在这一章中，类似地，我们提出，行政督导人员和总办公室督导者的领导权来自于他们与教师领导学生学习以及培养教师领导地位的联系。

---

[1] Michael Polanyi, *The Tacit Dimension*, Garden City, N. Y.: Doubleday/Anchor, 1967.

对教师领导权的透视

关于教师领导权方面的著述仅在最近才出现，美国教育长时间深受错误观念影响——认为领导权只是为行政官员所运用，而不是教师。事实上，大部分教师一直以来是在隔离状态下工作的，因此得出了没有人领导教师工作的结论。李·波曼(Lee Bolman)和特伦斯·迪尔(Terrence Deal)引用了米彻尔·斯克里文(Michael Scriven)的声明说，领导技能“对好的教学是完全不需要的”。[1] 这个观点看来就是从领导性与行政官员工作的联系中得来的，就和以下一些论述教师领导权的著述所表明的观点一样，对教师领导权的看法还没达成一致。

布鲁斯·库珀(Bruce Cooper)好像暗示说教师在工作中和课外活动中运用了领导权。[2] 他提到一种教师“升入较高社会阶层的流动性”，假设领导权就在他们的团体当中，他们加入位于学校的管理小组队伍，或者是社区范围的管理委员会，或者上升至承担行政责任。在所有这些例子中，教师是通过走出教室或者参与远离课堂的领导活动来实施领导权，即他们在非教学活动中实施领导权。由于该书是由教育行政管理的专家写的，那么库珀和一些其他作者把注意力集中在非教学性的领导才能类型上就不足为奇了。这并不否认教师在其他非教学位置上运用了领导权。然而，我们要考虑把教师的领导权主要限定在课堂教学中是否可能，是否恰当。

波曼和迪尔把教师在工作中可能使用的组织领导类型分为四类：人力资源发展、政治的、结构的和象征性的。[3] 然而，他们在书中列举的教师领导权的例子往往来源于课堂的插曲，而领导工作本身倾向于在课堂外发生。另外，我们发现作者们没有用领导的类型去分析教师在各自的课堂里怎样对学生实施领导权，我们相信，这些类型实际上可以用来分析教师在课堂里是如何领导学生努力达到他们的学习目标。例如，教师关心班级里年轻人的发展。他们采取一种微妙的班级管理方式，用一种强大的组合，把班级工作从学生团体传到教师手中，然后再回到学生手中。教师把课堂上的工作安排结构化，实际上，就是把教师控制的结构和程序转变为以学习为中心的活动——这种转变是整个学校教育事务中最为重要的结构性变革。最后，象征性的或文化上的领导类型触及到了学习的核心。教师不仅仅创造课堂文化，而且教授年轻人文化的意义、掌握符号的信息。此外我们不想否认波曼和迪尔所描述的教师运用的领导权的有效性。实际上，那种领导类型增进和鼓励了学校里其他教师的无私奉献，有助于寻找多种方法提高教学效率。

---

〔1〕 Lee G. Bolman and Terrence E. Deal, *Becoming a Teacher Leader: From Isolation to Collaboration*, Thousand Oaks, Calif.: Corwin Press, 1994, p. 1.

〔2〕 Bruce S. Cooper, "When Teachers Lead," in Terry A. Astuto (ed.), *When Teachers Lead*, University Park, Pa.: University Council for Educational Administration, 1993, p. 7 - 13.

〔3〕 Bolman and Deal, op. cit.

不管波曼和迪尔如何看待教师在学校组织生活中的领导地位，伦纳德·佩利斯(Leonard Pellicer)和洛林·安德森(Lorin Anderson)将领导看作是教师在处理课程和教学问题时与其他专家一起工作的领导权。[1] 作者们关注提高课堂教学，但也同样关注教师在课外和其他教师一起履行领导权。即使在引言章节中，他们也清清楚楚地提及了教师的领导活动与学生的关系。佩利斯和安德森在论著的其余部分讨论了教师的领导权与其他教师之间的关系。另外，他们对这种领导工作的建议倾向于更多地集中在教学的技术方面和课程发展上。这里引用一个例子：

> 简单地说，一个真正的教师能使他(她)的学生进行有目的的学习，这个定义表明教师能够确定他(她)想让学生学什么，能够构建学习经验促使学生学习，决定已进行的有目的的学习是否或已经达到了何种程度。[2]

作者还建议了一系列有用的教学策略。

尽管在佩利斯和安德森的书中，许多提高教学的建议方法是有用的，其适用性为研究所证明，但是我们还不能确信这种对工作场所和集体事业的聚焦是否与教师领导相等同。在这个模式当中，外部的专家或顾问简单地被内部教师所替代，这种教师是通过提高教学策略迫使其他教师前进的。佩利斯和安德森所著书的大部分集中论述了旨在形成更有效的教学策略的方法，其本身是很不错的，然而，作者没有把这些教学策略当作教师领导的策略，而是认为领导体现在为其他教师运转讲习班的活动中。而且，人们似乎认为领导权不包括领导其他的教师。

帕特里夏·沃什利(Patricia Wasley)对教师的分析更接近我们对领导权的理解。[3] 在其中的两个例子中，教师试图以他们自己的课堂为基础，并让其他教师参加以提高学生的学习。沃什利突出了这种课堂领导方式。在每一个例子中，领导权都是建立在教师自己和一起工作的同事的教育实践基础之上的。沃什利强调了这些教师领导继续在课堂上开展工作的重要性，同时他们也与其他的教师一起工作。这一点考虑到了教学设计中正在开展的实验和正在接受检验的观点。

尽管沃什利看起来好像颠倒了概念，把教师的领导看作是与其他教师一起的领导，而不是针对学生的领导。她把教师的领导定义为："教师领导者使其他同事参与到试验站并检验学生从事学习的能力。"[4] 用她的话，我们将定义理解为：

---

〔1〕 Leonard O. Pellicer and Lorin W. Anderson, *A Handbook for Teacher Leaders*, Thousand Oaks, Calif.: Corwin Press, 1995.

〔2〕 Ibid, p. 92.

〔3〕 Patricia A. Wasley, *Teachers Who Lead: The Rhetoric of Reform and the Realities of Practice*, New York: Teachers College Press, 1991.

〔4〕 Wasley, op. cit., p. 170.

教师领导包含在与学生并且为学生进行更有影响的学习活动的实验和测试之中，包含在为提高学生的知识产出和行为以及理解的服务中。基于这种与学生有关的领导，教师领导者邀请其他教师与学生一起参与到学习过程当中。

课堂上的教师领导

现在，我们想把教师的领导定位在课堂的安排上。在学校开学时大多数情况下教师不了解学生，学生不了解教师，许多学生不想去学校，他们宁愿在外面和朋友一起玩耍或追求业余爱好。学生知道他们处于一个相对无权的地位，教师可以使他们的生活变得很悲惨——布置成堆的家庭作业、当他们有麻烦时告诉他们的父母、放学后将他们留在学校，或其他的惩罚方式。然而，一、二年级过后，大部分学生知道他们在某种程度上可以让教师的日子难过，或者至少挫败教师完全控制课堂的意图。他们可以传递小纸条、扔弹球、把书放到地上、问一些傻问题、抄袭家庭作业、向父母错误描述他们的教师或设置其他障碍。好教师是知道这些的，他们也知道年轻人易招致批评和失败，对自己没有把握，容易尴尬，需要同学的认同。

在学校开学那天对教师领导地位的挑战有很多。教师必须要让学生们相信大家在一起的时间是能够满意、愉快、激动、有收获的，教师必须向孩子们传递这样的信息，即他们在其权限之内会受到关心和尊重。教师要让学生相信，无论是从个体还是班级，他们都能获得深切的个人满足感；教师要让学生确信他们在一起是很重要、很有价值的；教师要了解学生的优缺点，让优点得以发展，缺点得以减少，体现学生自己的领导才能，让他们确立自信心和成就感；教师要在年轻人中传递一种信念：他们能够把工作做得很漂亮，大家在一起可以使班级成为一个优秀的班级，让全校其他班级注意并羡慕。换句话说，教师必须改变潜在的敌对和冷漠，以及对热情、集体自信心、兴趣和自我成就感的阻抗。

浏览任何一家书店里有关公司领导的书，你发现这些书会提到同样的要求：为顾客服务好；价值管理；通过人力发展来领导；在不确定的年代里，管理要依靠勇气和坚定的信念；潜在视野管理；合作竞争；制定方案；没有惩罚的规约；唤醒心灵；挖掘灵魂；追求卓越的能力；重视工作方式的人性化；模糊管理；意义管理；脱袜式服务；想象力管理。

许多教师是相当好的技师。他们能够提出很好的课程计划，想出三四种方法解释一个概念，设计一个复杂的排名计划。教师领导者也是好技师，而且更优秀。他们把学习的激动、对每个孩子未开发潜能的神圣信念、关爱每一个学生、为每个孩子的成功创造满意的可能性的承诺带到工作中去。在班级里，年轻人意识到这种关爱，并且准备对此作出反应。当然，会有一些学生由于家庭变故，需要教师花大量的时间和努力建立这种必需的信任。教师领导者要用长远的眼光看待这些孩子，找到办法吸引他们加入活动。

教师领导者倾向于关注学生所做的事情中包括的深刻意义，言外之意，即关注教师自身工作的深刻意义。在第五章中，我们讨论了教育平台的概念。这里我们可以说教师领导者的平台至少以默认他们与年轻人之间的工作为基础，这个基础涉及到每个学生发展中的自我创造感。同样地，教师领导者以某种方式了解学生在课堂里的学习经验、正在重新创建的文化，人类的经历再次变得很自觉，一小段人类历史正从漂移和偶然事件转向更清晰的意识方向。教师领导者明白课堂工作涉及到约翰·杜威(John Dewey)所描述的经验的转换——原始的经验可以变成智力理解，而且这种理解是建立在以个人和团体为基础的脑力活动上的。

当学生放下任务，抬起头来说道："就是它吗？我找到它了，我从来没想到我能找到它。"或者说："我找到它了，我现在知道它是如何工作的了。"或者说："我们做好了，等着给父母看吧。"当学生说这些话的时候，我们就会观察到教师有一种深深的满足感。此时，无需使用上面的术语，我们就会明白教师为什么会做出这些理解和行为。这些都是教师领导者为之而工作的要素，也是他(她)要不断提醒学生的方面。

教师管理者倾向于围绕着掌握教学大纲来安排学生工作。标准化考试或教师自定的考试中取得的好成绩，为督导者提供了必要的证据，说明他们的工作取得了成效。在另一方面，教师领导者超出了对普通教学大纲的掌握和测验好成绩，推进一种更个性化的学习和对材料更深刻的理解。他(她)会问学生："这对你意味着什么，你是依据什么定义的，依据你与团体的关系还是与自然的关系？"而且，作为一种神圣的活动，作为一种解放活动，作为相互联系及与世界相联系的活动，教师领导者试图将整个班级在其权力范围内带入到对学习的反思性评价当中。对于教师领导者来说，学生的知识并不是表现为简单的正确答案。它涉及到一种个性化的理解、个性化的重建，作为学生生活经验的存在标志，它是团体需要的，是值得庆祝的。

当然，对教师领导者的这种描述是理想化的。然而，我们都能理解已经达到这种理想状态的教师。一些反映表明，这类教师的确把班级带到了一个不寻常的高水平，而不是简单地达到学习教学大纲的标准要求，而且他们在共同工作中获得个人或团体荣誉感，提高了班级的自尊心和自信心。这些教师拥有的领导品质，与我们在其他领域奋斗的领导者身上发现的相同。

戴维·伯利纳(David Berliner)考察了教师在课堂里发挥的许多执行功能。[1]比如，教师参与计划、传达目标；调节工作场所的活动，创造良好的工作氛围；培训工作团队中的新来者；联系系统内其他工作地点；监督工人和其他员工；激励那些被监督者并评估其工作表现。伯利纳评价说，教学需要通过才华横溢的执行者不断地对工作场所进行管理。他的分析与本书前几章所暗含的理解相一致，即学生是参与知识产

〔1〕 David Berliner, "The Executive Functions of Teaching." *Instruction*, vol. 43. no. 2(1983), p. 38 - 40.

出和行动的工作者，教师为这个工作提供方便（管理，如果你愿意）。如果把学生看成是具有无限的、英雄式的发展可能，而且把学习看作是一种变动的、神圣的行为，当然这里的学生不仅指学生个体，而且指学生团体，那么教师的这种执行功能就具有领导性。这种观点把教学的技术性工作变成了某种特殊的东西，就像任何领导所做的那样：把工作的构思提升到一个比以前更有意义的层次上；把工作和人类生活中内在的重要事物联系起来。这种对意义和含义的新观念激励员工更热情、更全身心地投入到工作中去。

我们坚持认为教师在他（她）的学生领导中建立其领导地位，理由是教学需要自治和对专业独有的判断力。如李·舒尔曼（Lee Shulman）描述了教师在课堂上要面对多种需求来例证教师需要自治和判断。〔1〕为了给每个学生提供合适的刺激和激励，在学习每一个课程新单元时，我们期望教师能分析出每个学生的学习意愿、学习困难或弱点。举例来说，舒尔曼指出当一个学生在完成阅读作业时感到有困难，可能会有许多理由：不了解基础的语音规则；即使已经知道，也不能适应语音规则；对故事中心意思的误解；对与学生母语中发音相似的词汇感到迷茫；夜晚在家里心情郁闷；被一个胡闹的同学分散注意力；对前一天所布置作业的导向的误解等等。为了施以确切的指导，教师不得不花费大量的时间找出导致困难的原因。

教师还要去平衡学生在有限的时间内对教学大纲所要求的技能的理解。而且，虽然要顾及到管理部门那些麻烦的记录，但是他们关心的是大部分学生和双语学生的需要。他们有责任查出学生滥用的记号；保护所有儿童远离来自教室里患有艾滋病而尚未被发现的学生；教育他们控制冲动，在班级规则中为暴力提供相适应的约束力；教给学生如公平、尊重和诚实之类的道德基本准则；考虑到年轻人也有不走运的时候，此时他们会对每个人和每件事都感到不舒服，就要平衡一下规则和学术责任的应用。换句话说，教师不但要了解他们需要什么，而且还要应对混乱和不可预测的感情、好奇、疾病以及学生所经历的多层次的现实。

教师领导者大部分时间在引导班级高质量的学习，同时以某种方式为个体提供了注意力和动机。他们不是通过每天在班里为每组学生提供统一的教师规约来引导的，他们的工作是以多样性、创造性、即时性、有益性、幽默等多种方法同时用于不同分组，当一个课程计划不起作用时愿意放弃课程计划，及时对课堂活动进行重组等。教师领导者时时把握住课堂命脉，决定着学生响应日常学习活动的方式。这不是说教师忘记了规定的课程效果，相反，努力使每个学生获得那些成果可以精确解释教师为什么会安排那一系列的课堂活动。教师领导者知道每个孩子将会以个性化和个体化的方式达到学习效果，并且不断地寻找那扇他们学习课程的智慧的大门。

---

〔1〕 Lee S. Shulman, "Autonomy and Obligation: The Remote Control of Teaching," in L. S. Shulman and G. Sykes (eds.), *Handbook of Teaching and Policy*, New York: longman, 1983, p. 484 - 504.

由于在建构和重建课堂工作中对自治和判断力的基本需求,想和同事锻炼领导能力的教师领导者事先已经知道自治和判断力对他们的同事同样很关键,因此在他们和其他教师的工作中,他们会提出需要大力适应和应用很多特殊规约,因为他们知道没有对所有孩子起作用的神秘的教学方法,也没有在同样两天里适合任何孩子的方法。教师领导者发明了许多适合课程目的的方法,其中的一些可能在这一时候或另一时候证明是有用的。教师领导者给同事上的最重要一课是要信任他们的学生,一旦调动他们的积极性,就有能力完成高质量的作业,并和教师共同探讨怎样来完成工作。挖掘学生潜能应该不同的人用不同的方法。教师领导者能帮助他们提高临场发挥的能力,而不是遵循一套并不适合班上部分学生的教学模式。很明显,这种临场发挥的能力需要一段时间实践、试验和修正,需要在对科目内容和学生获得知识的大量方法更进一步理解的情况下才能形成。如沃什利也指出的那样,教师领导者发现当他们一起探讨一个学习单元的替换方法时,他们是在和同事交换意见。[1]

下一步

当教师领导者同那些与自己工作相似或一致的教师一起工作,或遇到寻求帮助的年轻教师时,教师领导者的另一种类型和这种变换学习很相近。当教师领导者开始和其他教师(可能是,也可能不是课堂的领导者)一起合作讨论一般的问题,分享不同学习情境下的教学方法,探讨克服时间、空间资源限制的结构性缺点的方法和限制策略,或探究使学生对学习更投入的激励措施,那么他的领导力指数就得到扩大。

当教师领导者和那些正在与教学技术和教学激励斗争的教师并肩工作时,他们开始把他们在课堂上的领导力影响辐射到其他的课堂。然而,我们需要清楚的是,他们在这一点上的重心在于课堂即时背景下学生学习的提高,而不是在于诸如教师团体、地方规章的重建或定点管理队伍的建设上。那种类型的领导以后可能出现也可能不出现。从现在开始,我们要把注意力集中在教师领导上,因为这是教育关注的热点。这种水平上的教师领导——在教师自己的课堂上及其他教师的课堂上——没有引起足够的关注、欣赏或支持。在这种水平上教师间的合作是自发的,没有经过行政管理建构。行政官员最初可能没有意识到,当他们意识到之后,并不能保证会积极地鼓励它。在一些学校的文化氛围中,人们对提高教学水平的努力持以冷漠和鄙视的态度。[2] 不管怎么样,这种自发形成的、没有一定标准的教师间相互支持合作很是流行。许多教师在职业生涯早期便会寻找其他专家,那些能帮助他们找到对学生的应答

---

〔1〕 Wasley, op. cit.

〔2〕 P. Wasley, *Teachers Who Lead: The Rhetoric of Reform and the Realities of Practice*, New York: Teachers College Press, 1991; Judith Warren Little, "Conditions of Professional Development in Secondary Schools," in M. W. McLaughlin, J. E. Talbert, and Nina Bascia(eds.), *The Contexts of Teaching in Secondary Schools*, New York: Teachers College Press, 1990, p. 201.

方法的、经验丰富的人。[1]

督导反应

我们假定这种教师领导者的形成应该是督导人员优先考虑的事。当一名督导人员在最初的听课中遇到一名教师领导者，这个督导者的反应应该是一种热情的表扬和支持。即使这名督导人员可能觉得有义务为提高教学提一点建议，这种冲动也必须抑制。教师领导者知道他们上的课很少是完美无缺的，而且经常是，督导者想要建议的教育经典早已为大家所熟悉且经常被教师实践。正确的反应是支持并和教师建立工作关系，探讨教师和其他教师愉快地分享才能的方法。尽管不能保证这些教师领导者会在为其他教师提供教育策略中成为胜任的指导者，但是他们通常能够为其他教师展示他们领导学生的模式。与另一名教师一对一的交流有时是使教师领导者的影响力发挥作用的最有效的一种方法。在一个学校，有一到两个自然的教师领导者，督导者应该安排刚工作的教师经常去听他们的课(假使这是一个令人愉快的安排)。

教师领导者的附加角色

大多数教师领导者非常重视他们的课堂教学，并且不愿放弃最初的承诺，认识到这一点非常重要。[2] 因此，即使是要求教师领导者们承担更大的责任，至少在最初也要为那些重要的工作保留一些宝贵的时间。当他们在领导角色中获得经验时，他们会在课外活动场所利用他们所积累的专业知识更好地把握机会。事实上，他们将发现他们的专业知识因新的领导角色需要而有所拓展。[3]

第二点需要注意的是教师所承担的大量负荷。根据全国教育委员会的一项研究，教师的周工作量平均超过 50 小时，只有一点或是几乎没有时间进行正式的专业发展。在已经让人筋疲力尽的工作负荷上，教师还经常被要求履行附加的领导角色，因此他们没有时间安排，没有时间和其他教师领导者建立关系网。[4] 当教师被要求在课后的专题讨论会和研讨会上和其他教师一起分享他们的专业知识时，特别是当这些工作要拖上几个月时，这项任务通常对他们来说是异常困难的。如果要求教师领导者参加此类研讨会，那么督导者必须找出在其他方面减轻他们工作负担的方法。督导者必须注意要让教师有机会接近支持这种研讨会的预算和材料。而且，必须对教师领导地位

---

〔1〕 Bolman and Deal, op. cit.; Milbrey W. McLaughlin and S. M. Yee, "School as a Place to Have a Career," in A. Lieberman(ed.), *Building a Professional Culture in Schools*, New York: Teachers College Press, 1988, p. 23 - 44.

〔2〕 Mclaughlin and Yee, op. cit.; Little, op. cit.

〔3〕 McLaughlin and Yee, op. cit.; S. J. Ball and Ivor F. Goodson(eds.), *Teachers Lives and Careers*, London: Falmer Press, 1985.

〔4〕 National Education Association, *Status of the American Public School Teacher* 1985 - 1986, Washington, D. C.: Author, 1986.

合法化给予一定重视。教师领导者在他(她)的同事中最好拥有必需的信任度、一个头衔、一间办公室(要整洁)、一项预算，虽然事情很小，但总是有助于其合法化。

这种类型的领导者拥有骨干教师的头衔，或者有时是教学领导人。在一些学校中，骨干教师拥有优先权和荣誉。他们被认为是课堂上优秀的人，拥有广博的专业知识的人(早期儿童教育、中学教育、特殊教育，或者一个或更多的科目的专门研究)，是思想和明智建议的源泉。一个督导者应该和他们建立巩固的同事关系，因为在许多方面，教师领导者将会开展专业发展工作，这项工作是督导者由于其他责任或者要为更多人负责的原因而没能完成的。

教师领导和重建议程

总的来说，教师是被排除在关于学校重组的公开讨论之外。在一些地区，教师已经出现在关于建设者学习理论和相应的教育学的专题讨论会上，但是被限制在个人的课堂活动中。教师还没有被鼓励去与建筑区和行政区的管理人员进行合作，参与重组**整个学校**的核心工作(教与学)，组织结构和政策发展需要支持此类次要的变革。因为这个问题，督导者没有在重组谈话中特别提及。

在重建努力中，我们建议督导者把与教师领导者在本土水平上一起紧密工作作为一项重要的初始步骤。除了努力去鼓励指导和发展那些可以提高学生学习积极性的相关实验，督导者可以引进并大范围地推广那种可能仅在学校两三个班级里能找到的学习方法。目前，大部分课堂把教师领导地位看作是工作日或工作周的时间和空间上的连续分配，当作是一种特定的等级评估和晋级过程，当作是一种通过等级排列的特定的学生团体，把一种特定的孤立的课堂当作教育和课堂发展的地点。一旦和其他教师建立信任和合作的感情，督导者就可以参加一些讨论：组织学习时间和空间、学生小组、教学资源的可能性，以便更能支持学生积极参与学习任务。教师领导者不必提议任何学校行政和其余教师的根本变化。在一定程度上，他们可以看到他们即刻的情形，并从那里开始。

这些教师想一起为学生创建一个良好的学习环境，督导者可以通过组建一个教师小组来建设一种合作和研究文化。一段时间后，教师队伍的信心和才干会有所提高，教师领导者将会建立一个坚固的基础，从这个基础上扩大他们的影响，使之遍及全校或者至少遍及学校内一个或更多下属部门。这并不意味着教师的努力会自动获得他们同事普遍的和热情的称赞。关于学校变革的文献中有大量的证据支持反对意见。督导者可以通过整合的支持(有时是教师间的，有时是一个教师接着一个教师)，争取管理部门的许可，向教师提供时间来讨论提高学生参与性的好处，帮助促进有关系的关键教师团体的成长。当那一队教师成长起来后，调整教与学的制度障碍将会更明显。有了关键的教师团体，学校准备开始试验不同的日计划和周计划、不同的学生小组安排，在课堂外在使用计算机技术方面进行了不同安排——所有这些都是为了提高学生的学习效率。

当越来越多的教师超出课堂对教与学进行思考时，他们将会认识到学校进行调整的需求——知识的产生和应用。为了参与重建议程，督导者不得不与正在形成的教师领导者建立伙伴关系。当那些关系成熟之后，学校范围的重建准备工作就成长起来了。

库珀对教师领导的有益分类现在已经起作用了，教师可以运用这种领导地位，[1]比如，担任学校计算机技术和课程发展委员会委员，或校长咨询委员会会员，或者地方性的管理委员会会员。然而，这些委员会的成员并不组成领导权。如果把学校目的放入一个更宽的视野中，就会感觉到策略计划、把互不关联的子群体结合起来的能力、对家庭学校合作的热情，这些或其他特征都会对领导地位产生重要影响。同样的，在地方性团体或专业协会里的教师领导者将会在重建议程中考虑教师的角色地位。

虽然督导者不能对教师领导地位的其他形式产生直接影响，但他们可以通过不断的合作努力去提高课堂和学校核心工作来达到间接效果。通过把注意力集中在学生学习的质量上，督导者可以强化教师领导者的基本义务，无论他们在哪里运用这种领导性。

在这一章中，我们试图把对督导者的领导角色注意力转移到教师角色上。我们相信，对学校核心工作的逐渐理解，也即为了提高学生知识的产出和知识的运用，需要更注意与其他教师领导者的关系。一个督导者越来越将他（她）的工作和教师领导者联系起来，以支持和鼓励他们在学生中和同事间的领导地位。想要领导的督导者将会把他们的工作与整个学校的重建议程联系在一起，也会看到与教师领导者一起工作的重要性。领导工作包括建立与教师领导者的伙伴关系，建立一个关键教师团体，这些教师会感觉被授权从事一种缓慢而激动人心的工作：把学校的环境变得更适合全体学生提高学习质量。

---

〔1〕 Cooper，op. cit.

第九章
课堂督导和评价——实践的观点

本章我们开始讨论班级管理和教师评价的问题及实践。本章的基本假设是：校长、员工、开发人员以及其他指派的督导者在提供社会支持和结构支持方面扮演了重要角色，这些支持有助于学生学习，并且为督导者对学生的学习施加直接影响的途径提供领导保障。这个途径（图 1－1 所示）包括改进学校的教学能力，提高教学质量、课程和学习氛围，提升学生们在学校进行的学术生活。把这些路径串接起来的关键是教师学习的重要性——这不是一般的学习，而是持续的，处于真正教学背景中的学习。

如果学习是连续性的，而且处于每天的教学之中，那么督导者就必须具有这样的视角：同时存在的为学而教和为教而学，必须成为学校生活的一种方式。有时教师是在指派的督导员的监督之下进行，有时是一个人进行。督导Ⅱ是我们在本书中提倡的督导方法，在督导Ⅱ中，这种实践与学会实践的有力结合最好是在同事的帮助下进行。

我们位于一个重要的十字路口。在学校的改进中，我们的传统做法是在组织结构上投资，监督教师做了什么，是怎么做的。我们倾向于教与学的这种微观管理而不是把重点放在提高教师质量上。就像琳达·达林-哈蒙德（Linda Darling-Hammond）解释的："一个世纪以来，美国的决策都是对学校特定组织大量投资监督教学，而不是向能进行自主决策、知识丰富的教师进行投资。这样产生的体系，使大多数关键的教学任务失败。"[1]在此后的五个章节中，我们主要讨论把教学和为教而学结合起来作为督导发展重要的步骤，作为对连续学习的一项专业提议。

本章标题中有评价的字样，它可能会引起一些读者的关注。毕竟在历史上人们认为，旨在提高教师的督导和评价教师工作优劣的督导责任最好分开。把两者分开的原因是有道理的。对教师进行评价，即使不导致矛盾，也会削弱同事关系和信任，这两点正是教师学习过程中需要的。在讨论时，简述你认为的保持两者分离状态的论点以及让两者合二为一的论

〔1〕 Linda Darling-Hammond, *The Right to Learn: A Blueprint for Creating Schools that Work*, San Francisco: Jossey-Bass, 1997, p. 20.

点，都是有帮助的做法。不管你我关心的是什么，我们认为问题不在教师评价本身，而在于它是怎样处理和运用的。

举个例子，教师评价通常意味着评估、定级以及用一些当地的标准手段作为评价标准对教师进行分类。一般情况是，列出我们所认为的教师的重要特点，如“教师的声音听起来让人愉悦”以及某些重要的教学任务，如“教师要很好地计划”。评价者通常是写评语，越来越多的教师也这样。

在课堂上观察教师教学后就可以完成这种评价文本。在观察之前，一般有一个讨论会，这种会议与学期中讨论课程计划、目标、教学策略的碰头会不一样。双方在评价文本上签字后，教师评价过程就结束了。文本要上交给档案分管处。这种教师评价程序可以一年一次或一年两次，对象是在职的教师，更多是针对新教师。许多教师反映被督导听课的时间太少，一些甚至说在任期内从来没人来听自己的课。年复一年，督导观察的都是相同的事。

为纠正这个问题，一些州已经通过法律要求加强评价，常用的是本州提供的标准文本。文本中包括的教学行为要求与“教学成效”的研究有关，或与其他有效的教学模式有关。因为这些要求与研究结果相关，所以评价文本被视为是“科学”和“客观”的。我们在后面的章节中会指出，这个体系既不科学也不客观，而且文本中的要求所依据的教学效度研究，其本身就常常是错误的。

督导和评价的科学性如何?

本章的目标是探讨影响课堂督导研究、教学及实践方法的问题和观点。总的来说，许多教师和管理者、督导人员对目前的程序都不是太满意。实际上，很多督导者私下认为这些程序缺乏可信度，这种疑惑的性质对督导系统最可能产生的影响是什么呢？通常是系统呈现出某种人为的、机械的性质，一种常规性的功能终结于其本身。

教师开始把这个过程看为“表演秀”，督导者把这个过程看为他们必须执行的行政要求。

一些学校在实践中通过“远程控制”进行督导。用这种观点，第二章描述的督导A，假设以材料密集型的课程发展焦点进行督导，就要经常与具体课程教学大纲或事先具体决定的目标相联系，以实现对教师的远程控制。教学行为作为标准变得更可预测、更可靠，教学目标和材料变得更结构化、更标准。如果这种利害攸关的考试被用来衡量目标和标准达到的程度，这种情况就特别真实。教师决定教什么和怎么教，受制于他们追求的标准和目标、使用的材料、教授的课程、布置的作业和进行的测试，以及遵循的课程表。教师也许能自由地制定课程和教学决策，但他们对学生在标准测试中的成绩负有责任。在这个方案当中，他们鼓足劲作出与考试目标相一致的、可预测的课程和教学决策。在很多方面，考试本身变成了课程，考试过程成了督导系统，紧紧控制了教师和督导者做什么、怎么去做。不仅是教师和督导者的决定让位给远程控制督导，学生在这类事情上也没有发言权。似乎没有考虑到学生的利益。此外，在教授所有的标准和目标时，这个督导系统也倾向于它们都是同等重要，所以很难丰富课程，让不同的学生发展不同的才能，有的只是同等重要和相同领域，一个普用于万物的尺寸。

寻求用远程控制的方法来控制课堂实践，产生了无穷的问题。督导者怎样才能相信教师确实履行了达到标准的指定职责呢？能用什么评价方法来回答这个问题呢？问题是：课堂观察和评价的方法经常被科学主义遮盖起来，即使在更合法化的科学中也没有被发现。然而大多数教师和督导者个人认为**教学不仅是一种科学，更多的是一种艺术。**

在以下几章中，我们考察督导和评价的“艺术”方法，它与教师如何思考、教师做了什么以及在教—学工作中涉及到的复杂性都更加一致。讨论的基础是督导应当是一个过程，有时是一套教师和校长同样可利用的技巧。这个主题在第一章中讨论过。

让我们开始考察一些影响督导怎样被接受和实践的问题。其中有怎样避免理性的偏颇，怎样区分测量和评价，如何确保全面性，怎样达到信度标准。

避免理性偏颇

课堂督导和评价要求反映人类特性的真实性和教学的真实性。但是，课堂督导和评价不是对人的特性和教学敏感，而是扮演着科学主义的形象。我们大多数人梦想建立一个知识的主体、一种调查的方法、一种实践的模式，作为教学职业和临床定向督导的基础，相当于建筑、机械或者是艺术职业。[1] 我们相信，督导和教学有可能成为调查和专业实践固定且公认的领域。这是很好的目标。但问题是，我们是在正确的道路上前进吗？目前，理论与模型的建立方式与自然科学的太相近了，这种方式过于简单。问题的提出、推论、研究的方向、得出结论、基于调查建立模型，这些在已建立的科学团体中，其科学性都不够综合与全面，或是它们不满足科学的标准和已建立的职业的严格要求。忽视这个事实将导致纯理性的理论和实践的发展。

特里·威诺格拉德（Terry Winograd）和费尔南多·弗洛里斯（Fernando Flores）指出：“理性传统最明显的特征是它对某些方面合理性的狭隘关注……经常导致在更宽泛的观点下出现非理性的态度和行为。”[2] 此外，纯理性的理论和模型在实践的现

---

〔1〕 See for example Thomas J. Sergiovanni, "Expanding Conceptions of Inquiry and Practice in Supervision and Evaluation", *Educational Evaluation and Policy Analysis*, vol. 6, no. 3(1984), p. 355 - 363; and *Leadership: What in It for Schools?* London: Flamer Press, 2001 for a discussion of the nonrational and complex world of schooling within which supervision takes place.

〔2〕 Terry Winograd and Fernando Flores, *Understanding Computers and Cognition*, Norwood, N. J.: Ablex, 1986, p. 8.

实中显得不可靠，因此易导致在科学性上无效——明显太精密或太琐碎。[1]不论用何种方式使用这类模型，教学都会有损失，教师和督导者会体验到挫折并会丧失信心，而健康的教—学的理论与研究能给予我们信心。

一般的教学和督导模型是严格建立在"过程产出的教学效度"研究之上的，这是理性主义而非合理思考的一个事例。这个研究揭示：明确或直观的教学方法，在对小学生进行基本阅读、计算机技能和简单学科知识掌握的教学时，是一种有效的方式。但是假如因此就把这种方法作为单一的"有效教学"，而规定为所有学习应采取的方式，这对教学而言就不合理了。然而我们的顾问、专家、知名投稿人等已经成功地让许多政策制定者和专职人员相信明确的教学与有效的教学是一样的。国家层面上发生错误的一个普遍事例是，学校采用的以及在一些情况下政府采用的教师评价表和其他文本，在项目组成上主要是或者完全是依据这个研究。这样使用相同文本，可能只对有限范围的教—学产出适合，而对其他的教—学结果无效。

不论我们谈论的是过程—产出的教学效度研究还是一些其他的知识主体，我们使用的效度指标都是一个人工制品，是研究者最初决定的有效定义。只要对"有效"定义不同，就存在不同的指标。所有这些指标并不完全是不受人控制或客观的，而是由人们决定的。想象一下，学校和国家在教学有效性研究的评价文本基础上，重新定义有效性，其结果会如何？因为文本上规定的行为不是长期有效的。原来教师中的"胜者"可能现在就成为"失利者"，反之亦然。教师评价中的"赢"和"输"从来就不是完全客观的，它常常是我们使用的评价体系的部分加工品。

在第十章"在教学督导中使用标准"，我们讨论并提供了夏洛特·丹尼尔森(Charlotte Danielson)"教学框架"中的案例，以供选择。[2]虽然这个框架看上去是适用于所有教师的最好路径，但实际上它是一套教学的原则和实践，代表了有效教学的储存库。具体的原则和实践应该根据学习中具体的教学情境，变得有用和适宜。框架使我们前进，不是通过决定我们应该做什么，而是通过让我们知道要作哪些决策并提供了作这类决策的质量标准。一旦我们定下对教—学情境有意义的某种原则和实践，丹尼尔森的框架就为我们提供了从"不满意"到"优秀"的质量标准程度等级。

如果教学和督导变得不再纯理性而是更加合理，那么我们需要在思考、调查和实践的方式上有何改变呢？首先，关于学校是怎样运行和课堂生活如何展现的观点就需要改变。不同的观点产生不同的督导和教学实践。例如，人们经常把教学看成是一个紧密连接的过程，就如向学习结果的"打击区"掷出了教学的"投掷物"，经常会出现投掷物落在规定区域外的危险，这就被宣布为"坏球"而不是"击中"。因此，在这个观点

〔1〕 Chrales Taylor, *Philosophy and the Human Sciences: Philosophical Papers*, vol. 2. London: Cambrige University Press, 1985.

〔2〕 Charlotte Danielson, *Enhancing Professional Practice: A Framework for Teaching*, Alexandria, VA: Association for Supervision and Curriculum Development, 1996.

中，督导者关注教学投掷的击中可能性得以提高。强调编制教学计划和监视教学实践，以保证教学过程显得可靠并能预测，这种想法存在问题，它不能反映真实的教学实践。

方案理性

把教学看成投掷时，具体的目标以及目标明确就很关键了。但是，教师不像在价值模式中那样，让自己的思考和行为与无关联的目标一致。举个例子，阅读课教师在关注学生掌握基本阅读能力的同时也关注学生综合能力和延伸能力的发展。他们认为这两种目标都需要具有同一种态度，即阅读是一种快乐的体验。但是三个目标经常相互竞争。过多强调其中一种可能会对另外两个产生负面影响。如，大多数教师认为：把字的读音从这些字是什么以及对读音有意义的上下文中分离出来是没有意义的，反之亦然。教师面临的问题是怎样在竞争价值中取得平衡；适宜的合理性不是线性的或行政性的，而是追求一种产出模式。一些专家称之为**方案理性**。[1] 因为教师关心的是能产生合理模式的结果，因此就很难要求他们具体地、独立地思考这样或那样的结果，甚至是多种结果。

冲浪这个比喻能更好地描述教师是怎样思考和行动的。教师驾驭着教育模式的浪潮直线前进，在驾驭浪潮的过程中，他们运用不同的教学方法，不是纯理性地去限定实践，而是理智地领会直觉，增强专业判断。督导与教学的理性科学更强调发展策略，这种策略反映出对价值比对目标更关注，对模式比对分离的结果更关注，同时也反映出对怎样驾驭教学浪潮的模式高度关心。

当教师思考目标的时候，他们会像预先安排目标一样，很可能想到在教学活动中展现目标。教师对目标采取了更战略性而非战术性的观点。在“冲浪”的时候，他们调整自己的实践向更宽广并且经常变化的目标驶去，所依据的是总结学习后的评价，通过什么是值得做的而实现。教师一般不会因为他们事先没有进行预测而宣称，那些值得做的事是不重要的。在更理性主义的教学和督导模式中，这种事实得不到充分的解释。专职工作中，方案理性、战略性思维和发现都是重要的特征。

让人混淆的评价和测量

测量和评价之间存在的混淆促进了唯理性思维。许多按评价的过程来进行的根本不是评价而是测量。两者区别何在？举个例子，假定你有兴趣为自己家里的窗户买窗帘，首先你要知道窗户的尺寸，窗户是 22 英寸宽 60 英寸长。这个数字现在就是你的标准。你在阁楼上找到了额外的窗帘，用尺子仔细测量了它的尺寸，发现不满足你

[1] Jean Hills, "The Preparation of Educational Leaders: What's Needed and What's Next?" UCEA Occasional Paper 8303, Columbus, Ohio: University Council for Educational Administration, 1982.

的标准。在这个过程中，尽管你扮演了一个角色，实际上是尺子在起作用。其他的人使用相同的尺寸很可能得到相同的结果。

虽然在精确测量的过程中也涉及到一些技术问题，但是测量的标准很重要，测量设备比进行测量的人更重要。实际上，测量应当“个人验证”(person-proof)，因为不同人的测量应该得到同样的结果。不同评价者的信度受到高度重视。因此在测量定位的评价体系中，评价者的角色就**减弱**了。校长和督导员本身比起他们使用的评价文本和过程，比起他们学习怎样正确使用文本和过程的培训而言，就显得**不重要**了。此外，当学校和国家引进了测量定位的评价体系时，校长、督导员、教师和公众便失去了决定什么是好教学的权力——什么样的教学对他们的目标、抱负、他们团体的特征等等是有意义的。因此，测量定位的评价体系不仅仅是经常导致唯理性的实践，而且还能威胁美国准备不足的学校教育的基本价值观之一——选择的自由。

相反，评价明显是人的过程，它涉及到识别和需要知识的判断，评价从来就不是脱离价值观和背景的。在我们上述的例子中，在决定了所需窗帘尺寸后，接下来所有的决定就事关个人喜好、口味和意图。你想让被装饰的房间达到什么样的效果？你喜欢的是木头还是金属的材料，轻柔还是显眼的视觉效果，暖色调还是冷色调？可利用的选择与整个房间的装饰系列是否协调？此时，“个人验证”的评价没有受到重视，取而代之的是评价者的判断产生的期望和效果。评价完全取决于人而不是机械化的过程。

从你怎样回答下列测试问题便可判断教师评价的方法是测量定位还是评价定位：在目前考虑的教与学的情况下，哪种方法更能回答教—学的需要、要求和特征？例如，一个测量定位和体系，规定了一套对所有情况下所有学生都适用的、公平的教学行为。一个评价定位的体系要求教师根据他们的目标和他们对特定学生的需要的判断作出决定。测量有自己的位置，但是在成长定向的体系中，评价应当是更普遍的手段。

综合问题

一个好的督导和评价体系是一个足够全面的体系，它能服务于各种目的。它至少应该包括三种评价：

- 教师评价的参考表格；
- 教师评价的参考标准；
- 教师评价的个别参考。

正如上文提到的，现在大多数学校常用测量定位的体系，寻求建立使教师达到预设为有效教学形式或方案的程度的方法。假定这种形式代表了教学中基本能力的某些最低水平，同时假定这种形式为一个教师或一组教师与其他使用相同标准的教师进行比较提供了评判标准。用于测量的与表格相一致的工具代表了一种模型、样板或范式。期望教师在教学时能与表格上的完全一样，同样根据他们与这个目标的接近程度来打分。

这种**教师评价参考表格**在学校评价体系中具有重要作用,但它通常是有限的。[1]因为法律及其他原因,校方用教师评价参考表格来建立教师达到最低要求的记录。一旦教师证实自己通过了这种考察,那么要求他们继续一次又一次年复一年地通过同样的考察就不再有意义了。对同样的人重复使用参考表格,不仅是督导时间的浪费,而且还把评价集中在最低的水平而不是去发现、试验、成长。此外,这种重复使评价形式化,让教师感到没有意思,没有用处。

教师评价参考表格通常以文本形式记录出现或缺少的教学行为和教学特征,文本被设计成可以追踪教师是否遵守双方接受的基本草约的形式。这种评价要取得成功,可靠性是很重要的。每一种评价在其他评价者那里都要得到完全相同的结果。为了取得这种可靠性,教师评价参考表格的设计者致力于界定优良的判断,例如,记录行为、特征的出现或缺失,只需要很少的判断,这是测量任务而不是评价任务。理想情况是,教师评价参考表格应当是"督导验证"。

在一个综合的督导评价体系中,还强调另外两种形式的评价:**参考标准**和**个别参考**。[2]教师实践会体现学校所重视的某些目标和价值观,参考标准就是要确定其达到的程度。假设下列问题反映了一个特定学校的共享目标和价值观,此类评价可能会问:教师提供了一个鼓励开放和提问的课堂氛围吗?教师采用领悟性教学了吗?在教与学的环境中,学生被看作"工作者"吗?教师是促进者还是管理者?学生有责任设定学习目标、决定学习策略吗?强调竞争中的合作吗?多样性受到尊重吗?不同的价值观导致不同的规范,不同的规范导致评价的不同问题。参考上文提到的夏洛特·丹尼尔森的教学框架,它是指导方针的一个例子,能用于发展和引导参考标准评价。[3]

参考标准评价在许多方面是一类调查,围绕的问题是教师和督导者都认为重要的。因为这个原因,评价超越了教师的职业。引导评价的问题,在本质上来自教师实践是否反映了假定的价值观,是否有更好的方式,最初的价值观有什么价值。有参考标准的教师评价并不适宜于作为僵化的、督导人员用于检验的工具。另外一些督导的方式,如 CS、同辈指导、行为研究、有关教学标准和等级反映的谈话、检查学生作业、充实公文包,这些都是较好的选择。

个别参考强调教师的个人目标,以及在这些目标下过去与现在工作情况的比较。虽然可利用的外部标准和规则有助于教师关注公认的教学范围,但是在比较的时候,

---

〔1〕 The Discussion of form-referenced, criterion-referenced, and personally referenced teacher evaluation approaches parallels Elloit Eisner's discussion of norm-, criterion-, and personally referenced student evaluation. See Elliot Eisner, *The Enlightened Eye: Qualitative Inquiry and the Enhancement of Educational Practice*, New York: Macmillan, 1991, p. 101 - 103.

〔2〕 See, for example, op. cit, p. 102, for a discussion of these concepts as applied to student evaluation.

〔3〕 Danielson, op. cit.

它们不应该成为严格的基准线。个别参考的目标是帮助教师理解，并且根据他们的喜好、目的和信念批判性地评价他们的实践。个别参考也帮助教师评价自身在实现目标时的进展。

教学框架（诸如丹尼尔森提出的）能通过提出教师可能追求的目标而给予我们帮助。[1]

可靠性问题

在教师评价中，可靠性是一个重要问题，尤其当评价超出了描述，进行说明，证明主题，评估价值时。埃利奥特·艾斯纳（Elliot Eisner）使用案例研究方法，确立了三种可靠性标准：结构协作、一致有效性、参考充分性。[2]

- **结构协作标准要求在对教师教学进行描述、形成判断和得出结论时，必须要利用多种渠道的信息。**课堂观察得到其他信息资源的支持吗？这些资源包括与教师面谈，抽查学生作业，图片杂文（photo essays），师生交往模式的数据描述，活动流程图表，学生个案研究，学生阅读书籍的分析，学生学习情况，测试卷，教师布置的家庭作业和其他任务。教师在提供与教学相关的多种渠道的信息时，自己必须是这个过程的分担者。在决定哪种资源最适合评价的特定模式时，教师毕竟处于最佳的位置。
- **一致性标准，寻求适当的一致性，评价信息的来源有意义，描述是正确的，解释是令人信服的，得出的结论看似合理的。**任何协定的关键伙伴是处于评价焦点的教师和承担督导角色的人（校长、其他教师、教师团体）。在这一水平上失去一致性时，如果结果需要解决某类问题，如保留或延长任期，那就需要第三方的参与。

一致性标准不应该与标准参考中理解和评价者信度混淆在一起。一致性标准寻求评价过程适当以及它对教师意味着什么。较少引起争议的评价，需要一系列对证据的研究，需要由一两段简单陈述支撑的观点阐述。艺术、戏剧和影视评论可以是很好的暗喻。评论家给主题评定等级，然后提供一段生动的评价使等级生效。

当教师和督导者不一致，而结果对职业或声誉或两者都很重要时，一致性标准可能就需要两次或多次独立的评价，以案例研究的形式详细记载。再比较这些调查。要考虑到每一位评价者的观点，要评估他们提出的理由。案例研究的特性，收集的证据，作出的解释以及其他细节都不要重叠。实际上，它们的差异很大。但是判断存在一致性，证据要导出相同的结论，如果没有达到一致，就需要向前更进一步。不同的评价者可能关注不同的方面，产生不同的观点，导致不同的结论。因此，评价者应该先聚在一起，讨论这种可能性。如果通过谈判还不能协调差异（这种情况很少见），评价则可能

---

〔1〕 Danielson, op. cit.

〔2〕 Eisner, 1991, op. cit., p. 110－114. See also Elliot W. Eisner, *The Educational Imagination*, 2d ed. New York: Macmillan, 1985.

无效，就要由其他不同的评价人员重复这个评价程序。

● **参考充分性标准可以通过检测评价记录本身的性质获得。**评价参考充分性时，艾斯纳询问到对事件和细节的描述是否充分，让他人在查阅记录时，能看清并理解许多容易被忽视的地方。艾斯纳认为，一位评价者的记载"应该达到让读者能找到评价者对主题的特性描述及赋予它们的意义"。评价，换一个说法，就是用其本身说话。

小结

本章以课堂督导和教师评价的问题与实践的一个案例为开端，指出督导成功的关键是教师学习的程度以及这种学习对其实践的影响程度。考察问题很重要，因为根据问题的解决方法可以确定不同的适宜的督导实践。本章讨论的问题有：督导和评价的科学程度，作出督导决策时怎样避免理性主义偏差，整理不同的方法形成督导过程的概念。在第十一章，我们将考察督导的职业发展和更新形式，在督导实践的道路上将走得更远。

第十章 在教学督导中使用标准

本章对教学标准及其在督导中的作用进行检验。我们回顾一下实习教师的标准，全体教师的标准和申请由国家职业教师标准委员会认证的国家教师资格标准。通过提供一系列不同出处的标准希望达到以下几个目的：

1. 给出标准的概述，包括清晰地阐述什么是有效教学；

2. 展示如何将这些标准贯穿在不同层次和不同内容的实际教学活动中；

3. 为教师提供一系列检查他们单独教学、集体教学和与督导者一起教学的标准；

4. 为学校制定教师评价系统提供一系列标准。

为了提高教学质量，临床督导或其他形式的督导者要对教学能力作出正确判断，能用共同的语言彼此交流，有能力将已有的知识体系向其他新知识体系转移，并能用发展的教学观点评价教师的能力。

- 正确的判断力有助于教师看到教学工作中各部分间的相关性，提高他们的敏感性，不仅注意到课堂教学，而且联系不同学生、不同科目和不同的学习目标。
- 共同的语言有助于相互之间进行交流沟通，交流他们的看法，自己是怎么做的，下一步需要做什么，并且签定有助于建立教学共同体的条约和协议。
- 从原有的知识背景向新的、不同的知识体系转变，这有助于督促教师不断自学并且鼓励教师和督导者向更高水平发展。
- 教学的发展观有助于教师和督导理解好的教学，它不是简单地发生在某一时期的一件事，而是不断学习的职业生涯的产物。

在督导中使用标准，有助于全面发展这四方面的能力。但是要发展，更多地依赖于我们是否将标准视为主要的模板或主要的框架。

模板或框架

我们通常需要列出一些条例以帮助教师提高判断力，发展共同语言，促进知识体系的转变以及培养教学质量的发展观。条例中列出教师应该做哪些事，可以开展哪些有效的竞赛行为以及应该朝之努力奋斗的质量标准。列出条例是十分有益的。但是尽管它们具有实用性和普及性，如果教师和督导总是按惯例把模板看成是包罗万象的、最佳的解决问题的方法，条例也会产生问题，所以还需要一些框架。虽然某些教学标准是惟一的、绝对的，但是还有些标准只有在充分符合了教学目标和目的、符合课程内容以及学生学习情况时才有意义。当我们从一个较大的框架中选用某项标准时，我们应该提供一些教学示例，用发展的眼光来看待，它可能对助教是适合的，但并不适合讲师和副教授。

我们在本章中检查一些教学标准，看看这些标准是如何帮助教师改进教学工作的。标准作为框架，有助于阐述什么是好的教学活动，有助于显示良好的教学行为内部的彼此联系性，有助于教师和督导就好的教学行为进行有意义地探讨，帮助教师应用这些好的教学行为来研究自己的教学。作为框架的标准对有效教学作了概述，教师可以在其中找到问题的所在，找到解决问题的出口并在课堂上进行实践。

由于框架制度有牢固的理论基础并是在有效的教学实践和学习研究中搜集积累起来的，因此具有很大的灵活性，足以能回答教师们在各自教学工作中面对的特殊问题，并回答他们在教授不同课程、不同内容、不同要求中面对的问题。作为框架，教学标准并没有太多规定必须做什么，而是告诉教师应该如何决定做什么和怎么去做。它们是一棵教学树上的较粗的树枝，指出更有效的教学实践途径。但是没有任何两个教学过程看上去是完全一样的。教师可以自己选择，例如，如果标准不能适用于他们的实际教学，在特定时期就可以忽视标准。但是，由于标准及其指导并不是轻易发展起来的，而是基于严谨的研究和调查，因此在谈到特殊标准以及这些特殊标准在何时应用时，教师应该能为他们所做的决定进行辩护。进一步说，作为框架，教学标准为如何很好地评价实际教学提供了指导。

要达到教和学的标准，人们需要在整个职业生涯中不断努力提高。正像即将在第十一章中提到的劳伦·雷斯尼克(Lauren Resnick)和梅甘·霍尔(Megan Hall)，认为学着去教是一种使教学技能和习性不断扩展的过程。[1] 作为职业，教师不仅仅是学习某些知识就够了；相反，他们要始终不断地学习；他们的角色随着情况而转变，包括既是教师又是学生，既是师傅又是徒弟。在这种充满活力的体系中，标准不再是一成不变的，而是随着教师的学习和提高而不断扩展。

美国州际新教师评价与支持协会(INTASC)

我们首先检查 INTASC 建立的新教师标准。INTASC 是由州教育机构、高级教育机构以及国家教育组织组成的协会，其职责是改革教学。这些标准清楚讲明了从师

〔1〕 Lauren B. Resnick and Megan Hall, "Learning Organizations for Sustainable Educational Reform." *Daedalus*, vol. 27, no. 4, Fall 1998, p. 110.

范院校招聘的新教师应该掌握并能胜任的工作。一些新教师能达到甚至超过这些标准，但还有许多不能很好地达到标准。这有几点原因，并不是所有师范院校都是以达到标准为目的来安排教学，这就导致了一批资历不合格的教师，并且由于教师的短缺，学校经常在当初没有充分调查他们能力的情况下就草率地雇佣了他们。这些教师被雇用后，学校和教学区又在提供足够多且足够好的督导方面出现了缺陷，这就是督导的角色和功能在学校里的重要性逐渐增加的另一个原因。我们开始意识到仅从师范院校毕业是不够的，一名新教师不是从事程序化工作而是需要不断学习，因而在任何学校区域中的督导应该有所区分——使他们所提供的选择最符合教师的需求。下一章节将会讨论这个主题。至于这里，让我们先检查一下标准本身。

INTASC 把十条核心标准（这些标准被认为可以适用于所有不同资历和不同科目的教师）归纳成四大项：规范、知识、性情和行为。

规范，对新教师来说是最基本的法规和良好教学的内在职责。

知识，指主要的概念、假设以及新教师需要拥护这些规范的了解方式。

性情，指脾气、倾向，或一个新教师在信仰、思考或对不同观点采取的行为的倾向性。

行为，指实际的决定和新教师需要在现有水平基础上能够体现规范的教学行为。

INTASC 的十条核心标准与预期的行为同时展现在表 10－1 中。我们可以从 INTASC 得到标准的全文。当你评论每一条标准和它们的预期表现时要考虑下面的问题：这些标准对新教师是否实际、适合？你们学校或其他教学区招聘的新教师能达到这些标准的程度吗？如果新教师不能达到标准，那是为什么？如何运用这些标准来提高招聘和选择教师的过程？你们学校对那些不能达到标准的新教师将提供什么额外的帮助呢？如何用 INTASC 的标准来指导新教师呢？举个例子，如果新教师把标准作为原则来讨论他们的教学，是否有益呢？你愿意通过参与这些讨论，运用这些标准正式评价他们并提供辅导，帮助他们提高对教学的认识和课堂行为的认识吗？

表 10－1 INTASC 核心标准和预期行为

1. 教师领会他(她)所教授的主要概念、查询工具和科目的结构，并且能够得出对学生有意义的学习这些科目的经验。

1a 教师对学科的概念有效地使用多种表现手法和多种解释方法，捕捉到关键的意思并将这些概念与学生先前所理解的内容相联系。

1b 教师在讲授学科概念时能够描述并使用不同的观点、理论，学习方法和查询方法。

1c 教师能够评价教学资源和课程教材的全面性、准确性以及在表现特殊概念和意思时的有效性。

1d 按照调研方法以及在学科中使用的标准，教师让学生参与到产生知识和验证假设的工作中。

1e 教师发展并利用课程来鼓励学生从不同的角度去领悟、提问并说明想法。

1f 教师能够得出一些跨学科的学习经验，从而使学生可以从几个不同学科领域去整合知识、技能以及调查方法。

续　表

2. 教师了解孩子们是如何学习和发展的，并且能够提供学习机会去支持他们智力、社交和身体的发展。 **2a** 教师评价个体和群体的表现，设计教学方案来满足学生目前在每个领域（认知、社交、情感、道德和身体）的需要，并且引导下一步更高水平的发展。 **2b** 教师鼓励学生回忆先前的知识，把新概念和已熟悉的概念相联系；教师联系学生的经验，提供机会让学生积极致力于实践并验证一些概念和资料，鼓励学生承担完成学习任务的责任。 **2c** 教师制定教学方案的基础是对学生思想和经验进行评价，例如鼓励学生讨论、倾听和对群体的合作作出应答，并且在口头上和书面上得出学生的思维模式。
3. 教师知道学生学习方法的不同之处，并且创造一些教学机会以适应不同的学生。 **3a** 教师区分学生的不同发展状态、学习方式和需要，设计出相应的教学措施。 **3b** 教师所使用的教学方法对学习者的多种经验很敏感，也对不同的学习和行为模式敏感。 **3c** 教师为个别具有不同学习方式和特殊需求的同学制定某些规定（用术语说是指时间、工作、环境、指派任务、交流以及应答方式等）。 **3d** 教师能够确认什么时候、怎么样去获取一些适当的服务或资源，以满足特殊的学习需要。 **3e** 教师力求了解学生的家庭、文化背景和社交情况，并且利用这些信息作为基础，把教学与学生经验联系起来（例如，找到课程内容与社交事务之间准确而清晰的联系，布置的作业能够联系到学生的经验和文化背景）。 **3f** 教师把多种观点（或观察角度）引进到科目内容的讨论中，包括注意到学生的自身、家庭以及社交经验和文化水平。 **3g** 教师创造一个学习集体，尊重个体差异。
4. 教师领会并应用多样化的教学策略，鼓励学生发展批判性思维、解决问题的能力以及表现技巧。 **4a** 教师仔细周密地估计如何能达到教学目标，选择更适合的教学策略和教材来顺利完成不同的教学目的，并满足学生的需要（例如，发展状况、先前的知识、学习方式和兴趣）。 **4b** 教师使用多种教—学策略，让学生积极致力于各种学习机会中以促进批判性思维、解决问题的能力以及动手能力的发展，并且帮助学生设定辨别与使用学习资源的责任。 **4c** 教师不断对学生的反馈作出应答监控和调整策略。 **4d** 根据教学内容、目标及学生需求的不同，教师在教学过程中要变换他或她的角色（例如，教师、促进者、教练、听众）。 **4e** 教师用多样化方式或清晰、准确地提出和表达概念，使用更合适的解释帮助学生理解和提出不同的观点，鼓励学生的批判性思维。
5. 教师利用对个体、集体的学习动机及行为的理解，创造一种学习环境以鼓励正面的社会影响，积极致力于学习和自我实现。 **5a** 教师创造一个运转正常的学习集体，在这里学生对自己和他人承担责任，参与决策，与人合作或单独工作，并致力于目标明确的学习活动。 **5b** 教师引导学生投入个别和集体的学习活动中，帮助他们发展学习动机以达到目的。例如，通过把功课与学生的个人兴趣相联系，允许学生对学习有所选择，并且引导学生提出问题，探究对他们有意义的问题。 **5c** 教师组织、分配和安排时间、空间、活动资源，并注意在富有成效的任务中给学生提供积极和平等的安排。 **5d** 教师把大量的课堂时间尽量用于为达到预期目的的学习和交流过程中，以及利用教学目标的自然规则安排的行为中。

续 表

5e 教师针对学生的兴趣、学术讨论和个人、集体的责任感帮助集体发展共同的价值观和共同目标，从而创造一种公平开放、相互尊重、互相支持和研究型的班级氛围。

5f 教师分析课堂环境并作出一些决定和调整以培养社会关系，提高学生的学习动机和使命感，完成富有成效的工作。

5g 教师组织、准备和监督学生单独和集体的工作，以便他们每个人全部且以多样化的形式参与。

6. 教师有效利用言辞表达和非文字表达以及媒体交流技术来培养教室里的积极研究、团结协作和相互支持的氛围。

6a 教师示范在灌输概念和信息、在提出问题时，应用有效的交流策略（例如监测信息的效果，复述概念，以及总结相关性，利用视、听、感觉的线索，敏锐地感觉到所给予和收到的非文字性线索）。

6b 教师支持并发展学生在说、写和利用其他媒介表达方面的能力。

6c 教师知道针对特别的目的，以不同的方式提出问题并激发学生讨论，例如深入探究使学生明白，帮助学生清晰表达他们的想法和思维过程，激发冒险精神和解决问题的能力，根据实际经历进行回忆，鼓励集中和分散思维，激发好奇心，帮助学生提出问题。

6d 教师采用不同交流方式表明他在文化背景和性别差异的敏感性（例如适当应用目光接触，肢体语言的解释和文字表达，对不同交流和参与方式的认可和回应）。

6e 教师知道如何使用多媒体交流工具，包括视听教材和电脑，以丰富扩大学习机会。

7. 教师在了解教学材料、学生、社会以及课程目标的基础上制定教学计划。

7a 作为个体和团队的一个成员，教师在有效教学的基础上选择和创造一些与课程目标、与学生有关的学习经验（例如强调学生先前的知识，预知学生一些先入为主的观点，鼓励探索和解决问题，并在先前掌握的知识基础上发展新技能）。

7b 在计划创造学习机会时，教师认识到并致力于在学习方式和表现方式上的多样化。

7c 教师上课和所做的活动是在多种水平上展开，以满足不同学生发展和个别的需要，并且有利于每一个发展阶段。

7d 教师结合学生的需要和表现制定短期和长期计划，并调整计划以确保并有助于学生前进、激发学习动机。

7e 教师对一些无法预料的信息作出反应，制定有关短期和长期目标的计划，并且系统地调整计划以满足学生的需要并提高学习水平。

8. 教师懂得使用正式和非正式的评价策略，并确保学生的努力、社交能力和体质的不断发展。

8a 教师适当地应用多种正式或非正式的评价技术（例如观察，学生工作记录，教师编制的测试，任务、功课的完成，学生自评，学生间的评价，以及标准化测试）来提高他（她）对学生的了解，评价学生的进步和表现，调整教和学的策略。

8b 教师设法从学生父母、其他同学和学生自己那里获得并利用各种有关学生经验、学习行为、学生需要的信息。

8c 教师应用的评价策略涉及学生的自评活动，并帮助他们意识到他们的优点和需要，鼓励他们制定个人的学习目标。

8d 教师在评价课堂活动对个人和整个班级的影响时，通过观察课堂上相互影响、提问以及对学生工作的分析来收集信息。

8e 教师通过学生取得的进步来监控自己的教学策略和行为，并据此来调整教学计划和方法。

8f 教师保留学生工作和表现的有用记录，并在此基础上与学生、父母和其他同事谈起学生的进步时，可以头头是道并让人信服。

续 表

9. 教师是需要经常思考的工作者，不仅要不断评价他(她)选择的结果与其他人(学生、父母和其他在学习集体中的专业人士)的作用，还要积极寻求机会在专业上有所发展。 **9a** 教师利用课堂观察、相关学生的信息和一些研究作为原始资料，用以评价教和学的成果并以此作为基础对教学进行实验、思考和修改。 **9b** 作为一名教师和学习者，教师努力寻求专业书籍、同事以及其他资源来支持自身的发展。 **9c** 教师在学校和其他专业领域借助于专业人士的经验来支持自己思考问题、解决问题并支持自己的一些新的想法，积极地分享经验并寻求和给予反馈。
10. 教师与学校同事、学生父母和较大的社会机构发展关系，以支持学生的学习和健康。 **10a** 教师参与各种院校活动，这些活动给学校营造一种富有成效的学习氛围。 **10b** 教师为了学生的利益，通过与学生父母、监护人和学校里其他教师以及其他社会机构的专家磋商，与学生接触到的环境相联系。 **10c** 教师能辨识并利用社会资源来促进学生学习。 **10d** 教师和不同家庭、不同社会阶层的家长、监护人建立相互尊重和富有成效的关系，以此寻求在支持学生学习和健康方面的合作伙伴关系。 **10e** 师生间的交谈倾听是一种寻找烦恼缘由、调查及寻求需要的方法，它很灵敏并易控制，且对处理问题也适宜。 **10f** 教师是学生的拥护者。

来源：Interstate New Teacher Assessment and Support Consortium, *Model Standards for Beginning Teacher Licensing and Development: A Resource for State Dialogue*, Washington, DC: Council of Chief State School Officers, 1992. The full complement of standards that include principles, knowledge expectations, and dispositions as well as performance expetations for each standard are available from: http: //www. ccsso. org/intascst. html

由于 INTASC 的核心标准对新教师来说代表着最基本的预期行为，所以在受聘过程中应该严格遵守标准。这或许也对学校有益，即要求那些已经通过面试的候选人讨论这些标准和对他们贯彻标准所作的准备，以及候选人感觉不适合的方面，讨论对不同专业发展的看法，这在他们重要的第一年里是非常有帮助的。这些标准对新教师发展谈判技巧也很有益。进一步说，由于综合大学师范专业日益要求他们的学生达到与 INTASC 的标准相关的行为职责，要求候选人把这些职责带入面试中，这不仅对我们有意义，对那些雇用建筑师、服装设计师、记者、播音员以及其他一些与表演艺术家相似的公司也同样有很大影响。

提高教师专业执教水平的框架

在 20 世纪 80 年代，教育考试服务机构(ETS)开始制定一个框架，它可以用在州或地方学校办理教师执照和雇用新教师中。因而产生了 PRAXIS 系列，它包括 PRAXIS Ⅰ：计算机基础学术技能评定，PRAXIS Ⅱ：大专院校教师技能评定，以及 PRAXIS Ⅲ：课堂讲课水平评定。PRAXIS Ⅲ 意在评定教师资格候选人实际教学技能和课堂讲课水平。当数百个评价员准备用 PRAXIS Ⅲ 对新教师进行评价时，夏洛特·

丹尼尔森(Charlotte Danielson)认识到它有可能成为所有教师在其整个职业生涯中的一种强有力的发展专业的工具。用她的话说是：

> 我亲眼目睹了参加者(受训的 PRAXIS Ⅲ评价员)的交谈。很明显在他们每日的生活中,教育者几乎没有(或不能创造)机会去讨论什么是好的教学。当评价员在培训期间观看教学录像带或阅读剧本时,他们很自然地决定他们所看到的代表不同的标准是如何被应用在不同的教学背景中。例如,他们注意到一个幼儿园的教师帮助学生扩展思维的方式与那些化学教师的做法明显不同。但是两个教师都在开发学生的思维,因此这两种方式是一种特殊标准在不同教学背景中应用的例子。[1]

丹尼尔森继续说：

> 由于 PRAXIS Ⅲ对评价员自己的教学影响,他们中的许多人报道了培训经历……给他们提供了与同事们在私下和研讨会上探讨教学的机会。这样的机会在学校实际上是很少的。某位评价员的陈述中表达了许多人的想法:"通过参加 PRAXIS Ⅲ培训,我更多地关注自己的教学。我开始深思教学并且更加关注教学方式以便顺利完成教学目标。"[2]

丹尼尔森从这一经历中得出一个结论,与 PRAXIS Ⅲ或其他教学框架相关联的建设性谈话能够成为丰富教师职业生涯的有力手段。从这项经验中丹尼尔森发展了她的教学框架——一项不仅针对新教师而且对于有经验的教师同样有效的框架。

教学框架涉及 22 项专业实践内容,分成四块:授课计划和备课、课堂环境、指导以及专业职责。专业实践的内容概括在表 10-2 中。

丹尼尔森的工作支持了我们对模板和框架之间作出的差别。模板对督导来说应用起来更容易,因为它们提供了惟一的一套教学行为方式,这些行为能够在一堂课上被检查,有时可根据表现进行程度分级。在模板教学中,当制定更多的检查条例并示范获得检查项目较高分的方法后,教学效率会提高。这里没有讨论某一特殊条例是否切题,没有争议某特殊条例在假设特定场合是否有意义,对于不同专业、课程和不同学生那些条例是否适合,条例就是这样！有不同的情况并不重要。教师的不同意图、学生的不同需求和兴趣都不重要。许多督导者喜欢模板,因为模板使他们工作更轻松,但是多数人都知道用教学模板来管理时,教师可能不会继续学习并提高他们的教学实践。

---

〔1〕 Charlotte Danielson, *Enhancing Professional Practice: A Framework for Teaching*, Alexandria, VA: ASCD, 1996, p. ix.
〔2〕 Ibid, p. ix.

表 10-2 专业教学的内容

第一部分：授课计划和备课	**第二部分：课堂环境**
1a. 表现课程内容和教育学知识 课程内容知识 必要的相关知识 与教育学有关的知识	**2a.** 创造一种尊重和融洽和谐的氛围 教师与学生相互影响 学生之间相互影响
1b. 对有关学生情况的了解 年龄组特征的知识 对学生的多种学习方法的了解 对学生技能和知识的了解 对学生的兴趣和文化习俗的了解	**2b.** 建立一种学习的文化氛围 讲授内容的重要性 学生认真做好工作 学习和成绩的预期
1c. 选择教学目标 价值 清晰 适合不同的学生 平衡	**2c.** 安排课堂程序 教学分组的安排 过渡部分的安排 材料和补充读物的安排 非教学任务的安排 自愿者和专家助手的督导
1d. 表明对教学资源的了解 教学资源 学生资源	**2d.** 学生行为的安排 预期 学生行为的监控 对学生品德不端的反应
1e. 设计前后一致有条理的教学 学习活动 教学材料和资源 教学分组 课文和单元结构	**2e.** 组织物质空间 物品的安全及其摆放 能够学习并使用物质资源
1f. 评价学生的学习 与教学目标的适应性 原则和标准 授课计划的使用	
第三部分：教学	**第四部分：教师职责**
3a. 清晰并准确地交流 说明和程序 口头和书面语言	**4a.** 教师的思考 准确性 在将来教学中使用
3b. 使用提问和讨论技巧 提问的质量 讨论的技巧 学生的参与	**4b.** 保留准确的记录 学生完成作业 学生在学习中进步 非教学性记录
3c. 让学生专心学习 内容的表现 活动和作业 教学材料和资源 结构和进度	**4c.** 与学生家庭交流 有关教学程序的信息 个别学生的信息 教学程序中与家庭的约定
3d. 给学生提供反馈 质量：准确，实在，有建设性，具体并及时	**4d.** 对学校和教学区的贡献 与同事的关系 为学校的服务 学校项目的参与
3e. 表现灵活性和易控制性 课程的调整 对学生的应答 坚持不懈	**4e.** 显示职业特性 给学生服务 拥护 作出决定

来源：Charlotte Danielson, *Enhancing Professional Practice: A Framework for Teaching*, Alexandria, VA: ASCD, 1996, p. 3-4, © Charlotte Danielson, all rights reserved.

框架则相反，它要每个人做许多工作。教师和督导需要一起讨论，要问：教师的意图是什么？在努力尝试明白这些意图中决定评价哪几项最重要？评价工作也扩大到对意图的认识达到了什么程度？如果学生是惟一的影响因素，那么哪些标准最重要？如果课程内容是惟一的影响因素，那么应强调哪些标准并怎么强调呢？在进一步仔细考虑之前，需要知道如何调整或整理指导使其适应于各种不同情形。从某种意义上说，框架的指导（或者如丹尼尔森称它们为零部件）描述了许多元素，教师可以选择使用不同的方式来让他们的学生产生不同的但同样有效的教学经验。一些因素可以在某一场合显得更重要。

> 专业化实践的框架……提供了一个结构，在这里每位教育者可以找到自己行为的落足点。其构成的假设基础是，即使优秀的教师可以完成许多同样的事，但他们并不使用同一方式。因此，列出一些具体行为清单是不合适的。当然，需要认识到掩藏于行为之后的一系列共同特性，认识到随着情形的变化，具体行为也会有所不同，这主要依赖于教学背景和个体的不同。[1]

丹尼尔森指出她所倡导的教学框架并不是赞同某一特殊的教学风格或教学方法，其中不同构成可以在不同的课堂上以不同方式得到强调。大学课堂与基础课堂相比，介绍动植物的课堂与学习探险的课堂相比较，框架不是一纸空文，它迫使教师去思考各种可能性，去与他们的督导人员讨论在某些特殊情况下怎么做才有意义，在实际中不同的部分随着情况不同考虑不同对策，正如丹尼尔森所说的：

> 教学框架的建立是基于这种信念……选择何种教学方法绝对是由教师自己决定的，这种决定是专业技能的关键。然而，不是所有的选择都是有效的、合适的。教学策略和学习活动的决定涉及到选择的方法要与一堂课或一个单元预期目标相匹配（例如，学生应该学到什么），不仅要重视教学目标，而且所选择的方法和材料也应该与那些目标相适应，还要帮助学生达到目标。
>
> 这就要求教师有一个策略目录，从中你可以对给定的目标选择一种适合的方法。没有哪一种单一的方法在每一种情况下都有效，没有哪一种单一的方法对每套教学目标或对所有个体或学生小组都有效。这些选择和决定代表了职业技能的核心。[2]

---

〔1〕 Ibid, p. 17.
〔2〕 Ibid, p. 17 - 18.

丹尼尔森的框架呈现在附录10-1中。只有第一和第三部分即授课计划、备课和教学,以例子的形式包含在其中。第二和第四部分即课堂环境和专业职责被忽略了。[1] 框架包括的每一个项目是由四种行为水平组成的:不满意,基本满意,熟练,以及优秀。许多人偏爱用一个简单的数字(例如1-4)去区别四种不同水平的行为。

使用框架

想想你最近教过的一堂课,可能就是今天的一堂课。当你回顾丹尼尔森的框架时,你认为哪一部分在分析你的授课时最重要,是你指定的目的、你想覆盖的主题范围,还是讲课的风格呢?使用提供的标题,根据这些指导语你将为自己打多少分?是否有些方面会被定为基本满意或不满意?你觉得哪两三处做得最好?用星号标记它们,使其一目了然。在这几个方面有哪些是特别的?你的自评结果和督导人员的评价定级是否一致?这些都是很困难的问题。把问题变得如此困难的原因是,要求你进行自我评定并且独自对这些评定作出反应,你无法从与其他教师或督导人员的讨论中获益。

假如可以先与一位你信任的同事讨论一下:描述一下上课的目的,选择教学策略的原因,以及这堂课怎么样正好放入到你正试图完成的更大的教学规划中。描述学生对这堂课的主题思想的反应如何。谈论自己优缺点的同时,你对教学内容增加了了解并找到了引人入胜的讲授方式。你谈论了多种可使学生获益的教学方式以及他们是如何获益的,你的同事也共享了他(她)的经验,并且从中收益很大。你将框架中各项标准和指示语总体回顾一下,选择少量并关注你认为最重要的指示语,然后应用所给的标题和指示语给自己选择的部分打分,向你的同事说出你评分的原因。如果你不喜欢用语言文字给标题归类,改用其他标记方法或使用从1到4这样的数字。同事要求你举出上课的例子。随着讨论的继续,你对自己的课有了更清晰的认识,更了解自己教学的优缺点,并且知道可以做些什么去改善教学。如果你近期准备听同事的课,这种学习可能对你很有帮助。

让我们试着用框架分析其他两位教师的教学。这里有两位教师的教学副本。[2] 我们先看琼·麦克斯韦(Joan Maxwell)给一年级学生上的一堂关于四季的课。回顾一下教学副本,你认为琼有哪些优缺点并列出一张清单。在分析的基础上你认为可以应用哪些策略帮助琼更好地理解授课并加以改进。现在就试着用教学框架来做同样的事。阅读教学副本后,应用第一和第三部分中相关指导语来讨论琼的教学。如何应

---

〔1〕 See Danielson, op. cit., for the complete framework.

〔2〕 The transcripts are from Thomas L. Good and Jere E. Brophy, *Looking in Classrooms*, New York: Harper and Row, 1987. Excerpts from p. 590, 592, 596, 597 and 598 from *In Classrooms*, 4th ed, by Thomas L. Good and Jere E. Brophy. Copyright © 1987 by Harper Collins Publishers Inc. Reprinted by permission of Addison Wesley Educational Publishers, Inc.

用框架来帮助你考虑和理解这种教学呢？现在鉴定一下琼的表现在相关部分的等级，结果是否暴露出一些问题？经过分析，你认为可以使用什么策略来帮助这位教师更好地理解她的授课并加以改进？这些策略与那些没有得到框架帮助而想到的策略有何区别？假如让你负责对琼·麦克斯韦的教学评价进行总结，还需要收集哪些信息支持你的评定？你还需要琼向你提供什么其他信息？

琼·麦克斯韦在一所小的乡村社区学校担任一年级教学工作已经7年了，她的学生是中下阶层的农场和牧区工人的子女。琼和她丈夫都获得了一所综合大学的学位，现在在这个地区经营着赚钱的生意。今天琼正好上一堂自然科学课，现在是深秋季节，她已要求孩子们带一些树叶到学校，以便观察树叶的颜色随季节变化的情况。此前的课已经讨论过季节的变化和不同季节天气发生的改变。

教师：孩子们，让我们先复习一下。上星期当我们在写出有关不同季节的故事时，我们讨论过什么？

莎丽：(喊了出来)我们一定得这么做吗？我们为什么不能做些有趣的事来代替这些我们不喜欢的事？

教师：我们不能总是做我们喜欢的事。卡罗尔，你记得一年中有几个季节？

卡罗尔：三个。

教师：不，我们写出了更多的故事，不止三个——考虑一分钟。

卡罗尔：四个。

教师：好，现在你能叫出它们的名字吗？

卡罗尔：秋天、冬天、夏天……

教师：你没有写四个故事吗？

卡罗尔：我记不得了。

教师：(加重语气，并带有一些急躁)你只好回去再写一遍。谁知道第四个季节，在我的鲜红色特别小组中有谁能回答？约翰，你回答。

约翰：秋天、冬天、春天和夏天。

教师：记得好！有时如果我们想想每个季节中的重要假期，对我们记住季节很有帮助。提姆，什么季节会迎来圣诞？

提姆：(没有回答)

教师：你没在听，我希望你把那些叶子放进你的课桌，还不到碰它们的时候。科里，圣诞节什么时候来？

科里：在冬天。

教师：你怎么知道是冬天，迈克？

迈克：因为有雪、冰和雨。

教师：现在下雪吗？

迈克：没有。

教师：那么你怎么知道现在是冬天呢？

迈克：（没有回答）

玛丽：（喊出来）在我过去住的地方圣诞节下雪。

教师：玛丽，如果你想说什么，请举手好吗？（她举了手）刚才你说过什么？

玛丽：我过去居住的地方会下雪，但不是现在。

教师：对！有些地方会下雪而其他地方不会。克拉伦斯，为什么这里不下雪？

克拉伦斯：因为天太热了！

教师：这里并不热！我已经说过数次了。（转向提姆）我刚才已经让你把这些拿开，你的手好像不能一直放在桌面上，因此我将把这些叶子拿走，当我们做下面功课时，你只好坐着看了！其他人别学他。现在让我们进一步说说秋天以及秋天的故事。对于秋季，另有一个词是什么？林恩？

林恩：我想不起来了。

教师：我将把它写在黑板上，看看鲍勃是否能够拼出来。

鲍勃：（没有回答）

教师：这是一个词，鲍勃，我会帮助你。

朱蒂：（喊出来）秋天！

教师：（转向朱蒂）你叫鲍勃吗？

朱蒂：不。

教师：那么还没轮到你。现在，鲍勃，说出这个词。（他说了）我认为这是一个好词，在你们的字典里记下来，把字典拿出来，让我们现在就做。

简：我没有铅笔。

教师：你应该事先准备好，借一枝或等到课间休息再写下来。让我们看看春天和秋天的树叶图片。玛丽，你能告诉我这两张图片有哪一点不同？

玛丽：叶子颜色不同。

教师：好，告诉我有哪些颜色。

玛丽：在春天，它们是明亮的绿色。

教师：对，乔，另外一个呢？

乔：它们是棕色、橘黄色和紫色。

教师：我没有看到一点紫色——你已经把颜色混淆起来了。托尼呢？

托尼：它更像红色。

教师：是的，史蒂文，我们已经完成了在我们字典中记词，你可以和简一起在课间完成。我们班上某些同学写字很慢，现在拿出你们的叶子。马克，树叶在你手中感觉怎么样？

马克：它摸上去又干又粗糙，像干面包。（全班笑起来）

教师：别傻了！它怎么会那么干呢？玛里琳？

玛里琳：它脱离了树。

教师：是的，树叶需要树才能维持生命，对吗，戴夫？

戴夫：你能把它放在水里，它能存活。

教师：但不会很久。玛撒，关于这些叶子你还能告诉我什么呢？

玛撒：我没有了。

教师：我不知道对于不能记起他们作业的孩子该怎么办，如果你不仔细考虑这些事，你将永远不会成为好学生。迈克，你从树叶中看到什么？

迈克：许多线穿过。

教师：我们称那些线为叶脉。所有树叶是否同样形状？

迈克：不，我的树叶来自梧桐树，它是边缘柔和不锋利的那种。

教师：很好，我想你能记下这有趣的事。秋天有两个假日，谁能叫出一个？特丽？

特丽：万圣节。

教师：那是一个。杰夫，你知道另一个吗？

杰夫：（没有回答）

教师：它在 11 月而且我们学校也放假。

杰夫：复活节。

教师：不，那在春天，我们在那天的晚餐是火鸡。

同学们（合）：感恩节。

教师：现在，你记住了吗，杰夫？我希望你写下有关感恩节的故事，那样你再不会忘记它了。现在我们准备在黑板上写一些词，我们可以把它们用在故事和图画中。（教师注意到萨丽、吉姆和里克在交换他们的本子，但是她没有理会他们的错误行为。）

教师：埃德，你到这里来，萨利，来这，帮我把词抄在黑板上。埃德，你抄这四个词（递给他一个单子）萨利，你抄这四个。（递给她第二个单子）

教师：你们这些调皮鬼在那角落里做什么？莎丽，里克，吉姆，特丽，凯姆停止用书打闹。（班上所有同学转头看他们）

里克：麦克斯韦老师，这全是凯姆的错。

凯姆：不是，我没有做什么。莎丽、里克和凯姆一直在胡闹，但是我在努力听课。

教师：你们全部安静，等到课间休息，我们再讨论。

教师：好了，埃德，把你的词写上去。

凯姆：不是我！

教师：是你们全部。

凯姆：（对朋友嘟囔）不公平。

教师：凯姆，你在说什么？

凯姆：没有。

教师:就是那回事。

教师:好了,写下你的词。

埃德:我弄丢了单子……(同学们哄堂大笑)[1]

下面是琳达·劳(Linda Law)给一群聪明的九年级学生上一堂社会科学课的教学记录。你会如何评价这段教学情境?琳达有什么优点和缺点呢?在她的教学中暴露了哪些问题?当你打算与琳达交谈时,你将强调框架中哪些指示语?框架如何帮你为琳达提供更多的帮助?

琳达·劳已在桑顿初级中学工作两年。桑顿学校的学生来自中上等社会阶层的家庭,琳达是给九年级中最聪明的学生讲授社会学。今天为了讨论居住在菲律宾热带雨林的塔萨戴(Tasaday)部落,她没有按正常的教学计划讲课。

教师:同学们,昨天我说过我们将稍微推迟一下原定教学计划,以便于讨论塔萨戴部落。两三天前我们提到塔萨戴部落并把它作为与世隔绝的人群的例子。你们中大多数人从未听说过塔萨戴部落,但是很渴望多了解这方面信息,因此昨天我给你们发了几份打印材料和复习思考题。我很有兴趣与你们讨论这个问题,讨论你们想要提出的问题。这太令人吃惊了!想想,当今世界上的石器时代部落。有机会了解人们过去的生活是多么令人激动啊!琼,我想就从你开始,给同学们谈谈,你认为在这个已揭露的事实中什么是最吸引你的?

琼:(有点害羞,声音发颤)哦,他们从不与其他部落或在部落内部发动过战争。而在我们这些现代人,却不停地打仗并且经常是为了一些愚蠢的原因。

西德:(插嘴)是的,我同意琼,那非同寻常。你们知道,我们已经讨论过人类对自然界的侵袭,那里可能并不是这样。

萨利:(喊出来)你知道,西德,那是个非常有意思的地方。

教师:为什么那里非常有意思呢,萨利?

萨利:(看着地面保持沉默)

教师:你为什么认为这些人不会打仗,萨利?

萨利:(保持沉默)

教师:萨利,他们有打仗的理由吗?

萨利:不,我猜没有。你知道,他们的全部需要,食物和衣服,在森林中都能找到并且他们能自己制造工具。

教师:是的,萨利,我认为物质是战争的主要理由。同学们,关于这点还有人要补充吗?(她点了罗恩,罗恩举了手)

罗恩:你知道,我认为造成差异的主要原因是,哦,我爸爸说如果这些塔萨戴部落

---

[1] Ibid, p. 596 - 598.

知道有金钱的话，贪婪、堕落以及战争，所有一切会迅速产生。

教师：罗恩，你能更详细地解释一下为什么在这里金钱会导致生活的变质？

罗恩：（很积极热心）哦，现在不存在直接的竞争者。仅仅是人类在违抗自然并且一个人的行为对别人不会造成什么损失。

托尼：（喊出来）不对，如果食物和其他物品供应不足呢？

教师：托尼，那个想法很好，但是请先听罗恩说完。罗恩，继续。

罗恩：喔，钱可以导致特殊化，一些人将会建小茅屋而其他人仍将以打猎为生并用猎物来换钱，最终他们会想要更多的钱去换更多的东西，竞争的双方将会发生攻击性行为。

教师：谢谢，罗恩，这是个非常有趣的回答。现在。托尼，你还想补充什么别的吗？

托尼：不，只是不太赞同罗恩的大量推想。你知道，塔萨戴部落或许已经存在专业劳动力了，我在文章里并没有看到这点。

教师：这个想法很好，托尼。同学们，我们怎样可以发现塔萨戴部落是否存在专业劳动力呢？

玛丽：（老师让她回答）哦，我们可以给福克斯博士写信，他是国家博物馆的最有权威的人类学家。问问他。

教师：好极了，玛丽，就由你今晚写一封信，明天读给同学们听，然后我们把信寄走。

玛丽：好的。（老师注意到比尔和桑德拉在教室后面角落里说悄悄话，她一边问下一个问题，一边走到过道中间。他们停止说话。）

教师：既然他们被发现了，那他们面临的危险是什么呢？

汤姆：（喊出来）我认为他们所面临的最大问题是来自砍伐者的威胁，他们正在毁灭森林，稀少的原始部落已被驱逐到更远的森林。

教师：汤姆，为什么这是一个问题呢？

汤姆：哦，他们可以毁掉部落。你知道，这些极少的原始部落可以攻打或奴隶塔萨戴部落。

教师：好的，汤姆，让我们看看有无其他观点。萨姆，你对汤姆的回答怎么看？

萨姆：哦，我承认那些野人和砍伐者是威胁，但我个人认为塔萨戴人的真正的威胁是疾病。记得，我想是在复活岛上，野人是如何被疾病所消灭的，他们对疾病没有免疫力。我想他们可能在传染病流行期间被消灭。

教师：哪种传染病，萨姆？

萨姆：哦，可以是任何一种，结核等，你知道，任何一种。

教师：同学们，你们怎么想？假如爆发某种传染病，塔萨戴人最可能被传染上哪种疾病呢？

同学们：（没有回答）

教师：好的，同学们，让我们在笔记本上记下这个问题，明天找到答案。我也被难住了，因此今晚我也将它看成家庭作业并寻找答案。我们还有十几分钟时间继续讨论，然后去吃中饭。我真希望我们有更多的时间来讨论这个问题，明天可能有更多的时间。最后十分钟，我愿意来讨论你们的问题，有什么呢？把它们大声说出来，我写在黑板上。

阿琳：我很奇怪，这些人中最老的是四十多岁，而他们的平均身高只有5英尺，看上去像他们这种过着活跃的户外生活的人应该健康和高大，他们的饮食有什么问题吗？

玛丽·詹姆：我对他们的许多迷信行为很感兴趣，例如，为什么他们觉得使牙齿洁白就像一只动物呢？[1]

完善的教学

对于任何职业，需要提出尚未达到的实际目标才能获悉还存在哪些知识欠缺，并对此有侧重。教学中，在提高一些仅能勉强教学的教师能力，以及在某种意义上是着眼于发展和提高教师能力的发言会上，人们经常地把督导和评价更多看成是纠正缺点的有效方法。督导和评价差不多也算优秀吧。什么是最好的行为？它是如何定义的？在实际中看来像什么呢？怎么与人分享最佳活动呢？我们如何通过制定最好的行为表现来提高上限标准？这里提出的各种问题早在1987年国家职业教学标准委员会最初形成时就已经被考虑到了。

职业教学标准委员会提出了一个可供发展和评价的程序，这最终形成了委员会资格证明书，委员会资格认定的教师是在最好的教师中考虑的，这种程序用于验证一个教师的行为是否达到国家标准。教师要完成一项对他们知识和技能的证明才能获得国家教委资格认证。他们读书时便发展了一种职责能力，包括了解学生学习方式，录像带教学，以及在帮助学生学习时对其进步和问题进行反复思考后的评注。所有这些都发生在教室当中，并且把注意力集中于好的教学和学生的学习上，候选教师再次对照已建立的评价标准，进入长期书面评价训练。[2]委员会资格认定的程序和内容在不同层次（小学、中学和高中）和具体科目中是不同的，但是都有一个共同的观点，即什么是技艺娴熟的教学以及熟练的教师该如何处理他们的工作。这种观点反映在五项提议及其指导中，概括在表10－3中。

表10－3：国家职业教学标准委员会制定的完善教学的五项建议和相应指导

1. 训练有素的教师对学生及其学习是尽忠尽职的，
他们应该能证明自己：
- 让所有学生获得知识
- 教学采用的方式反映出他相信所有学生都能学到知识
- 承认学生中存在差异并对此加以考虑

---

〔1〕 Ibid, p. 590－592.

〔2〕 "Investing in the Future What Policymakers Can Do," National Board for Professional Teaching Standards. Southfield, MI, undated.

续　表

- 关注学生的兴趣、能力、技能、家庭环境以及同学关系等
- 知道学生是怎样发展和学习的
- 在教学中意识到并使用认知力和智力方面被广泛接受的理论
- 认识到环境和文化背景对行为的影响
- 发展学生的学习能力并重视学习
- 培养学生的自尊、学习动机、品德和公民责任感
- 逐步灌输尊重个体、文化、宗教以及种族差异的观念

2. 训练有素的教师熟悉课程并知道如何传授给学生，
他们应该能证明自己：

- 对他们所教的科目有丰富的知识，包括学科的起源、组织架构以及和其他学科的联系
- 能够把理论应用于实际中
- 利用知识，发展学生批判和分析的能力
- 了解学生带入学习中的先入为主的观点和知识背景
- 知道哪里可能会出现困难并对教学作出相应的调整
- 为学生创造多种学习途径
- 帮助学生学会提问和解决自身的问题

3. 训练有素的教师能负责组织安排和监督学生学习，
他们应该能证明自己：

- 创造、丰富、保持和改变教学方式，引起并维持学生的兴趣
- 能够明智、有效地利用时间
- 善于让学生和家长协助自己的教学，并且把同事的知识和专业特长与自己的相结合
- 掌握一系列教学技巧，知道每一种的适用场合并且能够适时实施
- 了解一些无效的或在其他方面的有危险的惯例并避免使用
- 能够让各组学生致力于营造一个秩序井然的学习环境
- 能够组织教—学工作，完成学校为学生制定的教学目标
- 针对学生之间及师生之间的社交活动的行为准则，知道如何发展和制定
- 知道如何激发学生的学习动机并能长时间地保持他们的学习兴趣
- 评价个别学生以及整个班级的进步
- 采用多种方法评价学生成长
- 能够向学生家长清楚地说明学生的表现

4. 训练有素的教师，会系统地考虑他们的教学实践并总结经验，
他们能证明自己：

- 是受教育者的榜样，以他们所追求的美德为典范去唤起学生的好奇心、宽容、诚实、公正，尊重不同的观点，欣赏不同的文化
- 具有智力发展的必备条件，包括思维能力，理解多种见解的能力，具有创造性，富于冒险精神，勇于实践，并以解决问题为定位
- 凭借有关人类发展、专业和教育学的知识以及对学生的理解，对正确实践作出准确的判断
- 借助于熟悉的文献资料，凭借教师的经验以及同事的经验进行有效教学
- 致力于终身学习并鼓励学生终身学习
- 批判性地检查自身的实践，追求深化知识，敏锐地判断并改进教学实践

续 表

5. 训练有素的教师是知识团体的成员， 他们能够证明自己： ● 与其他专家一起研究制定有助于教学有效性的教一学政策、课程发展策略以及全体职员的发展等。 ● 能够根据国家和当地的标准，评价学校的进步并合理分配资源 ● 十分了解能给学生带来好处的资源，并能熟练地应用那些资源 ● 能找到与学生父母合作的、富有创造性的工作方法，使自己在学校的工作中富有成效

来源：Summarized from"What Teachers Should Know and Be Able to Do," *National Board for Professional Teaching Standards*, www. nbpts. org/nbpts/standards/5-props. html. To order a complete set of the standards phone 1 - 800 - 228 - 3224 or contact the board at 26555 Evergreen Road Suite 400, Southfield, MI 48076.

努力争取委员会资格认证，对提高学校所有教师的教学质量是一种非常有效的策略。在很大程度上取决于学校是否能够提供财政方面的鼓励，并且可能的话给那些成功完成各项程序并获得认证的教师增加薪水。学校得利于认证过程本身和具有特殊资历的教师，他们有助于指导其他教师并开展一些促进专业发展的活动。认证过程本身为教师队伍提供了共同工作的机会。教师一起讨论和理解委员会的标准，在准备评价过程所需的各种文件资料中彼此帮助，通过提高自己的学识水平促使教一学成为工作的中心，进而也提高了校长或者其他被任命督导教师的能力。所有这些，多数取决于一个学校是否把这个过程看成是改进学生学习的明智、合理的投资。

附录 10 - 1：教学框架

第一部分和第三部分

要 素	不 满 意	基 本 满 意	熟 练	优 秀
第一部分：授课计划与备课				
组成部分 1a. 展示内容知识和教育学知识				
专业内容	教师对知识理解有误或不能纠正学生的错误。	教师展示了基本的专业知识，但不能清晰表达与学科其他部分或与其他学科间的知识联系。	教师展示出坚实的专业功底，并且注意与其他部分知识及其他学科知识的联系。	教师显示出了广博的专业知识，表现出对这些知识的不断追求。

续　表

要　素	不满意	基本满意	熟　练	优　秀
必备的相关知识	教师不理解必备的相关知识及其对学生学习专业知识的重要性。	教师知道一些必备的相关知识，尽管这些知识可能不完全或不正确。	题目和概念反映出教师的计划和实践对必备相关知识的理解。	当教师说起教学或寻找学生误解的原因时，能积极地建构于相关知识基础上。
专业相关的教育学知识	教师几乎不具备涉及学生学习的教育学知识。	基本了解教学法知识，但不能预料学生的错误想法而采取措施。	教育学的实践反映了对本学科内最佳教学方法的最新研究，但是不能预见学生的错误想法而采取措施。	不断研究最佳教学方法，能预见学生的错误想法并采取相应的指导措施。
组成部分 1b. 对学生的了解				
对各年龄组特征的了解	对年龄组发展特征了解极少。	大致了解年龄组的发展特征。	十分了解年龄组发展的典型特征及某些特殊特征。	了解年龄组发展的典型特征、特殊特征并扩展到每个学生发展所遵从的模式。
对学生各种学习方法的了解	不熟悉学生表现出的不同学习方法，如学习风格、学习形式和不同的“才智”。	大致了解学生显示出的不同学习方法。	十分了解不同学生表现出的不同学习方法。	教师在制定教学计划时利用了对学生多种学习方法的了解，采用适宜的教学方法。
对学生技能和知识的了解	不了解学生的技能和知识，并且没有体现出此类知识的价值。	认识并了解学生技能和知识的价值，但只处在整体班级层次上。	了解不同组的学生技能和知识，并认识到这种知识的价值。	了解每个学生的技能和知识，包括那些有特殊需要的学生。
对学生兴趣和文化习俗的了解	不了解学生的兴趣或文化习俗，并且没有体现出此类知识的价值。	意识到了解学生兴趣或文化习俗的价值，但只表现在对整个班级的了解。	了解不同组的学生的兴趣和文化习俗，并认识到这种知识的价值。	了解每个学生的兴趣或文化习俗。
组成部分 1c. 选择教学目标				
价值	目标没有价值，对学生的期望值很低或对学生没有根本的概念，目标没有反映出学习的重要性。	无论对学生的期望值或是对学生的概念的了解上，目标都有适度的价值，并对学习的重要性也有反映。	无论在对学生的期望值，对学生概念的理解以及学习的重要性等方面，目标都有价值。	目标有价值，而且教师能清晰解释如何建立高标准的期望值及目标怎么与课程结构的标准相联系。

续 表

要 素	不 满 意	基本满意	熟 练	优 秀
清楚	目标既不清楚也没有对学生的活动进行规定,目标阻碍了可行的评价方法。	目标仅仅是尚清楚,或尚能与学生行为相结合,某些目标不能采用可行的评价方法。	大多数目标是清楚的,也结合了一些学生行为,多数目标可采用切实可行的评价方法。	所有目标都很清楚,按学生学习的形式写下来,可行的评价方法可以顺利实施。
对不同学生的适用性	目标不适合全班同学。	大部分目标适合班里大部分学生。	所有目标适合于班里大多数学生。	目标考虑到了学生个体或群体的不同学习需要。
平衡性	目标仅仅反映了一种学习类型,一个学科或一条线索。	目标反映了几种学习类型,但是没有努力进行协调或整合。	目标反映了几种不同的学习类型,并且努力进行整合。	目标在确立学习的重要性中反映了学生的主动性。
组成部分 1d. 资源方面的知识				
教学资源	教师不知道整个学校或学区可应用的教学资源。	教师表现出对学校或学区的可利用资源的了解有限。	完全了解整个学校或学区的可利用资源。	除了知道学校和学区的资源外,教师还积极寻求其他资源来提高教学质量,例如,从一些专业机构或社区中去寻找。
给学生的资源	教师没有意识到可利用一些资源来帮助需要它的学生。	教师表现出对整个学校或学区可利用资源的了解有限。	教师完全了解整个学校或学区的可利用资源,并知道怎么创造机会让学生利用。	除了知道学校和校区内的资源外,教师还知道来自于社会的其他资源。
组成部分 1e. 设计有条理的教学				
学习活动	学习活动不适合学生或教学目标。没有按照有组织的进程,没有反映最近的专业研究动向。	仅有一些学习活动适合学生或教学目标。单元活动的进程不一致,只有某些活动反映了最近的专业研究动向。	大多数学习活动是适合于学生和教学目标的。单元活动的进程相当一致,且大部分活动反映了近期的专业研究动向。	学习活动紧密联系了学生和学习目标,学习进程有条理、前后一致,形成整体性,反映了最新的专业研究动向。

续 表

要 素	不 满 意	基本满意	熟 练	优 秀
教学材料和资源	教学材料和资源不支持教学目标或没有使学生致力于有意义的学习。	某些教学材料和资源支持了教学目标，并且其中一部分可以让学生致力于有意义的学习。	所有的材料和资源都支持教学目标，并且大部分能让学生致力于有意义的学习。	所有的材料和资源都支持教学目标，且多数能让学生致力于有意义的学习。有证据显示学生参与了选择和适应资料的过程。
教学分组	分组教学不支持教学目标，并且没有提供多样性。	分组教学与教学目标有矛盾，不一致，并且极少提供多样性。	分组教学具有多样性，与不同教学目标相适应。	分组教学的多样性与不同教学目标相适应；学生有选择不同形式教学目标的机会。
课程和单元结构	课程和单元的结构没有给出清楚的界定，或者结构是混乱的，时间分配也不实际。	课程或单元有一个可识别的结构，但是这个结构并没有始终保持一致；大部分时间安排是合理的。	有一个清楚的、既定的结构，并且教学活动是围绕其展开的，时间安排是合理的。	课程或单元结构是清楚的，并且根据学生的需要而采用不同的方法。
组成部分 1f. 评价学生的学习				
与教学目标的同一性	评价的内容和方法与教学目标缺乏同一性。	对一些教学目标可用预先提出的方法进行评价，但是许多行不通。	所有教学目标名义上能用所提议的方法进行评价，但是评价只适合其中某些目标而不是全部。	无论在内容和过程上，所提议的评价方法完全与教学目标一致。
原则和标准	提议的方法所包含的原则或标准不清楚。	评价的原则和标准已经确立，但是他们不清楚或是没有向学生表达清楚。	评价的原则和标准很清楚，并对学生进行了清楚的解释。	评价原则和标准很清楚，也向学生讲明白；学生在确立评价原则和标准中也献计献策。
评价对授课计划的影响	评价的结果对授课计划影响极小。	教师应用评价结果对整个班级进行规划。	教师应用评价结果为学生个体和学生群体进行规划。	学生知道他们怎样才能达到既定的标准，并且参与下一步的规划。

续 表

要 素	不 满 意	基 本 满 意	熟 练	优 秀
		第三部分 教 学		
组成部分 3a. 清楚准确地交流表达				
指导和程序	教师的指导和程序使学生迷惑。	教师的指导和程序经过最初的迷惑或经过进一步详细解释后变得清楚易懂。	教师的指导和程序清楚易懂，并包含适当水平的细节说明。	教师的指导和步骤让学生清楚易懂，并能预测学生可能出现的误解。
口头语言和书面语言	教师说话听不见或者板书难以辨认；口语或板书可能包含许多语法和句法结构的错误，或使用不正确，使学生感到迷惑。	教师说话能听见，板书也可以辨认，两者均使用正确；用词是正确的，但很有限或与学生的年龄背景不相适应。	教师的口语和板书都正确清楚，用词与学生的年龄兴趣相适应。	教师的口语和板书正确，表达清楚；很好地选择用词，讲课生动丰富。
组成部分 3b. 使用提问和讨论的技巧				
问题的质量	教师所提的问题实际上几乎质量都很差。	教师所提的问题质量有高有低，只有一些能引起回应。	教师的大多数问题是高质量的，学生有足够时间思考并作答。	教师的问题全是高质量的；给予学生充分思考的时间去回答，学生也据此格式提出许多问题。
讨论的技巧	师生之间的相互配合主要表现为教师的叙述形式，教师在提问和作答之间周旋。	教师试图使学生进行真正意义上的讨论，但没有一致的结果。	课堂上的合作表现出真正的讨论，伴随着教师的节奏，学生在适宜的时候展开讨论。	学生在成功的讨论中承担了相当大的责任，主动引出话题并设法自己回答。
学生参与	只有少数几个学生参与。	教师试图让所有学生参与讨论，但是只取得了有限的成功。	教师成功地使所有的学生都参与讨论。	学生自己保证所有的人都在讨论中发言。
组成部分 3c. 使学生致力于学习				
内容的陈述	内容的陈述不合适、不清楚，或者所举的例子和所打的比方很糟糕。	内容的陈述在质量上不稳定。有些做得很有技巧，用了很好的例子，但是其他部分却没有做到。	内容的陈述是合适的，并能很好地与学生的知识和经验相联系。	内容的陈述是适宜的，并很好地联系了学生的知识和经验。学生也促成了内容的陈述。

续　表

要　素	不 满 意	基本满意	熟　练	优　秀
活动和任务	安排的活动和任务就学生的年龄或背景而言是不适合的，学生不能被吸引到其中。	某些活动和任务是适合学生的，能吸引学生，但是其他的却没有。	大多数活动和任务是适合的，几乎所有的学生都被吸引到其中。	在探究知识的过程中，所有学生从认知上接受并参加到活动和任务中；学生主动发起或修改某些活动和项目，以提高对知识的理解。
学生分组	分组教学对学生或教学目标不合适。	分组教学只对学生部分适合，或仅在提高一节课的教学目标时还比较成功。	分组教学是富有成效的，对学生或一节课的教学目标来说完全适应。	分组教学是有成效的，对一节课的教学目标来说完全适应。学生主动影响分组教学以提高其理解水平。
教学材料和资源	教学材料和资源与教学目标不配套或者不能从认知上吸引学生。	教学材料和资源与教学目标部分配套或者与学生的智力水平中度符合。	教学材料和资源与教学目标配套，并在认知水平上吸引学生。	教学材料和资源与教学目标配套，并在认知水平上吸引学生。学生主动选择、修改或创造一些资料以提高自身的目标。
结构和进度	课程没有清晰地定义结构；上课进度太慢或太仓促，或二种情况皆有。	课程有一个可识别的结构，但不能在通篇中一直保持；课程进度前后不一致。	课程清楚地定义了结构，且教学活动围绕它来组织；讲课进度不一致。	考虑到恰当的思考和结尾，课程的结构非常有条理。讲课进度适合于所有同学。
组成部分 3d. 给学生提供反馈				
质量：准确、实在、有建设性、具体	没提供反馈或反馈的质量一律很低。	反馈的质量前后不一致，其中有一些高质量的反馈，其余则不然。	反馈始终是高质量的。	反馈一直是高质量的，并为学生制定了在学习中利用反馈的规定。
时效性	没有及时地提供反馈。	并不总是及时提供反馈。	始终及时提供反馈。	总是及时提供反馈；学生能很快在学习中利用反馈。

续 表

要 素	不 满 意	基 本 满 意	熟 练	优 秀
组成部分 3e. 教学的灵活性和回应				
课程调整	即使做一个改变就可以明显地改进一堂课的教学,教师也严格按照原定的教学计划。	教师尝试对课程作出调整;带来有利有弊的结果。	教师对一节课作了小范围的调整,并且调整进行得很顺利。	教师对课程成功地进行大规模的调整。
对学生的回应	教师忽视或漠视学生的提问或兴趣。	教师尝试着考虑适应学生的提问和兴趣,但是对一堂课的连贯性,其影响不一致。	教师成功地考虑到学生的提问和兴趣。	教师自然而然地抓住主要机会去提高学习。
坚持不懈	当某个学生学习有困难时,教师要么放弃,要么将学生的不成功归咎于学生或周围环境。	教师承认对所有学生的成功负有责任,但可以使用的只有有限的教学策略储备。	对于学习困难的学生,教师坚持寻求适合他们的学习方法,并且拥有中等量的教学策略储备。	教师坚持为需要帮助的学生寻求有效的教学方法;有大量教学策略储备可以使用,并且可以向学校寻求额外的资源以取得帮助。

来源:Domains 1 and 3 are reproduced from Charlotte Danielson, *Enhancing Professional Practice: A Framework for Teaching*. Alexandria, VA: Association for Supervision and Curriculum Development, 1996. © Charlotte Danielson, used with permission. Danielson can be reached at Educational Testing Service, Mail Stop 14 - D, Rosedale Road, Princeton, NJ08541.

第十一章 职业发展与督导更新

督导的主要目的是帮助教师提高。这种提高的核心是扩大教师的知识，培养其教学技能，提高他们在充分掌握情况的条件下的职业判断能力及更好地解决问题的能力，还包括对他们的个人实践进行考察。传统上，提高是通过**在职**项目或活动来实现的。目标明确的督导者被安排在督导活动领导人的位置上，由他们来制定提高计划，对做什么、怎么做、什么时间进行负责，以他们认为对教师最有帮助的方式提供在职培训。在职的培训项目着重于训练教师找出处理问题最佳方式的能力，一般会给出训练步骤和说明。这是一种放之四海而皆准的训练方法。在职项目由实施者讲解，教师只需听讲即可。讲解完毕可能会进行讨论，但内容必须是训练手册所指定的某个任务。近年来，在职项目逐渐被**职业发展**所替代。

弗兰西斯·波林(Frances Bolin)、朱迪·麦克康奈尔·福克(Judith McConnel Falk)和其同事们[1]提出，尽管在职项目和职业发展也许是既合理又适当的，但两者无论在深度还是在广度上都不足以激发教师的潜能，增进其个性风格和职业水准。波林这样写道：

> 如果我们把如何提高教师水平的问题搁置起来，而专注于怎样激励教师，情况会发生什么变化……如何激励教师这一问题把提高的工作交给了教师。这一转变是以这样一个事实为前提，即教师渴望提高并能自我约束，视教学为其生命中重要的组成部分，而不仅仅是因为受雇用而不得不为之的事情。这使他们把教学视为一项承诺或者叫天职……通常使用的“职业”这一术语并没有充分包含上述含义。[2]

发展框架

如波林所述，当督导由提供经验积累的机会转向创造对

〔1〕 See, for example, the articles that appear in Frances S. Bolin and Judith McConnel Falk (eds.), *Teacher Renewal Professional Issues, Personal Choices*, New York: Teachers College Press, 1987.

〔2〕 Frances S. Bolin, "Reassessment and Renewal in Teaching," in Bolin and Falk, ibid., p. 11.

教师进行激励的条件时,在职项目和教员发展就被对教师进行的更新所替代。作为更新的督导更多地与学校的日常活动相结合,教师对其自身的成长发展承担更多的主动责任,从而由乘客的位置换到了驾驶座上。

本章我们主要考察在创建以成长为导向的督导时,把在职项目、职业发展和教师更新作为该督导方式包括的不同选项。所有这三种形式都在起作用,但要想使教师得到全面的发展机会,我们建议对于更新的价值加以重视,并在职业发展中提供这方面的支持。与之相比,在职项目只能发挥出有限的作用。

图 11-1 对这三种方式进行了比较。例如,在职项目是一个指令性、结构性都很强的过程。在这个项目中,主动权通常掌握在教师以外的人手里,其督导重点是通过训练及在实践中充分体验以培养与工作相关的技能。在职项目开展方式的特点是进行讲授、灌输观点和不断练习。当在职项目作为推动成长的惟一或主要方式时,教学便被视为一项受雇而为之的工作,教师是这一雇佣关系中的工人。教师个人能接受的事物显然是有限的,因而许多情况需要他们自己加以推断。尽管在职项目有着悠久的历史,但教师们对它的热情并没有持续下来,因为它过于正式、过于程式化,并且具有高度的行政命令和调度的特征。更有甚者,在职项目其实更多地满足了官方的要求,而对于教师发展的促进意义却小得多。在这种督导方式中,项目活动的选择和制定常常是为了便于统一实施,而没有对其目标具有的价值和教师的需求进行认真考虑。上述体制性、统一性和强力的控制性使得在职督导方式强调的重点成为"训练"而不是"教育"。但我们也不建议摒弃在职项目,因为这种方式在某些情况下还是有其特定作用的。我们只是在此提出,要想使教师得到全面发展和提高,仅有在职项目是远远不够的。

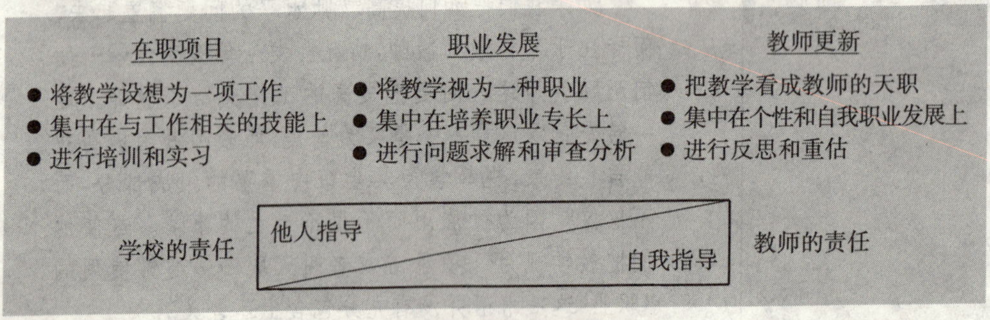

图 11-1 发展的架构

职业发展的方式,与在职方式相比较而言,则是把教学视为一种职业,这样对它加以理解似乎更为合理。它是通过将教师在解决难题和执行研究上所取得的成果综合起来,以强调其职业专长的发展。教师和督导者在计划、发展和提供教员发展的活动上共同承担责任。督导的重点放在对疑难问题的思考、审查咨询和问题解决上,而较少在训练上。

站在督导者的立场来看，职业发展培训的重点是给教师提供回顾并与他们分享实践的机会以及其他一些相关资源。霍伯特·塞伦(Herbert Thelen)提出，最有效的职业发展项目，其特征是"提高个人参与度与课堂实践结果、自我激励以及自我支持这几个方面的有机结合，这一过程应该是由教师而不是外人来发起的"。[1] 督导者所做的任何工作，只要有利于促进教师能力的提高、专业团体机能的增强，以及使这两者获得较好的发展机会，都会成为推进职业发展的有利投资。在这种模式中，督导者既要能提供发展机会，给予教师间接的支持，也要能以同事的身份与教师协作，给予他们直接的帮助。

朱迪思·沃伦·利脱(Judith Warren Little)提出了几项原则，认为在策划教师职业发展的机遇和体验时，这些原则对于督导者的思路具有指导作用。在她看来，职业发展应该：

- 在与观念、资料、同事等相关方面提供有意义的智力、社会和情感上的支持。
- 对教学的环境和教师经历加以考虑。
- 对有价值的不同意见加以支持，并把它们作为对可选方案进行评价以及对正在实行或已经完成的设想加以审查的手段。
- 把课堂实践放在能够体现学校教育目标及其实践的更大环境中加以考察。
- 为教师提供多种渠道，使他们可以了解学生的个人体验、课堂实践情况以及学校的体制和文化之间的关联，并能根据自己所了解到的情况采取相应的行动。
- 帮助教师发展各种技巧，提高对于事物的洞察力，着力增强其创造知识和对他人理论成果加以评判的能力。[2]

这些原则只是在职训练模式中的另一种选择，很少有人把它们作为百试不爽的万灵药方在各种情形下都加以运用。因为如果过分使用这种模式，为教师提供的将只是一些肤浅而零散的内容，并使他们在参加这一照本宣科似的训练模式时处于被动的地位。而事实上在职业发展中，教师的接受能力、需求和兴趣才是最重要的。教师应积极地介入数据和信息的提供、问题的解决以及对情况进行分析等各个方面，督导者作为其同事也要参与其中。校长和教师们协同工作，制定一个旨在提高教一学成效的共同目标。校长和教师们还要共同建立一个学习和质询的团体。

米尔布雷·麦克劳林(Milbrey McLaughlin)提出，应该使教师们对其课堂拥有更多的支配权。在她看来，更多的支配权是促使教师们为更有效地进行教学而改进其实践所必需的。[3] 麦克劳林发现，加入一个由具有类似兴趣的同事组成的职业团体，对

[1] Herbert Thelen. "A Cultural Approach to In-service Education," in Louis Rubin (ed.), *Improving In-Service Education*, Boston: Allyn & Bacon, 1971, p. 72 - 73.

[2] Judith Warren Little, "Teacher's Professional Development in a Climate of Educational Reform," *Educational Evaluation and Policy Analysis*, vol. 15, no. 2 (1993), p. 129 - 159.

[3] Milbrey McLaughlin, as cited in A. Bradley, "By Asking Teachers About 'Context' of Work, Center Moves to the Cutting Edge of Research," *Education Week*, March 31, 1993.

教师们更好地了解课堂上应该做些什么,以及应该如何调整教学策略以便有效地适应学生的需求等,具有十分显著的效果。[1]

G·李切坦斯腾(G. Lichtenstein)、米尔布雷·麦克劳林和J·努登森(J. Knudsen)发现,在对教师的授权方面,专业知识起中心和主导的作用。他们指出,在对教师的授权中,起作用的知识不是来自于周末训练班或业余的在职培训课程,而是存在于教学这一职业的最广泛意义上。[2]

教师更新的重点在于通过回顾反思和重新评估来实现教师个性发展和职业发展。正如弗兰西斯·波林指出的,更新意味着重做、修订、新建进而修复、重建和重估。[3]更新(Renewal)的重点在于教师这个个体,以及他的个人发展或职业发展。

这一训练不是由学校强加给教师的,教师们为了个人发展而介入这一过程。相反,在职项目一般先假定教师存在不足,并预先设定改进这些不足所需的一套正确的观念、技能和方法。在职项目缩小了教师的选择范围——实际上带来的是一致性。职业发展和更新的前提则是教师在工作中有成长和发展的需求。与缩小选项范围的做法不同的是,这两种方式致力于扩大这一范围。促进教师的成长更多地要靠解决问题并实现个体的变革,而不是完善已有的技能或跟从最新的发展。当教师能够以崭新的视角来审视自身,来看待学校、课程及其学生时,这种成长便得到了实现。对与教师发展模式的在职培训、职业发展、更新的相关假设、角色和实践,表11-1进行了总结。

如果将其视为职业团体,学校是教师学习的理想环境,并能提供增进这种学习的职业发展机会。在这一职业团体里,"学习和教学很大程度上依赖于在研究意义上创建、维系和扩展这一团体。团体成员相互间的依存性极强……协作学习的做法不仅是有益的,而且是团体生存的需要,这种相互依存的关系有助于形成这样一种氛围,即责任共担、彼此尊重、个人和团体感"。[4]因此,职业团体:

- 鼓励教师对其实践进行反思回顾。
- 承认教师发展存在的差异,任何时候都比别人更乐于学习。
- 承认教师在禀赋和兴趣上的差异。
- 重视教师间的对话与交流。
- 为教师间的合作和学习提供便利。

---

〔1〕 Milbrey McLaughlin and Joan E. Talbert, *Contexts that Matter for Teaching and Learning*, Stanford, Calif.: Stanford University, Center for Research as the Context of Secondary School Teaching, 1993.

〔2〕 G. Lichtenstein, M. McLaughlin and J. Knudsen, "Teacher Empowerment and Professional Knowledge," in A. Liebermans (ed.), *The Changing Context of Teaching*, Ninety-First Yearbook of the National Society for the Study of Education. Chicago: University of Chicago Press, 1992.

〔3〕 Francis S. Bolin, *Reassessment and Renewal* in Teaching in Bolin and Judith Falk (eds.), *Teacher Renewal Professional Issues*, Personal Choices, N. Y.: Teachers College Press, 1987.

〔4〕 A. L. Brown, "The Advancement of Learning," *Educational Researcher*, vol. 23, no. 8, 1994, p. 10.

表 11-1 教师发展模型

	在职培训	职业发展	教师更新
假设	知识的重要性高于教师。 知识具有指导作用，能够引导教师的行动。 教学是一项工作，教师就是技术工人。 对技巧的掌握十分重要。	教师比知识更重要。 知识是概念性的，它帮助教师作出决定。 教学是一种职业，教师是专家。 培养专业知识十分重要。	知识包含在教师之中。 知识因此是个性化的，它把教师与自身、与他人联系起来。 教学相当于主人，教师受其雇佣。 培养教师的个性和职业发展是十分重要的。
角色	教师是知识的消费者。 督导者是专家。	教师是知识的建构者。 督导者是其同事。	教师将知识内化于自身。 督导者是其朋友。
实践	强调技术能力。 培养教师个人技能。 通过训练和实践的方式。 通过制定计划和实施训练。	强调临场反应能力。 建立专业团体。 通过解决问题和调查。 通过进行调查、解决问题和开展研究。	强调个性和判断力。 建立充满关心的团体。 通过反思回顾和重新评价。 鼓励反思、对话和演说。

来源：Thomas. J. Sergiovanni, *The Principalship: A Reflective Practice Perspective*, p. 411. Boston: Allyn & Bacon, 2001, p. 287.

- 提倡教师具备职业素质。
- 把教师看为其课堂中学习群体的督导者。[1]

这些简单的总结显示，督导发展到今天，与过去相比，更多地集中于教学和学习，更多地以课堂为中心，更多地强调督导者与教师之间的合作。

一些论据

考察了关于教师学习和教师效率方面的研究，国家职员发展委员会的丹尼斯·斯帕克斯(Dennis Sparks)和斯佩费尼·赫希(Stephanie Hirch)指出，有效的教师学习方式是：

- 集中于帮助教师深入地研究教学主题和教学方法。
- 以课程为中心并以相关标准为基础。
- 持续的、精确的和累积性的，并且是与教师在其课堂中的行为直接相关。[2]

他们认为"我们无法期望教师运用过去所接受的训练来应对今天的学生或者去面对将来"。[3] 在一篇较早的评论中，斯帕克斯和苏姗·劳克斯-霍斯利(Susan Loucks-

〔1〕 Thomas J. Sergiovanni, *Leadership for the Schoolhouse*, San Francisco: Jossey-Bass, 1996, p. 142.
〔2〕 Dennis Sparks and Stephanie Hirch, "Strengthening Professional Development A National Study," *Education Week*, May 24, 2000, p. 45.
〔3〕 Ibid.

Horsley)列举了下列一些有效的实践方式：

● 应将项目放在学校这个大背景中实施并与整个学校的行动相结合。

● 教师积极参与其中，彼此互为助手，并和行政管理者一起承担在职活动策划者的职责。

● 提供的训练机会能适应教师个体间的差异，突出自我指导。

● 教师担任的角色应具有主动性，能为自己选择目标和行动。

● 突出示范性和正确指导下的试验和反馈；其训练应是具体的，并随着时间推移而按计划推进。

● 在需要时能提供及时的援助和支持。[1]

比阿特丽斯·伯曼(Beatrice Birman)，劳拉·德西蒙(Laura Desimone)，安德鲁·波特(Andrew Porter)和迈克尔·加雷特(Michael Garet)以全国范围内超过1 000名教师为对象进行了一次调查。这些教师主要是数学和科学专业的，他们都参加了由联邦资助的艾森豪威尔职业发展项目。[2] 调查者试图确定何种方法对职业发展最为有效。调查结果使得研究者发现了三种结构化表征和三种核心特征，前者勾画了职业发展的环境，后者则表现了职业发展活动中的行为特征。这些特征如下：[3]

1. 结构化表征

● **职业发展形式**：例如，学习体验是否被设计成学习小组、教师网络、顾问指导(Mentoring)关系、研究项目、教师资源中心、同事审查或其他形式的协作？或被设计成传统的工作室或会议形式？

● **持续时间**：学习体验被设计成教师在一个较长的时期内投入较多的时间，还是在限定的期限内较少的学习体验？

● **参与者**：同校、同系、同年级或同班组的教师分成小组共同参与还是不同学校的教师独立参与？

2. 核心表征

● **内容为中心**：学习活动在多大程度上以深化教师所讲授的这一学科的知识为中心？

● **学习的主动性**：教师能够主动介入对教学和学习所进行的分析的机会有多大？

---

[1] Dennis Sparks and Susan Loucks-Horsley, "Five Models of Staff Development for Teachers," *Journal of Staff Development*, vol. 10, no. 4, p. 40, Fall 1989.

[2] Beatrice Birman, Laura Desimone, Andrew Porter, Michael Garet, "Designing Professional Development that Works," *Educational Leadership*, vol. 57, no. 8, May 2000, p. 28 - 33.

[3] Ibid, p. 29. See also Beatrice Birman, Laura Desimone, Andrew Porter and Michael Garet, "Designing Effective Professional Development: Lessons from the Eisenhower Program" at Edpubs@inet. ed. gov.

他们是否做一些诸如共同考察学生作业或对教学进行共同观测和讨论的工作？

- **一致性**：教师作为一个与经验紧密关联的职业群体，其学习活动在多大程度上促进该群体与其自身目标、学校的标准和评估保持一致性？

研究了三个结构化表征和三个核心表征的原动力并评估它们在提高课堂教学的作用后，研究者得出结论："我们的研究明确显示，职业发展应当集中在深化教师的内容了解和学生如何学习特定内容的了解之上，在提供主动学习的条件上，以及在促进教师职业发展的一致性方面。学校和学区应当运用期限更长的集体参与活动来达成这些目标。尽管改进的职业发展形式（即学习分组、顾问指导、同侪审查、教师网络）较传统形式（即工作室）更为有效，但其优点……主要是由更长的活动时间所决定。"[1]

时间更长的活动，研究者解释，更有可能专注于内容，融入主动学习并有助于保持一致性。[2]

规划的设计

在规划职业发展时，应对以下问题加以思考：我们要实现什么？参加职业发展计划之后，教师们能了解及做哪些事情？好的教学活动的哪些方面应成为我们学习和努力改进的中心？作为学习者，应如何评价自身的进展？应该怎样做才能使我们的职业发展活动和相关程序得到改进？应该由什么人负责以及负责些什么内容？这一系列提问有助于使我们的规划过程达到一定程度上的一致，体现了组成规划设计框架的五个重要部分——意向、本质、表现预期、方法和责任。对这五个部分的具体分析如下：

意向

职业发展项目及其活动的设计常常围绕特定的意向目标进行。这些目标包括：展示信息，帮助教师理解信息，帮助教师使这一理解在教学中得到运用，以及帮助教师接受这些新方法并投入对它们的实践中去。**展示**信息是一个**知识**层面的意向。例如，某个项目可以被设计成一组科学教师引入调查式教学所需的概念和语言。促进其**领会**是一个**理解**层面的意向，这一意向可以帮助教师了解这种调查式教学如何影响其规划和组织教学的方式。至于如何有效地在某个特定的生物教学单元中**运用**调查的方法教学，则是一个**应用**层面意向的例子。尽管上述每一个层面对于帮助教师学习新的教学方式来说都是必需的，但如果把它们单独加以运用，就不足以确保教师们能够一直运用新的教学方式。教师也许会在某些必要时候运用这些方法，但不大可能达到随心

[1] Ibid, p. 32.
[2] Ibid.

所欲的使用程度,除非他们能够完全确信这些方法并投入其中。**致力**于调查方法是科学教学的有效方式,属于**价值**层面的意向。总的来说,我们应该对所有这四个层面都给予相当的关注:

- 知识层面——我知道
- 理解层面——我理解
- 应用层面——我能做到
- 价值层面——我要做到

了解目标在哪个层面并专注于这个层面,这一重要的洞察能力和行动能力是规划的基本要素。

本质

路易斯·鲁宾(Louis Rubin)提出好的教学应具备四个关键因素,他认为通过适宜的教师成长和发展活动,能够使每个因素都得到增进:

- 教师对目标的感受
- 教师对学生的感知
- 教师对主题的了解
- 教师对技巧的掌握[1]

对目标的感受性和对学生的感知是教师教育平台的组成部分,体现了教师所掌握的价值、信念、设想和活动理论,这些掌握是与知识的本质、学生学习方式、教师和学生关系的适当性以及其他方面的一些因素密切相关的。我们在第五章对督导的教育平台已经作过详细论述,指出了在课堂组织和教学方面,一个人的教育平台是其作出决策的基础。实际上,只要了解了该教师的教育平台,就能可靠地预知他将作出的主要决定。

如果一个教师认为他的教学目的只是传授信息,那他很有可能在较大程度上依赖照本宣科的讲授和正式的课堂安排。同样地,如果一个教师认为年轻人总的来说是可信任的和负责任的,那么他多半会与班上学生一起就学习上的某些问题共同作出决定。如果一位督导者有兴趣减少教师的照本宣科或者增加学生的责任感,他将必须面对两个问题,一是找出影响这一目标的关键因素,二是对教师进一步了解。在这种情况下,重建教师的教育平台应成为其目标。

在叙述知识主题的重要性时,鲁宾指出:

> 当教师对课程内容有深刻领会或者对其只有肤浅的了解时,教学的结果

---

〔1〕 Louis J. Rubin, "The Case for Staff Development," in Thomas J. Sergiovanni (ed.), *Professional Supervision for Professional Teachers*, Washington, D. C.: Association for Supervision and Curriculum Development, 1975.

就会有显著的不同。如果教师确实知识渊博，对其学科有足够的理解，能够分清主次，还能引申到书本知识以外，那么他的教学质量会给人留下相当深刻的印象。只有当教师熟练掌握了学科内容，比如数学、物理或者历史，才能扩展其意义并将其融入学习者的个人经验中。知识的关联不只存在于学科固有的状态中，而应更多地与学生们原有的知识结构联系起来。对经验丰富的教师来说，诗歌也能教得很好，使得哪怕是贫民区来的孩子们也认为它们是有用的。[1]

尽管对于内容和过程的争论从未间断过，但两者对于成功的教学来说都是必不可少的。据我们的观察，教师对学科内容了解得越少，就越轻视教学，就越为教学法辩护。这里所说的为教学法辩护，指的是教师在课堂上起绝对支配作用并严格按照课程资料进行授课。一个教师可以对某个学科领域十分熟悉，但仍有可能无法有效地把它奇妙的和令人激动的地方表达出来。技巧的掌握、课堂的组织和管理以及其他教学法上的技能和技巧构成了有效教学的第四个关键层面。好的教学关键因素被认为有助于技巧上、临场上、个性上或是重要教学能力上的提高，而这些方面都是决定一个教师发展项目本质的基础。一个综合性的项目涉及到所有四个方面——教师对目标的认识、对学生的感知、对主题的领会以及基本教学技巧的储备。

表现预期

教师应该对哪些主要的表现预期负责？较为合理的做法是要求教师知道如何(know how)开展工作并且能够预期随后将会出现的较为重大的发展。但仅仅知道、领会还不够，还应要求教师把他们的知识运用起来——证明他们可以做(can do)这项工作。然而，“证明”也还只是一种较低层次的能力。多数教师有能力也够聪明，能够在督导者出现的时候作出恰当的教学表现。但我们需要确切知道的是，他们是否觉得从事教学工作是符合自己意愿的，是自己愿意做的(will do)，并且也会将其坚持下去。最后，在职业上，我们希望教师们能够终其职业生涯致力于提高自身素质。自我提高是一种**愿意提高**(will-grow)的表现预期。一些自我经营的职业(如医生、会计师等)，由于竞争的驱使，同时由于对其产品或成果的评价是有形的，因此对于愿意提高方面会给予较多的关注。而教师则感受不到这种促进持续职业成长的外部压力。不过，学区也在逐步地把愿意提高方面作为一项义务加入到教师与学校签订的合约中去；实际上，教师如果在知道如何、可以做和愿意做这几个维度的表现预期令人十分满意的情况下，仍然缺少持续职业成长的满意表现，将面

[1] Louis J. Rubin, “The Case for Staff Development,” in Thomas J. Sergiovanni (ed.), *Professional Supervision for Professional Teachers*, Washington, D. C.: Association for Supervision and Curriculum Development, 1975, p. 47.

临被处罚或制裁（以至于解雇）的危险。更进一步来说，在当前各种高标准和高要求的测试下，提高教学表现的新的外部压力促使人们越来越多地关注到教师的持续职业成长问题。

图 11－2 归纳了表现预期、意向和本质之间的联系。比如，在**知道如何**象限区域，教师要了解并理解目标、学生、主题和技巧。在**可以做**方面，教师要把这些对于本质的了解运用到课堂上。在**愿意做**方面更进了一步，不仅要求教师能够运用这一知识，还需要有持续的内在愿望驱使他去运用它们。以愿意做这一方面为目标的教师成长项目必须同时具备应用意向与“价值和态度”。如果要长期地保持其表现和义务，教师们必须认识到他们所进行的工作价值并确保全身心投入其中的重要性。**愿意提高**同样依赖于价值和态度意向。因此，如果督导者与教师在**愿意做**和**愿意提高**这一区域工作，但选择的策略却是与知识和理解这一层面相适应的，这样要想获得成功是不大可能的。

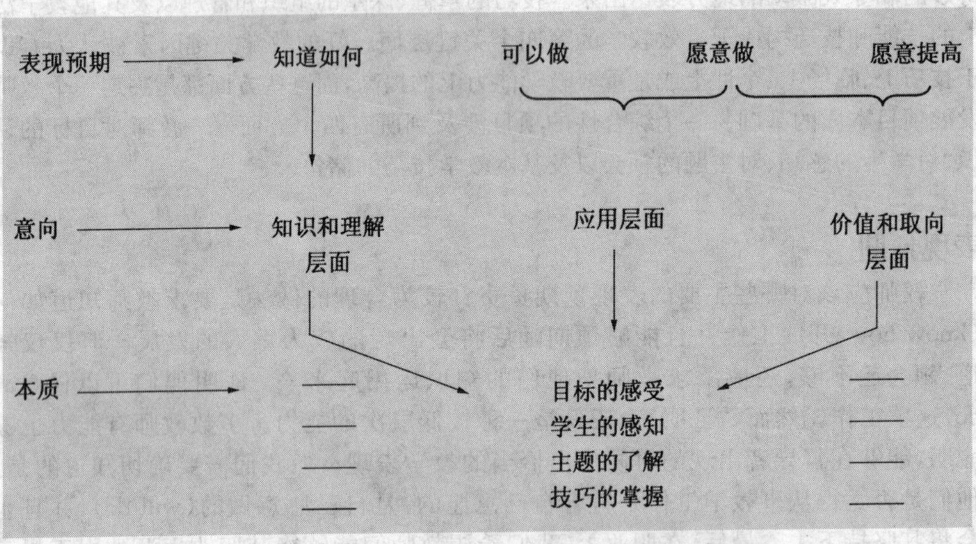

图 11－2　教师成长与发展方案的构建

方法和责任

我们已经讨论了规划和提供教师成长与发展机会的五个设计结构中的三个：意向、本质和表现预期。剩下的两个就是：提供这一发展的**方法**以及明确责任——谁**负责**，负责什么。这两个规划职业发展的设计结构会在本章其余的部分以及第三部分的一些章节进行探讨。

传统的方法和督导责任

本章前面讨论了传统的教师发展方法。其典型的做法是进行教师在职培训。当出现知识不足的情况时，运用这一方法将是最恰当的。传统方法的典型特点是目标清晰，依赖于常规而有效的指令。教师一般处于被动的位置，而左右他们的则是讲求逻辑性的结构化计划和活动。在这种方法中运用的技术手段主要是讲座、图示讲座、示范和观察，这些之后常常是有指导的讨论活动。

传统方法看来比较适合对那些与工作相关的最新的书本、技术、原理和观念进行常规的知识更新，这种方法的前提不是设想让一个小组采纳某种新事物，而只是让他们进一步了解这一事物。人们关注的焦点从对新事物的学习和理解，到对它进行运用，再到这一事物融入个人的行为中，如果要使教师发展的努力持续有效，就需要不断改进方法。假如管理者把传统方法作为普遍适用的办法在任何情况下都加以运用，而排除其他方法的使用，则可以这样推断：该管理者虽然对于知识的追求永无止境，但同时对于有效地运用这些知识却没有兴趣。

教师成长和发展的传统方法，其职责重点是行政管理，它通过对人的管理来发挥作用。尽管传统方法在今天督导方式的各种选择中仍占有一席之地，它的行政管理职责仍被保留，但如果单独运用，它就是对教师成长和发展贡献最少的一种方法。

非正式方法和责任

也许教师成长和发展最具创新性、最富刺激性的方法是依靠教师的探索和发现来进行的那些方法。一般认为，如果给教师提供一个配备了教学资料、媒介物、教材设施的环境，同时校长和管理者对其给予积极的鼓励和慷慨的支持，教师就可以在探索和发现的过程中，与环境互动，与其他教师互为影响，从而产生良好的效果。探索和发现能帮助许多教师发现自我、释放创造力，加深对自己的认识以及对自己作为一个教师的潜能的了解，同时还能帮助他们获得更多新的教学观念、教学方法和教学途径。

如前所述，如果教师能发挥其自身特点，自主确定其工作日程，自主决定与他人协作的方式、内容，能使自己所学的东西在课堂上得到运用并立见成效，这种情况下职业发展对他们来说是最有意义的。[1] 非正式督导方法看来是最符合以上标准的，并且由于其蕴涵的巨大潜力，有理由让这一方法在学区规划中充当重要角色。大多数非正式方法的职责承担者是教师。这些职责可以有多种形式：两位教师分享观点、一组或一类教师协同工作并制定计划、教师参与内部资源中心事务、参与区域或地区教师中心事务等。非正式方法应当得到鼓励和支持。

〔1〕 Herbert Thelen，Ibid.

教师中心的一个实例

教师中心值得给予特别的关注。它主要是为初出茅庐但前途无量的新手设立的，使他们能够在这里接受自己职业成长和发展过程中应承担的责任，同时还使他们希望自己有所提高并成为一名合格的教师。凯瑟琳·德万尼(Kathleen Devaney)对这些中心作过如下描述：

> 教师中心是一个象征，意味着这样一个地方——规模不大、结构简单、大门敞开——教师们自愿来到这里为课堂教学作准备，在这里交流思想，在这里学习；学习的形式既可以是一次性的，也可以是短期系列性的，但不会是以讲义和课本形式进行并持续一个学期之久的课程形式。因为这里是一个非制度性的中立场所，教师在这里可以不拘礼节，不需要竞争，因而也不需要自我保护，大家在这里寻找自我提高和专业发展的起点。[1]

某些教师中心固然要符合"非制度性的中立场所"这一模式，但对地点和场所并没有硬性的规定。一个教师中心可以设在学校一间空闲的教室里，也可以是在一间不引人注目的或闲置的地下室里。中心可以只限本校教师加入，也可以把服务范围扩大到学区或本区域的其他教师。不管规模还是场地，这些中心的某些特点是一致的，最显著的一点就是，这里的计划和执行责任都由教师来承担。德万尼进一步指出了教师中心普遍存在的一些特点：

> 把教师中心联系起来的共同目标是提高教师的活力、培养个性、涵养和精巧性，帮助他们重新组织、重新构思课堂教程。对教师中心所作出的贡献及其活动安排现状的研究反映出中心领导者的一种信念，即中心所提供的最适合教师的服务是在课程方面提供帮助。这种中心教会教师如何使用可控制的、真实的、探索性的并且常常是个性化的课堂材料，如何逐步对课堂空间和时间进行重整，以适应不断增加的学生活动和学生互动。在这里，教师可以根据自身需要改进成套的课程材料，制作自己的教具或课堂器材；中心还使教师投入到新的学习中——往往是数学或科学——或者是新的技巧，使之体验到有活力的、问题求解式的学习者的感觉。[2]

---

〔1〕 Kathleen Devaney, "What's a Teacher Center For?" *Educational Leadership*, vol. 33, no. 6 (1976), p. 413. This issue of *Educational Leadership* was guest-edited by Vincent Rogers, and its theme is teacher centers.

〔2〕 Kathleen Devaney, "What's a Teacher Center For?" *Educational Leadership*, vol. 33, no. 6 (1976), p. 413. This issue of *Educational Leadership* was guest-edited by Vincent Rogers, and its theme is teacher centers, p. 414.

教师中心的价值在于学校不断的质量改进有赖于一些基础性的东西。教师从其同行那里可以学到改变的范例。在对类似题材所进行的两个独立研究中，艾米尔·霍勒(Emil Haller)和查尔斯·肯南(Charles Keenan)[1]分别询问过教师们这样一些问题：当遇到课程上的难题时，你们通常会向谁寻求帮助？在讲课和学习方面，你们所需的观念和相应的判断都是从谁那里获得的？对参与问卷的美国和加拿大教师，他们还提出这样的问题，即这些新观念最可靠的来源是什么？调查对象是从学校不同教职人员中选取的，包括校长、督导管理者、重要的办公室职员、教授、研究通讯员等等。对上述问题获得了一个压倒性的回答：其他教师。教师一般从其他教师那里寻求帮助，获得新的观念，他们彼此信任——这一理由极具说明力，使得督导管理者为非正式教师的成长和发展计划提供支持。

中间型的方法和督导责任

非正式方法是一种低调的、以课堂为中心、以教师为导向的方法，针对性较强。而传统的方法，则相对高调，也更为正式，以制度或学校为导向，因而也更具通用性。与这两种方法相比较，在采取折中形式的教师成长和发展督导系统中，督导者在与教师平等的地位上进行互动，和教师同时担任主动的角色。在教学与督导工作中，教师的潜能及其需求、兴趣都是至关重要的，必须加以考虑。如果引入有效的计划和制度，则可以消除教师的兴趣和学校项目安排及教学指导需要之间的差异。

中间型的教师发展方法通常具有以下特征：

- 教师在提供数据、信息或表述感受、解决问题以及执行决定上具有主动性。
- 督导者作为教师的同事共同参加以上的提供、解决和执行活动的各个环节。
- 作为同事，督导者和教师是为了某个共同的目标而联结在一起的职业伙伴。这个共同目标就是通过教师和督导者的职业成长与发展活动来实现教学与学习效果的提高。[2] 作为专业人员，无论教师的自主性还是督导者的职责，在这一过程中都不会受到损害，因为两者的关系不是基于权威，而是基于共同提高专业水平的承诺。
- 或者通过自我分析，或者通过第三者的观测，这种方式的教师发展活动一般需要运用动态数据，以研究当前状态和实际问题。
- 对督导过程的反馈可以由督导者提供，也可由其他教师提供，或者由双方共同

[1] Emil J. Haller, *Strategies for Change*, Toronto: Ontario Institute for Studies in Education, Department of Educational Administration, 1968; and Charles Keenan, "Channels for Change: A Survey of Teachers in Chicago Elementary Schools." Doctoral dissertation. Urbana: University of Illinois, Department of Educational Administration, 1974.

[2] Our definition of colleagueship follows Morris Cogan, *Clinical Supervision*, Boston: Houghton Mifflin, 1973, chap. 5. In contrast, the relationship between supervisor and teacher in traditional approaches is more clearly superordinate-subordinate, and in informal approaches the supervisor is more of a helper, facilitator, or passive supporter. In the intermediate approach the supervisor is neither dominating nor passive but is involved, side by side, with the teacher as a colleague.

分析的结果得出。这一反馈的作用是使教师可以把观测结果与其意向、信念进行比较，或者把个人的反应与其他教师的反应进行比较。

- 这种方式强调的重点是直接提高课堂教学与学习能力。

下一章中，我们将把重点放在临床督导——一种可以帮助教师对其实践进行研究的方法上。这种督导方式可以由一个指定的督导者来协助教师进行，或者教师之间互相协助进行。临床督导是中间型督导方法的一个范例——作为非正式方面，它关注教师的需求和兴趣并对之作出响应；在正式方面，它关注事先要求的优秀教学标准。

本章结束部分的附录 11－1 对职业发展实验室（PDL——Professional Development Laboratory）的概念进行了概述，PDL 在纽约市学区 2 和其他学区的公立学校中得到了运用。PDL 模型由纽约大学教育学院、纽约市教育委员会和教师联合会共同开发。[1] 这一概念独特之处在于：

- 在实际应用中以课堂为基础。
- 通过增强现场专业发展保持对学生学习的关注。
- 利用访问周期，把教师视为教练和学习者。
- 为访问教师提供机会，让其在住校老师的课堂上待上数周时间。
- 自愿。
- 是成长型的，而不是短缺型。
- 需要在延伸的时间阶段里对实践进行反思。
- 通过协作实现群体的实践提高。

在学校里，PDL 使得职业这一含义得到重新定义。它强化这一理念，即在学校中的学习不仅在于学生，还在于每一个人。这一基础广泛的学习方式类似于一种相嵌型学习共同体的体系。根据劳伦·雷斯尼克（Lauren Resnick）所述："在相嵌型学习共同体中，学生和教育从业者都是学习者。教师、校长、核心管理人员形成了成年学习者的共同体，不断提高其实践能力……学校成为学生和职业教育者学习的场所……"[2] 在这些学习共同体中"已有的能力和习性是可以不断扩展的，职业被具体指向一个独立的个体，这一个体是在不断的学习过程中，并不是已经无所不知。这里的角色包括教师和学习者，师傅和学徒，这些角色可以视不同的情况而不断变换"。[3] PDL 是职业发展项目的一个相当不错的实例，融入了**教而不足则学，学而优则教**这一基本原则——这就是督导的基本原则。当你研究附录 11－1 的时候，PDL 模型的哪一点是最能吸引你的地方？你关注的是什么？这一模型对你的学校和学区的教师会有帮助

---

[1] For further information contact Barbara Schneider, Site Facilitator, community School District 2, PS 40, 320 East 20th Street, New York, NY 10003 and Mary Ann Walsh, Director, Professional Development Laboratory, New York University School of Education, 26 Washington Place Room 661, New York, NY 10003.

[2] Lauren B. Resnick and Megan W. Hall, "Learning Organizations for Sustainable Educational Reform," *Daedalus*, vol. 127, no. 4, Fall 1998, p. 109.

[3] Ibid, p. 110.

吗？你怎样来达成这一任务？第十二章我们将讨论临床督导——一种融合了多种标准的职业发展方法，这些标准确定了第十章和第十一章所讨论的教师学习和提高的质量要求。临床督导者和教师一起对他们的实践进行研究。

附录 11-1：职业发展实验室，作为一种督导模型在学区 2 的实践——理查德·埃莫尔(Richard Elmore)的解说

在学区 2 的机构中流行的如何进行职业发展的实例是职业发展实验室(PDL)。PDL 的设计并不复杂，但颇具独创性。学区的工作人员指定一名经验丰富的职业人员作为住校教师，与校长、学校董事和 PDL 负责人进行协作。住校教师同意接受一定数量的教师作为访问者进入他的课堂，这些教师被称为访问教师，他们主动提出申请并得到他们的校长或学校董事的同意。访问教师在指导下对住校教师的课堂进行为期三个星期的集中观察。当访问教师与住校教师共同工作时，一位经验丰富的资深代课教师会接管访问教师的教室，这一代课教师被称为辅助教师。辅助教师还会投入相当长的时间在住校教师的课堂中进行观察和相关活动。为了适应访问教师的课堂教学，辅助教师接着会在访问教师结束对住校教师的访问之前与访问教师共事一个星期。在访问教师返回自己课堂之后，辅助教师还会陪同访问教师一个星期，对其进一步领会在住校教师课堂上学到的新方法提供支持和帮助。在访问教师结束三周的走访回到自己的课堂之后，住校教师进行回访，对一些实践上的问题提供咨询。

在整个学年，一般会有六轮为期三至四周对住校教师的访问。每年十到十二名教师被指定为住校教师。如果 PDL 项目能够满负荷运作，每年可以接纳附近区域大约七十名教师的访问，不过，一般情况下，住校教师不会每一轮都接受访问者，因此正常年份有十六至二十名访问者接受 PDL 训练。PDL 的主要支出，除了住校教师的前期培训，就是支付辅助教师的代课补助。这一成本列入教师所在学校的职业发展计划预算，由职业发展拨款以外的渠道支付。

PDL1992 年开始运作，发端于学区 2、纽约大学和教师联合会共同向摩根基金会(Morgan Foundation)提交的申请。PDL 至少在一个纽约以外的学区进行了推广。据现任 PDL 的协调人巴巴拉·辛内德(Barbara Shneider)所述，这一实验室的想法是在她和一批教师及学生父母访问匹兹堡的斯肯力中学(Schenley High School)时产生的，这是一所指定实施教师发展计划的学校。在住校教师的指导下，他们在几所学校里开展职业发展项目，对学区 2 的模型进行改进。

比衣·约翰斯通(Bea Johnstone)[副指挥]认为，PDL“显然不是设计成逆差模型”；就是说，在这一项目中，对作出申请的访问教师进行选择是基于学校所确定的优先次序，而不是基于补习的需要。巴巴拉说她在实验室的开始阶段就不得不明确抵制

逆差模型，因为校长们都要把能力最弱的教师安排过来。尽管实验室不是用来进行辅导的，但她和校长们在确定人选时也越来越有弹性，现在也愿意接受一些经验欠缺、能力较弱的教师。PDL 的核心就是提高讲授的质量并鼓励教师做得更好，这是一种有价值的体验，在参与的教师中有一定的声望，同时没有参加过的教师也要求加入。

来源：This account is except from *Investing in Teacher Learning: Staff Development and Instructional Improvement in Community School District 2 in New York City*, by Richard Elmore with the assistance of Deanna Burney, prepared for the National Commission on Teaching and America's Future, New York: Teachers College Columbia University, 1997. The Professional Development Laboratory is a project of New York University's School of Education, the New York City Board of Education, and the United Federation of Teachers. For further information contact the Professional Development Laboratory at New York University www. nyu. edu/educational/teachlearn/pdl; and, Professional Development Laboratory, community School District 2, PS 40, 320 East 20th Street, New York, NY 10003.

第十二章 临床督导 研究实践 教师学习

督导人员可以用来提高学生学习的一条途径，是深入学校文化的督导实践。这种督导是：

- 有时直接指导，有时间接指导；
- 有时以课堂为中心，有时以课外为中心；
- 有时关注教师所关心的问题，有时关注其他人所关心的问题；
- 有时以帮助教师理解和提高实践为目标，有时以评估他们的有效性为目标；
- 有时合作，有时独立完成。

当督导是直接的、以课堂为中心、以教师的问题为中心、以帮助教师理解和提高教学为主要的目标、相互合作时，那么我们通常称之为"临床督导"。专家一致认为：各种形式的临床督导，有可能促进教师的学习进度，明显改善学校的教与学。[1] 虽然我们实现这种可能还有一段很长的路要走。在学校当前的官僚模式下，临床督导要做得好就要耗费时间，并且需要很多努力，但是对那些认真看待学校改进的督导者和教师而言，他们会发现这是一种效力大、吸引人的策略，值得额外的努力。临床督导能否实施在很大程度上取决于校长和其他指派的督导人员是否愿意帮助教师承担更多的自我督导的责任。

临床督导的要点

莫里斯·科根（Morris Cogan）在他的著作《临床督导》中提到临床督导的两个目标："第一个目标是充分发展并阐明一个课堂内的督导体系，在充分掌控的情况之下，有足够的理由给督导人员一个合理的希望，即能够在课堂教学中取得重大成绩。第二个目标是帮助纠正课堂上或临床督导的疏忽，并把它作为课外督导的必要补充。"[2]

罗伯特·戈德哈默（Robert Goldhammer）以相似的思路对临床督导进行了解释：

---

〔1〕 See for example, Carl Glickman, Stephen Gordon, and Jovita Ross-Gordon, *Supervision of Instruction*, 4E, Boston: Allyn & Bacon, 1998, p. 297.

〔2〕 Morris L. Cogan, *Clinical Supervision*, Boston: Mifflin, 1973, p. xi.

> 首先，我想要表达的是督导人员与教师之间的关系是面对面的关系。历史给出了这一重点的主要理由，也就是，在目前的许多情况之下，在发展的很多时期，督导的执行是远距离的，例如委员会和教师所决定的课程发展与教学政策督导。“临床”督导意味着把督导的距离拉近。[1]

普通督导和临床督导当然是相互依赖的。在可信赖的领导的帮助下，且前提是一个合理的教育计划，那么有意义的课堂干预能创建健康的组织氛围。虽然总的督导是有效督导的一个重要并且必要的组成部分，但是离开临床督导它就显得不足了。

临床督导以改进讲授和加快职业成长为意图，强调与教师面对面的接触。在很多方面，改进课堂讲授与加快职业成长存在一种一对一的一致性，因为这个原因员工发展和临床督导是不可分离的概念和行为。那么评价如何来适应这种情况呢？在第十章，我们提到评价是一个人职业生涯的一个自然部分，会持续地发生。教师、管理者、督导人员在做出每一个决定之前，都会进行某种评价（通常是暗含的）。评价就是确定价值，而确定价值就是某种判定。在教育生涯中，这些是普遍的事件，当然也是临床督导和员工发展的关键一面。简要地说，临床督导是教师在一起合作研究他们的实践，提高学习和教学的一种方法。

督导目标

在我们继续临床督导的讨论之前，让我们先看看评价的各种目标。这种主要的变化能帮助我们理解，当临床督导和评价不可避免地交叉时，不是所有类型的评价都威胁到临床督导良好运行所需的教师之间、教师与督导之间的关系。

评价能关注许多方面，其中有些与督导的要素、目标和特征更相符合。例如评价专家对形成性评价和总结性评价作了重要的区分，[2]学校中典型的教师评价过程属于总结性评价，形成性评价强调成长、发展。看看下列区分：

1. 总结性评价有某种结论——在一定意义上它是终点，发展在教育活动的结尾。评价一个教师的工作情况时，它给出对教学质量的判断。

2. 总结性评价是合理、重要的，如果认真操作，能在学校的整个策略中起到建设性作用。

3. 形成性评价倾向于提高现行教育计划和活动的效率。搜集评价信息并用于了

[1] Robert Goldhammer, *Clinical Supervision: Special Methods for the Supervision of Teachers*, New York: Holt, 1969, p. 54.

[2] Michael Scriven, "The Methodology of Evaluation," in Robert Stake (ed.), *Aera Monograph on Curriculum Evaluation*, no. 1. Chicago: Rand Mcnally, 1965. See also Benjamin Bloom, Thomas Hastings, and G. F. Madaus, *Handbook on Formative and Summative Evaluation of Student Learning*, New York: MCGraw-Hill, 1971.

解、矫正、改进正在进行的活动。

4. 对于教学，形成性评价较少考虑判断和评价教师，而是更多地提供信息，帮助教师了解更多相关的规章、学生是如何学习的、教学的相关信息等等。

5. 在最严格的意义上，形成性评价和总结性评价是分不开的，但是把它们区分开还是有必要的。[1]

临床督导的重心应该在形成性评价上，督导人员最感兴趣的是提高教学质量并加快教师的个人发展。这种强调与要求教师对他们的行为负责相冲突吗？形成性评价强调的与要求教师在专业上负责而不是在行政上负责是相一致的。专业责任感是成长定向的，暗含着一种稳定前进的行为。行政负责可根本不是成长定向的，因为它追求的是确定教师达到预先设定的最佳行事方式。

有时督导人员实际上进行的就是总结性的评价。虽然督导人员的主要行为是形成性评价，但偶然会发现不称职的教师或者是某些教师的人生观和取向与学校的明显不同，结果就会认真考虑限制教师的任期或是解除任期。这类人事措施与当时的当局管理政策、国家法令的限制及要求相互交叉，需要一个全然不同的考虑。这类程序最好由行政区的直线管理人员掌握。如果出现同时承担督导人员和管理者的情况，教师就应该被告知评价程序所依据的重点和原则。如果想知道评价的指导思想，教师们可以向校方询问。在许多学校中，教师团体也参与到评价工作之中，一方面保证评价程序的正常进行，另一方面也防止有偏差。很多的国家教育机构和学校董事会对这个有争议且越来越教条的问题出版了手册和另外一些指导政策。第十四章的主题就是总结性评价。

实事求是地说，提高课堂指导必须从教师开始。只有教师致力于这些变化时才能产生自身行为的持续变化和课堂功能的不断提高。也正因为这个原因，督导者才必须依靠教师的合作。实际上，督导者很少能改变教师而只是促进他们改变，这是个更适合形成性评价的环境。

不同的目的，不同的标准

不同的教师评价目的需要不同的教师评价标准、准则和实践。当我们的目的是控制教学质量，保证教师达到时，我们的标准、准则和期望就应该采取一种形式。当我们的目的是专业提高、帮助教师理解并加强教学实践时，那么标准、准则、期望和过程就应当采取另一种形式。

质量控制的评价，应该是正规的并有相应记录；对所有教师而言，评价标准是明确而统一的；作为对基本教学能力的控制，评价标准应该合法；重点应该放在教师达到的

[1] Thomas J. Sergivanni, *Handbook for Effective Department Leadership Concepts and Practices in Today's Secondary Schools*, Boston: Allyn&Bacon, 1971, p. 372.

最低水平；评价的责任应该由管理者和其他指派的职员承担。当教师评价的目标是专业提高，评价过程就是非正式的；评价标准应该根据教师个体的需要和能力制定。在评价之前，评价标准的选择也应该基于是否适合并有益于教师，重点是帮助教师达到公认的职业发展目标。教师被看作是评价过程的主要责任者，参与自我评价和同事评价，并从学生那里获得评价信息。

质量控制和结果应当是保护学生和民众免于不合格的教学，这对校长、其他督导人员以及教师而言，无疑是一个重要的结果和一个非常重要的责任。相比而言，专业提高的评价结果有很大不同，注重的是教学和学校教育的质量保证，而不是担保教学已达到最低可接受水平。

● 80/20 质量规则揭示了在教师评价中学校、学校分管部门以及国家三者的重点平衡应该怎样。**当督导的时间和金钱大于 20%花在质量控制上，或是说小于 80%花在职业提升上，则对优良的学校教育不利。**80/20 规则为那些评价教师的负责者提供了一个教师的努力是否指向优良学校教育的框架，在作出这个评估的时候，不应该关注修辞法（那些负责者指出教师评价的作用），而应该更多关心使用的标准和过程。与两个目标相联系的标准和过程列在表 12-1 中，如果强调的重点是所列的“标准”，那么评价的目标是质量控制。

表 12-1 不同的目标，不同的评价标准

目标	
质量控制（确保教师达到公认的工作行为）	职业发展（提高教学理解，增强实践）
标准	
过程是正式的，并有文件记录 准则对所有教师都是明确、标准和统一的 强调达到最低的公认要求	过程是非正式的 准则根据教师个体或教师团体的需要和能力而拟定 强调帮助教师达到一致的职业发展目标
结果	
保护学生和公众免于不称职的教学	保证为学生和公众提供的教学和教育质量
80/20 质量规则：当督导的时间和金钱大于 20%花在质量控制上，或是说小于 80%花在职业提升上，则对优良的学校教育不利。	

实践中的临床督导

帮助教师学习和提高业务的一个有效方法是让他们参与临床督导。临床督导能够采用很多形式，但是不变的是：对选择的教学问题进行深度检查和认真研究，收集帮助教师理解这些问题的数据，改进实践的发展。

临床督导是从现实的专业实践中显示出来的，涉及到一系列督导面临的问题，这些问题是他们与教师共同工作以及作为教师会遇到的。临床督导的基本要素包括建立一个总体健康的督导氛围，一个相互支持的“同事关系”体系，一整套督导构成的研讨会，考察教师工作，模式分析。临床督导的假设是：

- 教师每天都要接触课程。
- 课程和教学计划的变化要求教师对教学的思考和理解发生变化，课堂行为也相应改变。
- 督导是一个督导者和教师都要担负责任的过程。
- 督导的重心是教师的实力。
- 给予适当的条件，教师就愿意并有能力改进。
- 教师有巨大的潜能，通常情况下没有充分利用。
- 教师在具有挑战性的工作中得到满足。

临床督导是一个相互质询的合作关系，人们常把督导看成是教师的同伴。有时指派这位教师（督导者）作为辅导员，有时没有正式指派——仅仅是一个同事帮助另一个同事。他更多的是作为一个有经验、有洞察力、善于分析其他同事教学的个体发挥作用，而不是作为一个专家设计出什么是对的什么是错的。在这个过程中，权威是一个重要的问题。

临床督导在收集并提供教师想知道的信息时获得权威，在帮助教师有效利用这些信息时获得权威。与等级、地位产生的正式权威相比，这种权威是职责上的。职责性权威与高度的教师满意感及工作绩效相关。

临床督导的目标是采用对教师来说有意义的，且支持教学内容和标准的方式，帮助他们修正现行的教学模式，因而，评价必须对教师的需求和期望作出回应。只有教师才能决定临床督导的过程、讨论的问题及目标。显然，作为督导者的校长、部门领导、人事科员以及指导教师会对这个主动过程产生相当大的影响；但是理想的状态是，这种影响应当源于他们能提供教师所需帮助和说明的职位。因此，督导者的工作是帮助教师选择改进的目标，阐明教学问题，更好地了解自己的实践。对理解的强调是通过给予教师更多的技术指导来指明道路的，因此，临床督导涉及到对课堂事件、教学行为、学生的抽样作业以及其他有助于阐释当前研究的教—学问题的数据来源进行系统分析。正如我们在第十章讨论过的，标准框架在临床督导中起到重要作用，它们有助于确定研究中的可能性问题，有助于把那些问题定位到一个更大的有效教学情境中。

临床督导通常被看作是一个整体的模式，一个能采用多种形式和途径、与教师共同工作的模式。在假设和整个框架产生作用时，当然在策略水平上需要达成一致，但是，如果临床督导活动要让自己适合督导者和教师的需要，适合教学环境的特点，那么在形成操作战术时就需要多样性。因此，临床督导的基本模式是与教师一起工作，其间使用多种技术、观点和方法。以下我们探讨临床督导可采用的一种形式——督导循环。下一章,我们将讨论另一种形式的临床督导。书中举的例子是课文学习、按标准检查教师的任务和学生作业,这些都是相互联系的。

临床督导循环

我们不可能在很短的篇幅内提供与临床督导相关的所有技巧。目前主要阐述的是督导循环,提供临床督导实践的一些基本原则和概念以及督导者在开始发展其临床督导能力时可能会用到的技术和工具。

科根(Cogan)定义了督导循环的八个阶段:[1]

1. **建立教师—督导者关系。**这个阶段特别重要。一般教师容易对评价产生怀疑,科根所描述的督导的极端类型会让人更加担忧。此外,临床督导的成功需要教师在所有步骤和活动中与督导者共同承担责任。督导者在这时有两个任务:在相互信任和支持的基础上建立人际关系;促使教师进入共同督导的角色。科根认为这两个任务应该在督导者进入课堂观察教师的教学之前就完成。他还认为阶段 1 建立的同事关系是至关重要的。

2. **与教师一起周密计划课程和单元。**在阶段 2 中,教师与督导者一起计划一节课,一系列课程或一个单元。这里的计划包括目标和结果的估计,主题概念,教学策略,使用的资料,学习背景,预计的问题,提供反馈和评价。

3. **教师同督导者一起设计课堂观察策略。**教师和督导者共同设计并讨论在观察时间内收集的信息的种类和数量以及收集信息的方法。

4. **督导者观察课堂内教学。**科根强调只有在认真建立督导关系、设计课文和单元及观察策略后,才能进行观察。

5. **仔细分析教—学过程。**作为共同督导者,教师与督导者都要分析课堂事件。他们可以在最初独立工作或是一开始就共同工作。分析的结果有二:一是对教师长期存在的行为模式和可能影响课堂教学的突发事件进行的鉴别,二是教师的行为及产生这种行为的依据。在多次详尽记录观察过程并分析之后,可以认为教师已建立了一种有依据的适用的教学模式。第 4 阶段和第 5 阶段提到的教学观察经常可由收集到的资料来补充,这些资料可以是抽查到的学生作业,教师的教案,对考试问题的分析等。

6. **计划讨论会策略。**督导者通过设置尝试性的目标和过程来准备讨论会,不需对讨论会的进程有过多设计。他们还要计划物质环境并安排资料、录影带以及其他辅助性物品。讨论会最好不要太匆忙,可以在上班时间举行。科根认为应该不时地把教师课堂责任包括在内,这是很必要的。

7. **讨论会。**讨论会是教师和督导者交换信息的机会和环境,内容是关于一堂课

[1] Cogan, Ibid.

或一个单元中预计的和实际发生的情况。讨论会以促进职业实践的理解和提高为目的，成功与否取决于把临床督导过程看成是形成性评价的程度。

8. **开始新计划。**临床督导前七个阶段的结果是在教师课堂行为变化上达成一致意见。当这种一致具体化以后，第8阶段就开始了。教师和督导者开始计划尝试下一次课程或单元，计划新的目标、方法和技术。

好像临床督导循环看起来描述的就是许多督导者所做的事。但是快速回顾一下我们的假设，特别是教师的共同督导者概念，这提醒我们相似性可能是表面上的。在循环中，督导者对教师的影响表现在两个层面上：一是帮助教师理解并提高他们的职业实践，二是帮助教师学习更多在督导中需要的课堂分析技巧。此外，当传统的课堂观察倾向于零零散散，不需要投入多少时间时，临床督导需要督导人员每周给每位老师2—3个小时。想加入临床督导的校长能通过以下方法更好地安排时间——一次仅与部分教员一起工作，也许是1/3的数量，3个月轮流一次。当教师能胜任临床督导的工作时，他们应当作为**同侪督导**加入临床督导。实际上，随着临床督导和一些强调共享和教学调查的其他督导形式越来越广泛，教师必然会通过同侪督导而逐步成为其中的核心。如果把教师排除在临床督导的角色之外，就没有什么规则存在了。当教师成为临床督导者时，校长参与并给他们提供帮助，寻找时间互相帮助，安排好计划表让他们一起工作，并参与一些讨论，比如“在干什么事情，效果如何，我们现在应该怎么办?”等等。

教育平台

在第五章我们讨论了教育平台的主题，它对教师和督导人员的观念、信念的影响，以及对教学的影响。教育平台在临床督导中扮演着重要角色。

大多数督导者和教师都知道，教学并不像个人想象的那样客观和透明。实际中，教师、督导者及其他人会把各种各样的议程带入课堂，有的是公开的，有的是隐蔽的，或许绝大多数是不为人知的，每一项都会影响他们做出决定。这些议程可以分为三大类：什么是可能的？什么是真实的？什么是可取的？这三点合在一起就是一个人教育平台的基本要素。[1] 一个平台能支持个体的行为，能让人证明自己的行为合理或让自己的行为合理化。就像政治平台一样，这个平台阐明了基本的价值观、重要的政治声明以及个人或群体的位置。一旦了解了政治平台，就能利用它预测政治家或政治党派在各种问题上的反应。

假设、理论和信念

一个人的教育平台是由假设、理论和信念构成的，它们是个人形成有效教学的主

〔1〕 Decker Walker, “A Naturalistic Model for Curriculum Development,” *The School Review*, vol. 80, no. 1(1971), p. 51-65. See also our previous discussion in Chapter 5.

要方面，如学校教育的目的，学生的感知，什么知识最重要，某种教学技术和教育学原则的价值等等。为了阐述明白，以下我们就来考察教育平台的每一个部分，但要承认，在操作上各部分是不可分割的。

假设，有助于教师回答“什么是可能的”这个问题。假设构成了一个人的信念，构成一个人认为是理所当然的概念，是一个人丝毫无疑地接受课堂、学生、教学、学习和知识等观念的基础。它们有助于教师界定一堂课实际上是什么样，在课堂内可能完成什么，因为它们一开始就界定了什么信息要考虑，什么信息不考虑，也界定了其他的可能和行为。它们对教师作出决策很重要。

理论有助于回答“什么是正确的”。它们是关于关系的观念，这些关系存在于人们认为是真实的假设之间或之中。理论构成了发展班级组织的教学策略模式的基础。

在课堂上希望得到什么的观念，来自人们对知识、学习、课堂、学生的假设和理论。我们希望得到什么可以通过目标、目的的形式表达出来。

例如，一名教师的教育平台包括这样的假设“很少或没有什么知识是重要的”，“我们相信青少年能作出重要决定”。这两个假设可能产生的理论是“允许学生对课堂决定产生影响，这些学生将会有明智的选择，将会成为更专心的学习者”。如果这是事实，这名教师相应的目标也许是“让学生进行共同决策”或者可能是“让学生与题目产生互动”，其方式是强调主题的概念和结构而不仅仅是它本身的信息。

与此相反，另一名教师的教育平台包含的假设是：“惟一能证明优良教学的是让学生学会那些教师具体指明的主题或是习得考试要检测的题目。”“学生的学习动机应当反映学校以外的现实世界，在现实世界中良好的行为和表现得到公开表扬，不好的行为受到公开惩罚。”这两个假设可能导致的理论是“为了让学生有良好的行为和表现，以便在最短的时间内获得最多的题目资料，需要对学生采取胡萝卜加大棒的政策，一手是激励，另一手是纪律”。在这个案例中，相应的目标则是“对那些表现达到教师期望的学生给予奖励和特权，对那些达不到期望的学生以惩罚”。

许多教师的平台在上述两者之间。对课堂生活的性质和质量而言，教师平台仍然是一个强有力的决定因素。

知与不知的平台维度

在课堂范围内，人们通常不知道教育平台的成分，即，教师一般不知道自己的假设、理论或目标。他们采用的平台要素，有时看起来是对的；有时具有时髦的修辞学光环；有时与其他重要人物（如教师本人崇拜的人，或是他们想加入的团体）的期望一致。尽管教师可能公开采用某种教育平台的外观，但他们很可能公开或不为人知地挂着与之矛盾的假设、信念和理论。教师可能会公开地说一些东西，表现出他们的课堂行为受控于这种陈述，但是私下里，他们可能信仰另外的东西，并让它实际地影响着课堂行为。他们的确没有意识到自己的课堂决定和行为通常与自己信奉的平台相矛盾。

控制教师行为的理论

临床督导需要考虑教师带给课堂的两个理论——**信奉理论**和**应用理论**。克里斯·阿盖里斯(Chris Argyris)和大卫·舍恩(David Schön)指出：

> 当问及一个人他在某种环境下会怎么做时，他给出的答案通常是他在那种环境中行为所信奉的理论。这个行为理论是他的忠实回答，也是他在被询问的时候会传达给别人的。然而，真正支配他行为的理论是应用理论。这个理论与他的信奉理论可能一致，也可能不一致；此外，个体可能意识得到，也可能意识不到这两个理论的不一致。[1]

当一个人的信奉理论与应用理论相匹配时，就认为它们是一致的。例如，一个教师认为学生的努力比学习的能力更重要，而他的教学行为和行为的结果证明了他的信奉理论，这表明两者存在一致性。一个人的信奉理论与应用理论缺乏一致性时，会给他带来一种两难困境。例如，另一个教师的信奉理论也是关注努力，但是他提问的方式、消极的反馈、钟形曲线、坚决主张分班教学制，可能都显示出应用理论与信奉理论的不一致。两个理论不一致的另外一个例子的代表是那些社会研究的教师，以“极权主义者”的态度信仰并传授着美国民主课程。

哈里窗

要理解教师怎样在知—不知的平台范围内适应临床督导，一个有效的方法是考察**哈里窗**，它与信奉理论、应用理论都有关。[2] 图 12 - 1 说明了这种关系。

哈里窗在这里描述了教师和督导者两者的关系。涉及到教师教育平台的方面是：教师自己知道，别人也知道；教师自己知道但别人不知道；教师自己不知道但别人知道；教师自己和别人都不知道。哈里窗描绘了四个区域，每一区域代表一种不同的组合，是教师对自己教学的知—不知与督导者对教师教学的知—不知相组合而产生。

---

〔1〕 Chris Argyris and David A. Schön, *Theroy in Practice: Increasing Professional Effectiveness*, San Francisco: Jossey-Bass, 1974, p. 7.

〔2〕 Joseph Luft, *Of Human Interaction*. New York: National Press Book, 1969. The Johari window was developed by Joseph Luft and Harry Ingham and gets its name from the first names of its authors.

	对于教师督导者知道的	对于教师督导者不知道的
对于自己教师知道的	公众的我 1	隐藏的我（隐蔽的我） 2
对于自己教师不知道的	盲目的我 3	未被发现的我（潜在的我） 4

图 12-1 哈里窗和教育平台

摘自：Thomas J. Sergiovanni, *Handbook for Department Leadership Concepts and Practices in Today's Secondary School*. Boston: Allyn&Bacon, 1977.

第 1 个区域，公众的我。教师了解自己的教学行为和其他职业实践，与督导者对他的了解一致。这个区域中能产生最有效的沟通，对教师有所要求的话，受到的防御和假设的威胁是最小的。督导者要同教师一起把这个区域扩大。

第 2 个区域，隐藏的我或隐蔽的我。教师知道自己的教学行为和教学实践但督导者不知道或者不了解。教师通常对督导者隐藏这些方面，以免督导者可能利用这些了解来惩罚、伤害或利用自己。这个区域指出，信任和可靠的督导氛围对临床督导的成功是非常重要的。在临床督导中，要鼓励教师缩小这个范围。

第 3 个区域，盲目的我。对教师的行为，实践督导者知道而教师自己不知道的方面。尽管这个领域的最初范围很大，但会随着临床督导促进教师的发展成熟而大量减缩。传统的教师评价方式最常忽略的就是这个区域。实际上，临床督导比别的大多数督导策略优越之处就是在于它帮助教师了解"盲目的我"的教学范围。

第 4 个区域，未被发现的我（潜在的我）。教师本人和督导者都不知道的教师行为和职业实践。当临床督导有进展时，这个领域就会缩小。教师和督导者会发现并知道越来越多的教师的信念、能力、优缺点和潜力。

帮助教师改变

为变革创造条件会极大促进变革本身。例如，如果教师个体不知道他们的信奉理论与应用理论之间不一致，他们多半不会探求新的教学模式。激起探求行为的一个方法就是确定两难问题。当教师知道自己的信奉理论和应用理论不一致时，两难状态就变得明显了。

尴尬的处境会使人有一种不安的感觉。教师信奉的教育平台有巨大的意义，他们支持和相信的东西与自我观念、自我感受相联系。由于象征和实际行为之间的不协调而产生的两难状况会让人烦乱，必须加以解决。实际上，它们可能导致一个人探索信奉理论的改变或是应用理论的变化。[1]

临床督导过程的一个关键点就是愿意改变，就此需要提供一个适宜的支持系统。这个支持系统有一部分是心理上的，朝向接受教师并鼓励教师，但是还有一部分必须是专业上的，为教师提供教学及职业实践和可取之道。

阿盖里斯和舍恩指出"一致性"本身并不是一个优点。从督导者的视角看，与一个"好的"信奉理论同应用理论的不充足匹配相比较而言，他们更不希望出现的是一个"差的"信奉理论与应用理论的良好匹配。[2]

一些证据

在发展临床督导理论的讨论中我们已经指出：

- 教师课堂行为的产物是他(她)带到这个教室里的假设、理论和意愿的作用，这些合起来就构成教师的教育平台。
- 教育平台存在两个层次：一是教师口中的假设、信念和意愿(他们的信奉理论)。二是从他们的行为和行为产物推论出的假设、信念和意愿(应用理论)。
- 教师一般都知道自己的信奉理论。
- 教师一般不知道自己的应用理论。应用理论必须通过观察教师行为及行为产出得以建构。
- 信奉理论和应用理论不一致，会给教师提出一个两难困境。
- 面对两难状况，教师会感到焦虑不安，引发探索行为。
- 教师改变他们的应用理论以适应信奉理论，这样就可以解决两难状况。也有可能改变信奉理论去符合应用理论。但是因为信奉理论与个人自尊相关，自尊又与受到他人的尊重相关，所以更普遍的方式是前一种。

虽然许多研究指出，教师一般会对别人提出的建议作出反应，[3]但是也要有一些适当的告诫。如，威廉·麦奎尔(William McGuire)提出，面对不一致，探索行为只是多种反应中的一种。他提到另一个事例是**回避**。通过"回避"，个体把不一致赶出大脑而抑制该事件；而**支撑**，是把不协调置入一个更大的协调一致的体系中，使不

---

[1] Leon Festinger, *Theory of Cognitive Dissonance*, Evanston, Ⅲ.: Row, Peterson, 1975; and Milton Rokeach, "A Theory of Organizational Change within Value-Attitude Systems," *Journal of Social Sciences*, vol. 24, no. 21(1968).

[2] Argyris and Schön, ibid.

[3] Using Flanders's interaction analysis techniques as a means of collecting information and as a basis for producing verbal feedback, Tuckman, McCall, and Hyman conclude that "behavior and self-perception of experienced, in-service teachers can be changed by involving a discrepancy between a teacher's observed behavior and his own self-perception of his behavior, and then making him aware of this discrepancy via verbal feedback." See Bruce W. Tuckman, Kendrick M. McCall, and Ronald T. Hyman, "The Modification of Teacher Behavior. Effects of Dissonance and Feedback," *American Educational Research Journal*, vol. 6, no. 4(1969), p. 607 - 619.

一致事件看起来相对不重要了;**区别**,引起不协调的情景是在特定事件(“我并不是给青年人泼冷水,我只是让她体验一下自己种下的苦药”);**替代**,改变观念的客体而不改变观念本身(“我的确说过所有的学校管理者都是琐碎的官僚主义者,他们就是那样;但他不是,他是个公正贤明的领导人”);**贬值**,降低“不一致”的重要性,以此提高对它的容忍度。[1] 面对信奉理论与应用理论之间的不一致,教师能达到的程度是依据如早先提到的,氛围的性质及督导者提供的设置——用莫里斯·科根的话说,即同事关系。[2]

临床督导的许多形式与督导的技术方法相似,技术方法要求形成完整的教学描述并对其解释。追踪结果是重要的,但是更重要的是这些结果对教师和学生意味着什么。

鉴别力与评论

如果不参考埃利奥特·艾斯纳(Elliot Eisner)的著作,[3]我们就很难讨论教师评价的技术方法。艾斯纳关注督导者和教师在正确评价、推理、揭示和描述的性质和技能上的发展。他把这些特征看作是教育鉴别力和评论的培养。通过鉴别力技术,个体能够领会并内化课堂的意义,通过评价技术,个体能够与他人分享并给他人揭示这种意义。艾斯纳借用鉴别力和艺术评论来解释这些概念。领会技术是鉴别力的工具,揭示技术是评价的工具。詹姆斯·克罗斯(James Cross)以体育评论家和作家为例,对鉴别力与评论的结合作了阐释。

> 我们很多人熟悉评论家在描述和评论好的比赛或可能胜利的策略时用到的一些技巧。可以看到比赛所运用的一些技术,比如在暂停的时候、重播、慢动作或体育栏目对激动人心时刻的描述。这些评论员最主要的贡献在于他对运动方面的广博知识、熟悉各种可能性,如侧卫转身,何时碰撞、偷袭等等。有教育潜能方面的知识也非常必要。关于教学方面的潜在价值策略,或者学校教育中的碰撞、运行或侧卫转身等,都需要描述和传达。[4]

---

〔1〕 William J. McGuire, “The Current Status of Cognitive Consistency Theories,” in Shel Feldman (ed.), *Cognitive Consistency, Motivational Antecedents, and Behavioral Consequents*, New York: Academic, 1966, p. 10 - 14.

〔2〕 Cogan, Ibid, p. 67.

〔3〕 Elliot Eisner, “Applying Educational Connoisseurship and Criticism to Education Setting.” Stanford, Calif.: Stanford University, Department of Education, undates, mimeo; see also his “Emerging Models for Educational Evaluation,” Eillot W. Eisner, “Emerging Models for Educational Evaluation,” *School Review*, vol. 80, no. 4, 1972; and “The Perceptive Eye: Toward the Reformation of Educational Evaluation,” Washington, D. C.: Area, Division B, Curriculum and Objectives, 1975, invited address.

〔4〕 James Cross, “Applying Editorial Connoisseurship and Criticism to Supervisory Practices.” Doctoral dissertation. Urbana: University of Illinois, *Educational Administration and Supervision*, 1977.

评论家的才能是借助一幕幕的形式，让观众观看并体会比赛，这种感受是从那些比赛统计和其他客观的信息中无法获取的。在这种形式中，观众对比赛的体验还建立在评论者大量的揭示上，这比电视屏幕上显示出的要生动得多。在教育中，评价者描述教室生活的才能，能让其他评价"看到"并感受到这个环境，犹如身临其境，这超过了提供一份附有一系列评定等级或教师评价表的简要报告。艾斯纳坚持认为教师和督导者每天都不同程度地实践着教育鉴别力的职责：

> 例如，教师判断学生在人文科学、数学、阅读或"自由时间"上是否足够，不是应用动机或注意力理论，而是通过孩子们自愿展示出的大量的特性来判断。从学校的任何一条走廊经过，透过窗户看上一眼，一个教育行家就能快速识别出那个教室生活中的重要情况。当然，判断会不完善，尤其是在走廊里透过窗户观察得到的。但是要点保持下来。如果一个人知道怎样领会他看到的是什么，那么大量的信息就是可靠的。一名教师如果不能区分孩子学习时发出的声音和真正的噪音，那他(她)还达不到教育鉴别力的基本层次。[1]

艾斯纳认为我们能够并且应该改善教师和督导者现存的鉴别力水平，他们的感知能力要提高，要更加敏锐，理解力要提升。他进一步提出：

> 鉴定水准发展到高水平，它提供的意识水平就可能作出理智的明确结果。许多教师每天都面对来自教学专业以外的，旨在提高学校教学质量的指示和要求，教师内心感受到很多此类的要求有误导性，或就是错误的；然而这类要求还是以某种形式表现了出来，可能是在教室中或孩子最感兴趣的事情当中。[2]

在这里的上下文中艾斯纳写到："如果你问这些教师，很多人说不出他们为什么感到忧虑。他们很难清楚地说出那些来自州政府大厦和主要大学的指示到底存在什么缺陷。虽然这种忧虑不是经常性的，但却是有道理的。"此外："许多教师有足够的判别力认为有些东西是错误的，但是其判别力还不足以对它提出一个更合适的概念。"[3]

当教育鉴别力应用到督导中，它是一个必要但不是充分的技术，课堂理解需要陈述和沟通，这个方面就是揭示技能，艾斯纳称之为教育评论。培养教育鉴定家的技术和揭示技能，需要学习许多东西。很大部分依靠教育家恢复自信的能力、分析和判断

---

[1] Eisner, "The Perceptive Eye," op. cit., p. 9.
[2] Ibid, p. 10 - 11.
[3] Ibid, p. 11.

的能力以及信赖自己的直觉和洞察力的意志力——所有这些都是今天认为可疑的技能,即在面对责任的客观性和科学性需求时要打个折扣。

不仅是描述

督导和评价所特有的技术方法是:强调要确定教学活动和课堂生活的意义,而不仅仅是描述教学和课堂事件。例如,许多临床督导的倡导者对教学进行精确和客观的记录。通常建议的做法有:对教学过程录像,如实记载教师和学生的对话,记录教师和督导者感兴趣的某类数据。当教师和督导者之间存在特别好的关系时,一般是希望督导者不要作出解释,把事件背后可提取出的意义留给教师或是临床督导循环中讨论阶段的双方。

在临床督导中运用更多技术方法时,督导者试图超越对教学事件说明的描述。遵循伊恩·拉姆齐(Ian Ramsey)的研究,[1]约翰·曼(John Mann)区分了描述和揭示的模式。[2]评价的描述模式更倾向于研究教学活动和课堂生活。揭示模式,包含它所研究的课堂教学活动的关键特征,但是它更注重说明意义、提出问题、验证命题。表12-2中列出了一些区别,在表中的"揭示"一栏,注意它强调要超越严格意义上的数据,告诉我们数据背后的故事。例如,思考以下从罗伯特·唐莫耶(Robert Donmoyer)的课堂"揭示"中摘录的文字:

> 所有这些力量结合起来,对教师及其课堂行为产生了深远影响。就像她自己说的那样,她成了一个会计员。她的大部分时间都花在检查和记录学生做了什么,没做什么。必须检查数学、拼写和语言作业,如果有错误(一般都有),必须重新检查,有时还要再次重检。要求检查后必须在学生的数学、拼写和语言三科的成绩册上留下确认无误的标记。每一本都要进行登记。做完这些事后,每个学生必须把这本包括作业的成绩册带回家,然后带回一条其父母签写的备忘,表明他们已经看了作业。当然,这条备忘也要进行登记。
>
> 这种检查、再检查、做标记、登记都是在机械化的精确操作下完成。教师的面容保持固定,除了嘴角偶尔向上撇动一下,眼中也毫无笑意。
>
> 教师在动作和姿态上很吝啬。希尔小姐就像是一具木偶,吊线拉得太紧了,因此她的姿势一定是紧绷的。[3]

---

〔1〕 Ian Ramsey, *Models and Mystery*, London: Oxford university Press, 1964.

〔2〕 John S. Mann, "Curriculum Criticism," *The Teachers College Record*, vol. 71, no. 1, p. 27-40, 1967.

〔3〕 Robert Donmoyer, "School and Society Revisited: An Educational Criticism of Ms. Hill's Fourth-Grade Classroom," as quote in Eisner, *The Educational Imagination*, 2d edition, New York: Macmillan, 1985, p. 231.

表 12-2 教师评价的描述模式和揭示模式之比较

描　述	揭　示
目的	
尽可能精确地描述正在研究的教学现象。对现实进行拷贝，摄像，制作副本。	说明正在研究的教学现象。解释问题，揭示所遇，提出假设或建议。议项和问题都来自数据。
类比	
合法的副本，录像，图像复制，交叉分析，电子摄像，音乐或舞蹈成绩，上演原创剧，历史事件。	印象派的绘画，贴作品，读后感，解释的图片、音乐、舞蹈，演戏。
关键问题	
这个班级确切发生了什么事？我怎样客观地描述这些事件？	对这个班级的研究暴露了哪些问题？我怎样才能用一个有意义的方式表示或说明这些问题？
效力检查	
正确地描述了事件吗？	观察实际发生的事件时，它们合理地导致推理和解释吗？

在这里我们注意到唐莫耶没有提供教师进行检查的具体数量，但是提供了一个替代性的词“会计员”，这不仅是对学生作业的实际检查，而且传达了一个超越检查和再检查这个特殊问题的意思，并对这个特殊班级生活、氛围和性质的一个重要维度作出评价。

讲故事成为有效的传达方式之一。因此，督导者必须注意教师是否对这种程度的公开和坦白做好准备。描述和揭示的概念应当在督导者的工作尺度内作为范围参数。有时尽可能地精确描述是有意义的，而另一些时候走向范围内的“揭示”一端可能更加适合。把建议编成督导和评价的目录，一个特定学校或特定督导者能使用这个范围量表，用于确定学校中存在的可能排列。但是应该注明，督导和评价策略越接近“揭示”的一端，教师和督导的关系性质对这种方法的成功就显得越重要。**督导和评价的揭示策略要求该过程中涉及的人际关系之间有特别强的信任氛围和相互理解。**在这个连续区中，相对谨慎的“描述”一端在最开始可能是适合的，但随着督导关系的成熟，会朝向“揭示”一端移动。

对技术方法的批判

督导和评价的技术方法经常受到的批判是它缺乏精确性，过于主观化。这种批判是无可争辩的，但是选择另一种方法，即把教学和督导实践的分析仅限于精确和客观，这样既不科学又没什么作用。有用并有效的督导系统必须重视对教师有意义的数据。

经过解释并建立意义,原始数据会变得合情合理。但是这种主观的评价系统公正吗?怎样证明系统的有效性呢?

解决这些问题的关键在于对建议意义承担责任的人。例如,如果提供建议的意义是作为假设,而已被接受的意义在教师和督导者的合作中能达到,这样就提供了一些保护。

准确性问题仍然很重要。有的人提出:只有那些能准确并精确观察且记录下来的数据,才能成为评价过程的一部分。不幸的是,能达到这样严格,即使是人为标准的评价问题,通常在重要性上不如那些达不到标准的问题。限制评价问题的正确性,能导致严重的测量误差,就是常说的"第三类误差"。在这类误差中,设置了正确的统计置信度,使用了正确的测量标准,但是提出的问题却是错误的。约翰·图基(John Tuky)的告诫可能最能概括这种放错地方的说服力:"对一个正确问题的近似回答(经常是模糊的),远远好于对一个错误问题的确切回答(总是精确的)。"[1]根据艺术方法对临床督导的有用程度以及在什么情况下可进行分类时,一个更有效的方法就是在了解艺术方法优点的同时,也要知道它的局限性。

评价公文包

录像是在临床督导、教育鉴定家技巧和评价中常用的一种技术。的确,录像能对教学情节和课堂生活提供一种有益并容易得到的描述。但是因为焦距和屏幕的选择特征,这项技术也能像框子那样限定人们的感知,引起倾斜的意义。此外,屏幕中显示的东西经常表示可能的选择,因而提供的是一种不完整的图片。最后,课堂生活中的一些方面不会很好地呈现在镜头前,我们就会忽视它。[2]作品分析,与录像结合在一起,有助于提供更完整的课堂表现,能增加意义。[3]

想象一下,20年前的一个教室或学校突然被它的师生遗弃,并且立即被密封起来。这里的每一件物品都保持着被舍弃时的原样——桌子、椅子、兴趣中心、作业材料、考试文件、家庭作业、阅读中心签字列表、星形奖励图表及其他的"激励策略"、黑板报、作业记录薄、学生笔记本、成绩册、计划簿、图书馆陈列、教师办公室布置、学生休息区陈设等等。

20年后,你作为一个业余的人类学家来到这个地方,想研究这个教室的文化、生活方式和教室的意义(它的目标、价值观、信仰、行为、规范等)。当你探究这个教室的

---

〔1〕 Quote by R. Rose, "Disciplined Research and Undisciplined Problems," in C. Carol H. Weiss (ed.), *Using Social Research and Public Policy Making*, Lexington, Mass.: Health, 1977, p. 23.

〔2〕 This discussion follows Thomas J. Sergiovanni, "Reforming Teacher Evaluation: Naturalistic Alternatives," *Educational Leadership*, vol. 34, no. 8, 1977.

〔3〕 See Patricia Scheyer and Robert Stake, "A Program's Self-Evaluation Portfolio." Urbana: University of Illinois at Urbana-Champaign, Center for Instructional Research and Curriculum Evaluation, undated mimeo, for a discussion and application of this concept for program evaluation.

时候，你会收集什么样的遗留物？你会怎样利用它们来研究这个学校的生活？假设你对以下方面感兴趣：发现什么对教师而言是重要的；与学生对教师的看法相对照，教师是如何看待自己的角色；青年人看上去是怎样学习或娱乐的；他们的时间怎么度过。对每一桩感兴趣的事，你会收集什么东西？例如，你发现作业本或类似的纸张上，学生大多是简要回答的形式，班上对学生作业没有进行展示，所有学生的课桌内放有完全相同的教材，教师考试文件中大部分问题与教育目标分类的知识层次相适应。对此你会做出什么样的推论？

公文包旨在建立或收集代表教室或教学活动某些方面的作品、记录、图片、磁带及其他材料的文件。尽管公文包中的材料应当是宽松式收集，适合经常重新排列以反映教室的不同面貌，但是公文包应该按照某种目的来设计。接受评价的教师或教学小组有责任收集公文包，其方式应当强调他们希望反映的是自己在关键问题上的观点和侧重点。

就像艺术家给自己的作品准备一个公文包反映一种观点一样，教师也为他的工作准备了类似的代表。督导者和教师利用收集到的作品，共同确定关键问题，确定教师教育平台的维度，作为达到目标的证据，确认意外发现但很有价值的结果。例如，公文包收集可用于检查下列问题：

- 教室活动与教师信奉的教育平台或者和学校的教育平台相容吗？
- 督导者与教师目标一致吗？
- 青年人从事的活动需要高级认知思维还是强调低水平的学习？
- 青年人有机会影响班级决策吗？
- 班级计划对班上所有学生都产生激励吗？不论其学业潜能如何，或是对一些学生教得太少而对另一些又教得太多？
- 班里的学生是承担了被动的角色还是积极的角色？
- 教师工作努力吗？即表现在：有计划的迹象吗？是否充分准备材料？思考并尽责地反馈学生作业还是明显走捷径？
- 教师理解学科的主题吗？
- 这个班级中隐性课程的性质和特点是什么？

夏洛特·丹尼尔森（Charlotte Danielson）和托马斯·麦格里尔（Thomas McGreal）描述了收集教学作品的好处：

学生对教师技能的体验并不仅限于师生直接作用的相互影响中，还发生在教师所创造或选择的人为产品中，例如作业、工作记录单、项目指导等等。

实际上，人们评价学生的学校体验，大部分是评价教师创造或选择的材料的功能，因此，此类作品代表了教师绩效的一个重要方面，应该被看成是一个评价体系的一部分得到评估。

当评价体系包括教学作品时，就提供了观察教室内生活的窗户，这扇窗是无法从致时，就会产生两难困境。一旦发现这种情况，教师就能尝试去解决这个问题。解决问题的过程有激发变革的作用。

公文包是一个艺术上的暗喻，它与督导和评价的概念完全相符合，这些观念把临床督导置于一个发现、反映、自我领会和职业提高的领域中。正如本章所描述的，临床督导及其概念支撑体，当应用于其他旨在职业发展的督导模式时，应当处于督导实践的中心。

第十三章
教师的督导选择

随着课堂上的全体学生成为一个学习共同体，教学活动变成将学习者凝聚在一起的中心点，学生们的学习能力、社交和道德发展能力都会得到提高。督导Ⅱ的这一基本原则在许多学校甚至一些州得到了实行，得克萨斯州甚至已经采用了一套新的模式，它是这样描述教师的角色和作用的：

> 教师是由学习者汇集成的团体的领导，在此团体中，开放的、相互信任的氛围能激发观念的交流和对彼此的尊重。教学过程中，教师身兼多种角色，他既是富有批判精神的思考者，也是疑难问题的解答者。作为教练，他们必须进行观察、作出评价，并在必要时调整指导的方向和策略；作为必须有效利用资源的指导者，教师要帮助学生把书本知识与他熟悉的观念、已有的经历及其他相关的问题联系起来；作为督导者，教师有效地获取、配置并储备各种教学资源。通过鼓励自我导向的学习方式并塑造相互尊重的行为模式，教师对学习环境进行有效管理，从而达到最佳学习效果。[1]

要真正把上述模式变为现实，就必须对课堂和学校实施以下的策略转变：

反思的共同体，无论学生还是教师，都应站在学习者的立场，努力培养对自身力量和弱点的内在洞察力，并根据这些信息制定不同的学习策略。

发展的共同体，共同体中的成员应具有这样的共识：学生和教师在发展提高的过程中都存在程度上的差异，而且既定时间内，该共同体应该比别的共同体更乐于学习新事物。

多元的共同体，在确定课程设置、教学和评估方面，共同体应体现出对学生和教师的不同天赋与兴趣的充分尊重。

对话的共同体，共同体内十分注重积极的价值和观念的交流；这种交流不仅在学生之间、教师之间进行，还在师生之

〔1〕 Texas Education Agency, "Learner-Centered Schools for Texas: Vision of Texas Educators." State Adopted Proficiencies for Texas, 1994, p. 4.

间进行，所有人都是共同体中共同学习的同道者。

体贴的共同体，共同体中的学生和教师应学会相互关心、相互尊重、彼此帮助，这在学习知识和学习做人的过程中都有所裨益。

负责的共同体，共同体里，学生和教师都把自身视为社会网络中有意义、有责任的一分子，感受到是一种道德责任促使他们凝聚于同一学校共同体中。[1]

这一模式有一个最基本的公理，就是要承认教师中发生的事和学生中发生的事之间存在紧密的联系。举例来说，如果教师间的质询不被提倡，课堂质询就不大可能得到推广；教学中不注重问题解答的老师也很难培养出学生专注于问题解决的学习方法；如果教师之间缺少交流，则学生之间的交流也难以维持和发展。除非学校使教师们变成一个学习的共同体，否则让学生们成为能够互相学习和交流的共同体的想法注定成为空谈。因此，要改造课堂教学，必然要改造学校本身，使之成为：

专业化的共同体，共同体内教师之间的互相依存不只是为了获得关心和支持，同时也是作为肩负某个共同任务的成员在一起互相学习、互相帮助。

维托·佩鲁恩(Vito Perrone)坚信在提高学生学习质量的过程中教师具有极其重要的中心意义。他认为教师自身的提高十分关键，因为对于"教师素质"的理解很大程度上影响着教师在课堂上的作为。[2] 他进一步指出，为优秀教师的培养所作的努力和制定的计划，应该是建立在这样的前提下，即教师们要想对教与学、儿童成长与发展以及教学资料与教学方法等等问题有更多的了解，最好的办法就是自己在实践中不断进行体察。[3]

本章中，我们将关注教师们在工作中正在面临的和将会遇到的情况差异。每位教师都既有所长又有所短，教师的需求与兴趣不同，他们在实践中的教与学方面遇到的困难和问题也会不同。对于这些差别，常用的督导方法就起不了作用。对此，我们建议提供一系列的选择，赋予教师相当的(但不是绝对的)自主权，以确定哪种选择对他本人更有效。这一系列选择应该由一个共同的主干延伸出来。要使督导方法得到系统性的发展，就要对督导方法的共同框架予以关注。这一框架包括适用于每个人的督导方式，也包括适应不同学习需求和兴趣的教师的其他选择形式。

走向分化的体系

建议每个学校逐步建立至少五种督导选择方案：临床督导、对等性督导、自引式督导、非正式督导和探究式督导[4]。我们还进一步建议在需要的时候，教师在决定何种

---

〔1〕 Tomas J. Sergiovanni, *Leadership for the School House*, San Francisco: Jossey-Bass, 1996, p. 138－140.

〔2〕 Vito Perrone, "Supporting Teacher Growth," *Childhood Education*, vol. 54, no. 6(1978), p. 298.

〔3〕 Ibid.

〔4〕 The discussion of options for supervision presented in this chapter follons the views of: Allan A. Glatthorn, *Differentiated Supervision*, Alexandria, Va.: Association for Supervision and Curriculum Development, 1984; T. J. Sergiovanni, *The Principalship: A Reflective Practice Perspective*, 3rd ed., Boston: Allyn & Bacon, 1995, p. 244－248.

选择有效时起主导作用。最后，建议在实施选择时，督导应该视为教师和学校管理方都可以施加影响的一个过程。双重影响并不意味着在督导过程中不需要校长和督导者，他们仍然承担重要的角色，特别是在需要时提供日常的非正式督导，以及对教师独立承担督导职责者给予领导和支持。但督导者应注意，不应包办督导的全过程而把教师排除在督导者的角色之外或是把他们视为有名无实的角色。

排除教师的作用等于忽视这一事实：虽然正式督导需要专业技术，但在大多数学校里，教师作为一个群体，对于学科、所教学生的独特个性以及如何有效地对这些学生实施教学等方面了解较多也较深，他们具备以上这些方面大部分的专门知识。传统督导理念的一个问题是把行政等级与专业知识等同起来，以为管理阶层对教学的了解要比教师们更多。分化的督导体系通过建立一种学习与提高的责任共享的文化氛围解决了这个问题。

从实践看来，将等级功能与督导过程分离是符合学校的实际情形的。埃米尔·哈勒(Emil Haller)和查尔斯·科南(Charles Keenan)的研究表明，加拿大和美国的教师在遇到疑难问题时更倾向于相互间寻求帮助，他们往往在探求教学新观念的资料来源以及其他一些问题的协助方面互通有无。[1] 正式督导人员很重要，但还不能与其他教师等同起来。与其他来源的建议相比，教师们更注重来自同行的建议。尽管没有得到公开确认，但学校里似乎都存在一种非正式的督导体系。有证据表明，这种教师间互相提供帮助的非正式督导体系对教师来说比正式督导体系更为重要，也更为有效。如果能够做到将督导视为教师和督导者共同平等参与的过程，而不是不同级别之间的监督与被监督的单向活动，教学督导者就可以把非正式的督导体系纳入规范，充分发挥其长处，并使其与其他更正式的督导方法结合起来，共同发挥作用。

临床督导选择

在第十二章里，我们曾提议把临床督导视为教师和督导者协作审查以便帮助教师更为有意义地改进现行教学模式的方法。临床督导并非人人必需，也非一种长期不变的策略。在整个督导过程中，只有在教师或督导者认为必要时才使用这一督导方式。持续运用临床督导，遵循每一设定的步骤，可能会有陷入形式主义的危险。对某些教师而言，临床督导可能意味着过多的监督。总的来说，由于教师的需求、意向以及学习风格不尽相同，这些差异的存在使得临床督导可能适用于某些教师，而对另一些教师则完全不适用。

---

〔1〕 Emil J. Haller, *Strategies for Change*, Toronto: Ontario Institute for Studies in Education, Department of Educational Administration, 1968; and Charles Keenan, "Channels for Change: A Survey of Teachers in Chicago Elementary Schools." Ph. D. dissertation. Urbana: University of Illinois, Department of Educational Administration, 1974.

对等性督导

在对等性督导或同侪督导中，教师们对基于自身职业发展而进行的协同工作达成一致意见。[1] 因此，在临床督导体系下共同工作的教师事实上同时也参与了对等性督导。不过，对等性督导还有许多其他形式。阿兰·格莱索恩（Allan Glatthorn）把这一方法定义为：一种由两个或多个教师为自身职业发展而进行的共同工作所达成的共识的中等正规化过程，通常的做法是互相观察课堂教学，对观察结果提出意见反馈，并就职业方面共同关注的问题进行讨论。[2]

在一些学校里，教师们会组成两个或三个小组。特定情况下，较好的做法是由校长或督导者指定每组中的至少一名成员，不过对等性督导组中成员的构成并没有硬性的规则。如果小组的规模不太大，以整个年级、中学部或高中部为一级就可以了。小组一旦建立，成员之间需达成一致，互相考察彼此的班级，并根据被考察教师的期望为他提供相应的帮助。他们在一起交换意见，彼此提出一些非正式的意见反馈，讨论他们认为重要的教学问题。以玛德莱·亨特（Madeline Hunter）的教学程序、课程设计或协作学习的基本原则为基础的方法在这里能得到较好地运用。[3] 在这种情形下，帮助的重点会集中体现在教师认为重要的典型问题上。还有一些情形是不突出重点，而是注重整体的感受或对教学实况进行再现。不管哪种情况下，不可缺少的一环是同组成员要事先协商，以确定考察和事后讨论或交换意见时须遵循和注意的相关“规则和要点”。

格莱索恩描述了五种不同的对等性督导形式：

> 教师间专业对话，其特征是进行定向讨论，以思辨的方式针对教学展开。专业对话旨在增进思考在实践中的应用。
>
> 课程改进，其特征是教师之间就与课程相关的主题展开协同工作，内容包括如何实施现行课程，如何改进课程以适应课堂中更广泛的学生特点和可能出现的多种情况，创造并发展新的课程单元和课程材料来丰富现行课程。
>
> 同侪督导，其特征是教师间进行相互评测，再进行分析与讨论。
>
> 同侪指导，其特征是在实验环境与教学实践中同时进行协作，以改进教学方法和技能，或探索新方法。

---

〔1〕 Glatthorn, op. cit.

〔2〕 Ibid.

〔3〕 See, for example Madeline Hunter, "Knowing, Teaching and Supervision," in Philip Hosford ed.), *Using What We Know about Teaching*, Alexandria, VA.: Association for Supervision and Curriculum Development, 1984; and Robert E. Salvin, "Cooperative Learning," *Review of Educational Research*, vol. 50, no. 2 (1998), p. 315 - 342.

行为研究，其特征是分析当前存在的问题，对教学实践的变化开发可行的方案。[1]

对等性督导超越了课堂观察，成功地扩展到其他领域。它能提供一种环境，使教师们可用非正式的形式讨论面临的问题，交流观点，帮助彼此作好课程准备，交换教学技巧，相互支持等。表 13－1 列出一些实施对等性督导的建议。

表 13－1 对等性督导实施指南

1. 教师应该有决定其工作对象的选择权。
2. 校长在对等性督导组的构成方面保留最终责任。
3. 督导结构应具备一定的正式性，保证每一组能够记录时间的运用情况，并对整个活动提供一份全面的不带评价的报告。此报告每年向校长报送。
4. 校长要提供必需的资源和管理支持，以帮助各对等组在学校内发挥其职能。比如，校长可以在必要情况下观摩课堂，安排替代人员，制定新的日程，与成员创造共同工作的有利条件。
5. 组内出现的与教学有关的情况，如果可以认定是与评估变化相一致的，应当限制在组内而不必与校长共享此信息。
6. 校长不应该向一个教师索取关于另一个教师的评价数据。
7. 期望每位教师都保存职业成长记录，以展示他(她)把反思实践和职业成长作为行动的结果。
8. 校长每年至少应该与全组会面一次，以便全面评估并分享他们在督导过程中的整体感受和有关信息。
9. 校长每年至少应当与每位小组成员单独会面一次，讨论他或她的职业成长经历，根据其实际情况给予相应的鼓舞和帮助。
10. 一般情况下，每隔两三年应该成立新组。

资料来源：Thomas J. Sergiovanni, *The Principalship: A Reflective Practice Perspective*, 2d. ed, Boston: Allyn & Bacon. 1991, p. 304.

对等性督导的例子很多，教师和学校还开创了更多的案例。以下各节，我们将分析对等性督导或同侪督导的三种实例：顾问指导、课程研究和教师协同考察学生作业。

顾问指导

顾问指导是对等性督导的一种形式。顾问作为其中一方——通常是位教师——受委托对另一方——通常是教学新手或学校新人——进行辅导、训练和引导。顾问指

〔1〕 Allan A. Glatthorn, "Cooperative Professional Development: Peer-Centered Options for Teacher Growth," *Educational Leadership*, vol. 45, no. 3(1987), p. 32. Action research and peer supervision in the form of clinical supervision are treated in this discussion as separate options. Both might involve collaboration with other teachers, a closer, more private relationship between formal supervisor and teacher, or, as in the case of action research, an individual initiative.

导关系因其委托性质而显得较特殊。被指导者有赖于顾问的帮助和保护，为他们指引方向，充分发挥他们的技巧和洞察力。理想的顾问，不仅在教学方面有着更广博的知识和经验，而且对学校的文化有深入的了解，能帮助新来者全面介入这一文化氛围中。督导者与被督导者之间存在的不对等性使这种关系具有道德上的意义。

在某些方面，顾问指导关系中的辅导、训练和咨询等环节是不断发展的。起初，多数初学者会寻求援助。他们想知道应该做些什么，教具放置在哪里，怎样提出要求，哪些行为是可接受的。在建立自己的课堂风格、设定工作程序、启动工作计划方面，他们需要得到具体的帮助。换言之，他们需要得到可信任的专人辅导，而不必顾虑给别人留下什么印象。

因为辅导对象的这种依赖性，辅导关系常常给顾问带来极大的满足感。在很多方面，顾问成为新人生活的中心。但顾问指导的目的是帮助新人独立，因此，指导关系应该尽快从监护转向相互促进的关系。当新人问得越来越少，顾问回答得也越来越少，以至于两者共同专注于解决疑难问题的时候，独立的目的就达到了。对"这件事怎么做最好"的回答，从最初的"你是怎么想的？这个办法看来可行。让我们试试"逐步地应变成"你觉得情况如何"。

当指导变为双方互助互惠的活动时就可以终止了。新人向顾问寻求咨询，顾问反过来向新人征求建议，与之共议难题，尊重其观点，努力把指导关系变为同事关系。学校文化众所周知的重要一点就是，教师间存在一种非正式的行为准则，在广泛具有才能共享的潜意识的情况下，顾问指导的作用是自然发生的，教师们愿意给予初入行者一个成功的开始，更乐于新来者成长为平等的同事。

顾问指导用于帮助新的教师成功了解其角色，建立其教师的自我形象，融入学校的人际环境和文化中，理解实际的教学活动是如何开展的，同时达成对被指导的教师来说相对重要的其他目标。顾问指导还用于帮助新教师有效地实施学校的教学标准。如果以后者为目标，需要一种**由外而内**的指导方法。该方法从指导关系以外引进一套教学标准和指标（或者是州立评价系统，见第十章对丹尼尔森（Danielson）教学体系的描述，或者是区域内公认的好的教学标准）。这些标准和指标可用来训练顾问成为一名教练，并提供教师们一个讨论和评价工作的议程。如果以前者为目标，就需要一种**由内而外**的方法。这种方法的焦点集中于教师在实践中遇到的问题和重点或者是增进学习的兴趣点。由外而内和由内而外的方法同样重要，应给予同样的关注。

有一种策略把源于外部和内部两方面的方法结合起来。处理来自指导关系以外的标准时，尝试把它与教师面临的实际问题联系起来，而处理源于个人内部的问题时，指导体验尝试把问题与学校的教学标准联系起来；当两者被分别予以实施时，我们开始把其中一个设定为总结性评价，另一个为形成性成长和发展，从而制造一种分离和猜测，即顾问指导不过是评价教师的一种前期预警系统。但两者结合起来，这些分界就没有了，重点转移到帮助新教师在外在和内部标准中获得成功。

如果我们要认真地把新教师看成学习者，如沙伦·费曼-内姆瑟(Sharon Feiman-Nemser)、辛西娅·卡弗(Cynthia Carver)、沙伦·施维勒(Sharon Schwille)和布赖恩·尤斯科(Brian Yusko)所述，我们一方面要为他们提供支持，另一方面还要提供帮助，让他们应付学生学习时出现的复杂情况，提高自己的专业能力。[1] 他们推荐了一种将支持、专业发展和评估结合起来的方法，使外在和内在因素的分界变得模糊：

> 以上三种方法都是对初级教师进行培养引导的广泛系统中不可缺少的组成部分。缺少了专业发展的支持，教师的学习将变得随意，这样虽然适应了一些教师个人的情况，却不利于形成针对学生学习的集体责任感。以专业发展为目标实行对新教师的引导弥补了初期准备与持续的教学发展间的隔阂。它承认新教师是学习者这一前提，同时为继续学习和教学发展打下基础。增强职业责任标准的设定和诠释，通过评估来促进这些标准的实施，是最适当和最有力的教学质量控制手段。[2]

来自加利福尼亚圣克鲁兹大学新教师中心(New Teacher Center at the University of California Santa Cruz)的埃伦·莫伊尔(Ellen Moir)、珍妮特·格莱斯(Janet Gless)和温迪·巴伦(Wendy Baron)指出，制定恰当的标准在新教师的辅导方面非常重要，但要成功地突出指导关系之外的标准和其他准则，则需提供一个强有力的支持系统，该系统应能适应教师关注的中心以及其他一些内在标准。莫伊尔、格莱斯和巴伦探索了为新教师建立学习团体和监护团体的方法。他们认为：

> 对教学督导者来说，为教师制定行业高标准是必不可少的，任何对新教师提供帮助的引导方案都要遵循这一标准并在实践过程中执行。但在根据该标准所设置的课程和由它所推动的革新方面，我们感到并不是标准本身在保证教学质量，而是当这个标准深深根植于认可它、能与它产生共鸣的支持系统中时，才会对教育改革起到指导。[3]

---

[1] Sharon Feiman-Nemser, Cynthia Carver, Sharon Schwille, Brian Yusko, "Beyond Support: Taking New Teachers Seriously as Learners" in Marge Scherer(editor) *A Better Beginning*. Alexandria, VA: Association for Supervision and Curriculum Development, 1999, p. 3-12.

[2] Ibid, p. 10.

[3] Ellen Moir, Janet Gless, and Wendy Baron, "A Support Program with Heart: The Santa Cruz Project," in Marge Sherer(ed.) op. cit., p. 114.

他们进一步说明：

> 因此，我们将加利福尼亚教学职业标准运用到计划制定的每一个环节和每一个方面——研讨会、评估过程、协作日志表等等，更重要的是运用到我们所使用的言语中。同时，我们给新教师创造富有人情味的环境，在这里我们的语言应是令人振奋而充满爱心的，应充满对工作的热情和为团体而献身的精神，还应该追求卓越表现并坚信每个孩子都有与生俱来的受到良好教育的权利。我们的孩子、我们的学校理应得到这一切。[1]

顾问指导的重点在于帮助新教师熟悉和提高，指导者报告他们的辅导经验，同时自己也在这个过程中得到提高。为了更好地帮助同事，他们首先必须深入地了解自己的教学，对自己教学过程中出现的问题仔细地加以考察，并采取各种办法来克服它们。顾问指导有助于建立一种每个参与者都能从中获益的关系。

课程研究

詹姆斯·W.斯蒂格勒(James W. Stigler)和詹姆斯·希伯特(James Hiebert)对美国和日本的教师职业发展过程进行了研究(这是对美国、日本.德国三国教学方法所进行的比较研究的一部分)，并取得了一些成果。[2] 例如，他们发现日本对于教师学习和职业发展方面投入更多一些，这与美国的做法不尽相同，但确确实实取得了很大的成功。在比较两国教学方法的视频研究中，斯蒂格勒和希伯特发现日本课程较美国课程更好地应用了当前美国改革所倡导的教学与学习实践。[3] 研究者指出，日本非常强调课堂中的课程教学，如课程如何计划，特定课程在课堂的实况情形如何，这些课程怎样得到持续的改进等。用研究者的话来说：

> 在日本，课堂课程在学校的功能上具有特殊地位，几乎可以称之为神圣，其受重视的程度相当于我们对待大学里的讲授或是教堂里的宗教礼仪。课程的开发受到极大的重视，它们如同完整的体验一般得到全面计划——有开端、发展和结束，就像故事情节一样。各部分之间的衔接十分关键，如果你仅仅停留在开端或者是在结束前的某个部位，将会不得要领。因此，这样的课程如果要成功就必须保持其连贯性。各个环节之间的连接紧密而

[1] Ellen Moir, Janet Gless, and Wendy Baron, "A Support Program with Heart: The Santa Cruz Project," in Marge Sherer(ed.) op. cit., p. 115.

[2] James W. Stigler and James Hiebert, *The Teaching Gap: Best Ideas from the World's Teachers for Improving Education in the Classroom*, New York: The Free Press, 1999.

[3] Ibid, p. 166.

> 清晰，整个过程流畅地推进，中途不能被阻断或牵涉进其他不相关的活动……因此，课程就如同一个联系紧密、环环相扣的故事；教师要对展开的环节进行书面记录，以便随时能找出联系的具体形式；整个课程的进行不能受到转移或阻断。[1]

教学，如斯蒂格勒和希伯特指出的，是一种文化活动，受到不同国家、不同前提条件、不同信仰、不同规范的影响。在美国和加拿大，我们一般通过开展大幅度快速变化和革新来推动教育的发展；而日本，比较而言则是采纳了渐进的观点，倾向于进行小幅度但长时间的持续变革。在美国，我们往往以激进的方案重组，导致整体结构的巨大转变，而日本则更多依靠的是教师的持续学习，如要求教师对班级总体水平的提高负责，或者把持续参加学校的职业发展作为教师工作的一部分等。[2]

由于许多概念和实践的差异都与文化背景密切相关，我们须对学校全盘引入其他国家或地区的做法或观念持谨慎态度。但有一个概念，即课程研究在我们的文化背景下也可以考虑采用。至少，课程研究有助于开发一套指南和标准，以帮助在我们的学校里创建意义相似但更适合实际情况的标准。

在课程研究中，教师群体在几个月的时间内定期接触，设计新的课程或改进现有课程。课程在同事面前实施，而这些同事就像"爱挑毛病的朋友"般提出反馈意见。这些意见和建议是用来指导课程而不是教师的，因此，如果不能达到满意的效果，每个人须更为努力地推敲或重新定义课程而不是教师本身。通过这种测试，改进后的课程将被重新制作并进行试验，并进一步进行评估和加以改进。

基于凯瑟琳·刘易斯(Catherine Lewis)、伊尼科·托斯尤奇达(Ineko Tsuchida)和N. 肯·希马哈拉(N. Ken Shimahara)所做的研究[3]，斯蒂格勒和希伯特提出了下列课程研究步骤：

步骤一：**定义问题**。课程研究从根本上说是一个问题解决的过程，因此首先要对问题进行界定，以激励并指导课程研究小组的工作。问题既可以从一般意义的层面开始(如怎样激发学生对数学的兴趣)，也可以从特定的方面开始(如怎样提高学生对不同分母分数相加问题的理解)。课程研究小组不断调整改进，确定恰当的问题并使之能在指定的课堂上被讲授。

---

〔1〕 James W. Stigler and James Hiebert, *The Teaching Gap: Best Ideas from the World's Teachers for Improving Education in the Classroom*, New York: The Free Press, 1999, p. 95 - 96.

〔2〕 Ibid, p. 110.

〔3〕 Catherine Lewis and Ineko Tsuchida, "Planned Educational Change in Japan: The shift to Student-centered Elementary Science," *Journal of Educational Policy*, vol. 12, 1997, p. 313 - 31; Catherine Lewis and Ineko Tsuchida, "A Lesson is Like a Swiftly Flowing River: How Research Lessons Improve Japanese Education," *American Educator*, vol. 22, no. 4, 1998, p. 12-17, 50 - 52; N. Ken Shimahara, "The Japanese Model of Professional Development: Teaching as a Craft," *Teaching and Teacher Education*, vol. 14, 1998, p. 451 - 62.

步骤二：**制定课程计划**。一旦确定了学习的目标，教师们便开始协商课程计划。作为整个过程的一部分，尽管最终只会有一位教师教授这一课程，但课程本身应该被视为全体参与的共同成果。教师常常通过阅读书本及研究类似问题的其他教师发表的文章来开始其课程计划。根据一本如何准备研究性课程的日本书籍所述，有效的研究性课程在被设计之初，设计者脑中必须先形成一个大体的想法：要在设计中对哪些观点进行试验，如何通过整个课堂的实践使问题得到解决。[1]设计的目的不仅在于生成生动的课程，还要了解为什么和怎样使该课程增进教师与学生间的理解。小组形成的初步计划通常应在学校范围的全体教师会议上展示出来，并征求大家的意见，再根据所获得的反馈进行修订，并准备实施。这一初步的计划过程往往会持续几个月。

步骤三：**教授课程**。确定一个时间，由一位教师进行讲授，但小组的每个成员都应做好充分的准备参与听讲。讲授前一晚，小组成员可能需要留下来碰面，甚至可能工作到很晚，进一步完善资料、准备工作、参加服装预演以及完成角色排练。讲课那天，小组里的其他教师应放下其他工作来观摩课程的讲授。教师们可在后排站着或坐着，但在学生按照要求完成练习时，观摩的老师可以四处走动，以随着课程的推进对学生的行为进行仔细观察和记录。有时会录像，供以后分析研讨。

步骤四：**评估课程及其效果**。小组一般应在课程讲授完毕的当天下班后会面。通常就由讲课的教师先发言，概述其作为当事人对讲授过程中的感受和主要存在的问题。随后由小组其他成员发言，通常也是针对他们所发现的问题提出批评性意见。讨论的焦点应集中在课程本身上，而不是讲课的老师，毕竟课程是小组的产品，每个成员都对计划的结果负有责任。对课程的评判实际上就是对自我的评判。明确这一点十分重要，因为只有这样才能把讨论的焦点从对某个人的评判转移到一种自我提高的活动中来。

步骤五：**修订课程**。根据观摩的结果和回顾讨论意见，课程研究小组的教师们对课程进行修订。内容包括对素材的调整、课程活动的进行、问题的提出、疑难的解答等等。他们常会把调整的重心放在授课过程中学生产生误解的方面。

步骤六：**教授修订的课程**。课程修订就绪后，需另选一个班级再次讲授。有时由原先讲授的教师来讲课，更多时候是由小组中的其他成员来授课。与第一次不同的是，这次将邀请全校教师来旁听修订后的课程。对一个规模较大的学校来说，这种场面将很有戏剧性：教室里的老师比学生还多。

步骤七：**课程及其效果再评估**。比较通常的做法是，这一次全校教员共同参加一个较长时间的会议，有时外面的专家也被邀请参加。同第一次授课后的会议一样，让

[1] Orihara, Kazuo (ed.). (1993). *Shogakko: Kenkyu Jugyo no susume kata mikata* (*Elementary School: Implementing and Observing Research Lessons*), Tokyo: Bunkyo-shoin.

授课教师首先发言，向大家说明小组希望课程达到的效果及其对课程成功与否的评价，以及存在哪些方面的问题。然后由观摩的教师们对课程讲授的情况进行评论，提出整改意见。讨论不仅应涉及学生对该课程的学习和理解方面，还应涉及广泛的、由主导研究性课程设计的前提条件所引出的相关问题。更多的是，从课程设计本身及其实施中了解到教与学方面的情况。

步骤八：**共享结果。**这里所有的工作集中在单个课程上。由于日本有一个全国性的教育目标和课程指南，一组教师所获得的新经验立刻就能与其他讲授同样年级同样课程的教师发生联系。实际上，课程研究教师把让其他教师分享自己结果视为课程研究过程的一个重要部分。这种分享有多种形式，其中之一是撰写报告。确实大部分研究小组都是通过报告叙述小组的工作经历。这些报告常常被印刷成册以方便交流，至少也会被放在本校教师的资料室里供大家参考。[1]

在美国的学校里将课程研究作为一项督导选择，其可操作性究竟如何？要使这种方法适合我们还需要作哪些调整？可以尝试去参考我们的学校里一些教师们对课程研究所作的描述。他们对此有何反应？他们该如何借鉴？课程研究包含的哪些原则是我们可以开发来作为充分考虑到教师学习情况的具有可操作性的督导方法？斯蒂格勒和希伯特回答了最后一个问题。课程研究：

- 基于长期的不断提高；
- 持续保持对学生学习的关注；
- 在内容上集中于教学的改进；
- 具有协作性；
- 涉及到教师教学认识的提高。[2]

在我们看来，如果将上述原则作为标准应用到督导中，督导就是方向正确的一个重要环节。这里需回顾一下丹尼斯·斯帕克斯(Dennis Sparks)对这个主题的观点。斯帕克斯是国家教员发展委员会的执行董事，他认为我们要把精力集中于弥补许多学校中存在的“教员发展差距”问题，这可以通过制定一个在学校提升过程中以教师为中心的教学持续提高实用模型来实现。他指出：

> 北美和国际上的研究揭示，如果把教师的学习提高与学生的学习提高联系起来，以教学实践的日益进步为中心，对学生的学业成就能起到不同的作用。尽管这不是像火箭技术那样的尖端科学，但通过对研究和实践的体验，

[1] These excerpts are drawn form Stigler and Hiebert, op. cit., p. 112 - 115. Reprinted with the permission of The Free Press, a Division of Simon & Schuster, Inc., from *The Teaching Gap: Best Ideas from the World's Teachers For Improving Education in the Classroom*, by James W. Stigler and James Hiebert. Copyright © 1999 by James W. Stigler and James Hiebert.

[2] These features of the lesson study are drawn from Ibid., p. 121 - 125.

我们明了这是激发我们强大的、以教员发展为目标所进行的种种努力的核心前提。[1]

考察学生作业

把学校建成职业培训的团体，对教师提高和学生进步都至关重要，对于这一点，各方已达成共识。[2] 本章一开头，我们就提出学校应具备职业培训团体的特性，在这个团体中，教师们相互关照、相互支持、相互依靠，在相互协作的实践中共同学习和调查。协作是职业培训团体的主要特征。

检查学生作业是构筑合作文化的有力手段，有助于把学校变为职业培训的团体。教师们共同考察学生的作业时，他们会就教学的核心问题进行议论，使学习变得更频繁、更深刻。这种协作非常实用，能促使教师对自己的教学实践进行反思、讨论并不断加以校正。[3] 无论我们谈论的对象是学生的作文、数学题解、刚完成的社会研究报告、一篇科学实验报告、一个艺术项目的草稿，还是近期完成的测验或家庭作业，这些教与学的实际成果都是用来学习、分享并改进教学的有力工具。

共同检查学生作业也是增强教师对学生学习标准关注的一种方式。如蒂纳·布莱思（Tina Blythe），大卫·艾伦（David Allen）和巴巴拉·鲍威尔（Barbara Powell）所阐述的："通过协作和对话进行作业检查有多个目的——比如，在同一年级或同一科系开发制定共同适用的标准。为达成此目标，学校或一组教师不仅开发标准，还要对这些标准的意义以及在学生作业中的运用形成共识。事实上，检查并讨论学生作业是达成此目标的惟一手段。"[4]

使用规约进行控制

对教师来说，就他们布置给学生的作业和学生完成的效果进行共同讨论并非易事，让他们来判定学生作业完成情况是否达到了教师们能够接受的标准也不容易。尽管我们建议这样做，但实际操作中撇开教师的教学活动来分析其教学情况其实是比较困难的。让教师顾虑较多的是，同侪合作进行的对等性督导只是另一种更为冒昧的"评价"策略。比如对学生作业进行的详细审查，比起州立教师评估体系中考察教师成效得分的方法更能揭示教学情况。因此，有必要拟定一些基本的规则并经事先约

〔1〕 Dennis Sparks, "Using Lesson Study to Improve Teaching," *Education Week*, June 21, 2000, p. 50.

〔2〕 See for example Milbrey McLaughlin and Joan Talbert, "Contexts that Matter for Teaching and Learning." Stanford, CA: Stanford University Center for Research on the Context for Secondary School Teaching, 1993; Ann Lieberman (ed.) *Schools as Collaborative Cultures: Creating the Future Now*, Bristol, PA: Falmer Press, 1990; and Linda Darling-Hammond, *The Right to Lead: A Blueprint for Creating Schools that Work*, San Francisco: Jossey-Bass, 1997.

〔3〕 Tina Blythe, David Allen, Barbara Schieffelin Powell, *Looking Together at Student Work: A Companion Guide to Assessing Student Learning*, New York: Teachers College Press, 1999.

〔4〕 Ibid, p. 4.

定来对检查进行引导，以帮助教师更为轻松地适应这一形式，指导教师参与到对等性督导中来。规约能使教师确信督导工作的重点是对教学进行分析，而不是对教师进行评估。

上述课程研究是以教学分析的对等性督导形式为重点的一个很好的例子。这一过程建立在该督导方式被广泛接受的前提和原则之下，并被设计成一些易于执行的步骤，每一步都有具体实施办法指南。以下的例子是布莱思、艾伦和鲍威尔设计的为教师审查学生作业提供帮助的问题举例，这些问题可用于现行的约定规则或用于开发新的规则。

关于学生作业的质量：

- 作业是否足够好？
- "足够好"的含义是什么？
- 作业在哪些方面符合或不符合特定的标准？

关于教学实践：

- 学生对作业或提示的有效性反应如何？作业还能做怎样的改进？
- 哪种课堂指令有助于学生发挥出较高水平？

关于学生的理解：

- 针对学生对所给题目的理解，作业能告诉我们什么？
- 作业给我们呈现的初步印象是什么？

关于学生的成长：

- 如何从单个学生的一系列作业中找出其成长过程的线索？
- 如何更有效地帮助学生成长？

关于学生的意向：

- 哪些要点或问题是学生关注的？
- 作业的哪些方面能激起学生的兴趣？
- 学生在作业的哪个部分下了最大的功夫？
- 学生挑战自我的程度如何？方式如何？[1]

表6-1对弗雷德·纽曼(Fred Newmann)和加里(Gary)提供的一些可靠的教学法标准[2]进行了总结，附录7-1的规范是他们提供的一些较好的规约的实例，可由参与者独立运用或与其他人共同运用，以对他们布置给学生的作业进行分析。[3]考

〔1〕 Ibid, Reprinted by permission of the publisher from Blythe, T., Allen, D., and Powell, B. S., *Looking Together at Student Work*, (New York: Teachers College Press, © 1999 by Teachers College, Columbia University. All rights reserved.), p. 10.

〔2〕 Fred M. Newmann and Gary G. Wehlage, *Successful School Restructuring*, Madison, WI: Center on Organization and Restructuring of Schools, 1995.

〔3〕 Fred M. Newmann, Walter G. Secada, and Gary G. Wehlage, *A Guide to Authentic Instruction and Assessment: Vision, Standards and Scoring*, Madison: Wisconsin Center for Educational Research, 1995.

虑到教师布置的作业和学生完成的作业之间存在的关联，审查学生作业的同时也要对教师布置的作业进行分析。

可以尝试在一系列的碰头交流中与两位同事一起运用附录 7-1 提供的标准和规范，先对布置给学生的任务样本进行分析，再分析学生实际完成的样本。首先要求每位参加者带来两份他们布置的作业实例。他们可以从上周布置的作业中选取两份样本，或选取一份他们认为完成得很好的，再取一份结果让他们感觉很失望的。请参与者根据附录 7-1 的规范对每份作业进行评分，然后让他们对布置作业的教师希望达成的目标进行推测，再让每位参与者依次对以上评分和推测结果进行分析。作为一个组，针对该组的学生，每位成员需要对所分析的作业是否反映了相关标准进行反思。下一次的成员会面时，每人应带三份按要求完成的学生作业。然后小组考虑从布莱思、艾伦和鲍威尔提供的上述问题入手开始讨论，内容包括这些作业的意义是什么，分析之后我们能了解什么等。

进一步的例子就有史蒂夫·塞德尔(Steve Seidel)和他的哈佛大学零点项目(Project Zero)的同事们开发的一种名为“合作评定讨论会”(Collaborative Assessment Conference)的规约。教师们被要求一起分析学生作业的样本并就他们发现的问题进行讨论。塞德尔和他的同事认为这种方法对特定范围的学生作业是有效的，尤其适合开放式作业。合作评定讨论会的主要目的在于加强一种对学生兴趣、实力以及与作业样本相适应的教学方式的深刻理解。这一过程包括以下步骤：

1. **启动。**小组推选一名主持人。进行展示的教师将选用的作业样本分发给大家或者当场陈列使全体都能看清。这时，对作业本身以及背景信息、所针对的学生情况等方面他不能做任何说明。每个成员应安静地对作业进行阅读、考察，有必要的话作一些记录。

2. **描述作业。**主持人会问：“你看出了什么？”成员们进行回应，但对作业的质量和个人偏好不做任何评价。如果出现了这类评论，主持人要求评论者给出所依据的理由。

3. **进行提问。**主持人会问，“对这篇作业你有什么问题要问？”成员们可以提出在前面的步骤里酝酿的任何疑问，包括完成的作业、学生的情况、布置的任务以及作业的背景等等。进行展示的教师进行记录但无需回答。

4. **推断学生针对什么完成作业。**主持人问：“你认为学生的作业是针对什么的？”根据各自的阅读和考察，成员们提出他们的看法。

5. **听取展示教师的陈述。**应主持人邀请，进行展示的教师提出他对作业的看法，回答提出的问题，补充相关信息，并对事先未预见到的小组成员的反应和提问进行评论。

6. **讨论关于讲授和学习的建议。**展示教师和小组一起就他们的教学、孩子们的学习以及帮助学生的方式方面进行讨论。

7. **对讨论会进行总结。**除去学生作业不谈，小组一起总结本次讨论会的体会。[1]

还有许多其他的用于作业记录和分析的构架与规约已开发出来。

自引式督导

在自引式督导里，教师独立工作并对自身的职业发展负责。比如他们会提交一份年报，内容包括从其本身评估需要出发而制定的目标或努力方向。这份报告会提交给有关督导者或指定的某个人。一旦这一过程开始，应允许教师有较大的回旋余地来形成自己的报告，但督导者有责任确认其计划及增进的目标是符合实际并确保可达成的。一段时期过后（一般是一年），督导者应和教师会面，就教师在职业发展目标方面取得的进步进行讨论。教师被要求提供一些证明文件（可用文件夹的形式），其中包括教学日志、教学思考日记、日程表、专题摄影、录音带、学生作业样本以及其他能够体现进步情况的资料。年度大会之后，再制定新一轮自引式督导的目标。

但过多依靠目标设定的督导方法存在一些问题。比如，督导者可能会有严格遵从预定目标的倾向，有时还会不必要地将自己的目标强加给教师。在督导中使用生硬的目标设定形式会过度强调过程本身，教师也会倾向把注意力集中在预定的目标上，结果就会忽视和遗漏在目标中没有列出的其他一些重要方面。应该记住，设定目标是为了促成和推进自我发展而不是对此起阻碍作用。

对喜欢独立工作的教师，或是由于课程安排或其他困难导致无法与其他教师协同工作的教师，自我引导的督导方法是理想的方式。相比其他选择，这一选择能更有效地利用时间。成本更低，对其他人的依赖性也较低。此外，这一选择尤其适用于那些能有效进行时间管理、经验丰富、能力较强的教师。表 13－2 列出了一些自引式督导的实施指南。

表 13－2 自引式督导的实施指南

1. **目标设定。**根据上一年的观测、会议、总结报告、临床督导情况或其他形式的个人评估，教师制定一个有助于提高教学效果的目标。目标不宜太多，一般不要超过五六个，最好限制在两到三个。每个目标确定一个估计的期限，然后与非正式的教学计划一起提交督导者。
2. **目标检查。**在对每个目标及其预定的时限进行检查后，督导者给出教师书面反馈意见。之后，确定讨论目标和计划会议的时间。

[1] The Collaborative Assessment Conference and the steps to guide its use were developed by Steve Seidel and his collegues at Harvard University's Project Zero. The steps are from K. Cushman, "Looking Collaboratively at Student Work: An Essential Tool Kit," *Horace*, vol. 13, no. 2, November 1996. This issue is available from the Coalition of Essential Schools: www. essentialschools. org/pubs/horace/13/v13n02. html. See also Steve Seidel, "Wondering to be Done: The Collaborative Assessment Conference," in D. Allen(ed.), *Assessing Student Learning: From Grading to Understanding*, New York: Teachers Collge Record, 1998, p. 21－39.

续 表

3. **目标设定会议。**召开会议，就目标、时限以及有关反响进行讨论，教师和督导者对目标进行适当的修订。如果督导者能向教师提供一份会议的书面总结，将是个很不错的做法。教师和督导者最好能共同准备这份总结。
4. **执行评估。**评估应在目标设定会议结束后即开始，并按照预定的期限持续下去。评估的具体特征取决于各个目标，可以包括正式或非正式的课堂观察、课堂成果分析、情景再现、学生评价、互动分析等其他有关信息。教师有责任收集评估信息并整理成文件夹以供今后与督导者讨论。
5. **评估总结。**督导者走访教师并回顾评估文件夹。作为该过程的一部分，督导者对每个目标进行评议，然后与教师一起对下一个自引式督导周期进行计划。

注：督导者可以由校长、顾问教师或与该教师共同工作的一组教师来担任。

来源：Thomas J. Sergiovanni, *The Principalship: A Reflective Practice Perspective*, 2d ed., Boston: 1991, p. 305.

探究式督导

基于行动研究的探究式督导作为一种方案选项，其特征是由个人主动或教师成对成组协同工作以解决教学中的问题。从行动研究的角度进行的督导，其重点应放在督导是为了达到解决问题的目的上。把“研究”这个词与“行动”或“督导”这样的词汇结合运用，一开始会让人迷惑。因为“研究”一词通常会使人们联想到神秘、精密，具有统计特征和理论性等特性，并且，人们通常认为教师和研究员的工作是互不相干的。那么，应该怎么理解这一角色呢？格伦达·比塞克斯(Glenda Bissex)认为：

> 教师研究者是一个观测者、一个质询者、一个学者，因此是更完整意义上的教师。[1]

当行动研究被主动采用时，教师和督导者紧密协作以找出问题所在，并协商制定解决策略。对于发现的情况双方都应知晓，并分享所得出的相关结论。这样，对实践的含义有了正确的认识，就能设计出实现这些变化的策略。当行动研究中加入与其他教师的合作内容时，对问题可以采取“集中搜索”的方式，大家共同分享发现的情况，还一起探索其意义，对教学实践加以改进。在所有备选的督导方法中，行动研究需要最高层次的思考，要求能够获得更多的新认识和新办法。

对行动研究来说，最基本的是单个教师或一组教师能通过研究来改进他们的实践。尽管提高理解的程度并建立概念性的知识储备是行动研究的一个重要成果，但它

[1] Glenda L. Bissex, "What is a Teacher-Researcher?" *Language Arts*, September 1986.

的主要目的还在于改变研究者自身的教学实践。佛罗伦萨·斯特拉特迈耶(Florence Stratemeyer)和她的同事把行动研究描述为"一个致力于发现新观念、新实践并对原有的观念、实践进行测试的过程,此过程探索或建立现象与原因之间的因果联系,或是系统地获取特定问题特性的证据"。[1]

尽管行动研究步骤之间通常是紧密关联的,但把这一过程看成没有明显分野的不同阶段似乎更为恰当。斯特拉特迈耶和她的同事指出:

> 为方便起见,此过程的各个阶段被描述成分步实施的,但现实中这些步骤不是各个分离的,相反,通常是从一个阶段流向另一个阶段,有时还会回流,步骤之间并没有清晰的界限。这些阶段性的步骤执行过程与问题解决的流程十分相似:确定问题并加以提炼;提出假设或提高解决问题的直觉;验证假设并收集、组织、分析证据;从数据中获得判断,并进一步测试结论的有效性。在实验室可控环境下进行的研究过程和这里的问题求解步骤十分一致。但在实际课堂的环境中,过程就会出现很大的不同。[2]

米利·阿尔米(Millie Almy)和西利亚·吉尼西(Celia Genishi)提出了以下行动研究的基本步骤:

第一步 确定问题

第二步 对问题的起因和解决方式提出直觉看法

第三步 对一个或多个直觉进行验证

1. 收集数据和材料。当更多的事实被知晓之后,一些最初的直觉可能被否决。经过仔细推敲,相对合理的直觉可作为科学调查的前提假设。
2. 在行动中对直觉进行测试(可以在实验环境中,也可以在课堂里进行)。
3. 观察发生的情况(收集更多的数据和材料)。
4. 根据获得的证据进行评估或概括。[3]

对许多教师来说,当大家合作参与这个过程时,行动研究的效果是最好的。求解的问题可能关系到整个学校,也可能只与隔壁教室的两个教师相关。作为合作过程的行动研究常常源于其他形式的督导。比如,临床督导的某个阶段会暴露出一些根据目前了解尚无法解决但又十分紧迫的问题。在这种情况下,采用行动研究的方法就是一

[1] Florence B. Stratemeyer, Handen L. Forkner, Margaret G. McKim, and A. Harry Passow, *Developing a Curriculum for Modern Living*, 2d, ed., New York: Teachers College, 1957, p. 708.

[2] Ibid.

[3] Mille Almy and Celia Genishi, *Ways of Studying Children: An Observation Manual for Early Childhood Teachers*, rev. ed., New York: Teachers College Press, 1979, p. 3-4.

个颇具吸引力的选择。作为独立活动和共同参与的行动研究，实例可参见附录 13-1 和 13-2。

非正式督导

在各种可供选择的督导方式中存在大量非正式督导。非正式督导主要由督导者与教师间的非正式接触构成，其特征是前者经常性、非正式地走访教师课堂，与教师进行工作上的对话以及进行其他一些非正式活动。

成功的非正式督导需要教师认可一些特定的期待，否则会被认为是非正式的监视体系。在这种督导方式中，校长和其他督导者应被视为首席教师，有责任成为学校教学的一部分。在任何教与学的情景中，他们应该被每一位老师都视为教学伙伴。在非正式督导的实施过程中，校长和督导者应该成为课堂里一个普通的固定成员，他们的来去都是学校的日常活动中一种自然的行为。如果不能成为互惠的行为，非正式督导双方的这种关系不大可能得到持续和发展。如果教师邀请督导者作为教与学的伙伴进入他们的课堂，作为督导过程中平等伙伴的其他教师也须获得邀请。

尽管我们把非正式督导列为一个单独的选项，但这一督导方式应该被视为可以包含在学校提供的其他督导选项中。[1] 除了非正式督导，教师们还应该参与到至少一个以上的其他督导方式中，比如临床督导、对等性督导、自引式督导或是探究式督导等。在选择额外的督导方式时，督导者应当适应教师的喜好并在各个方面给予他们充分的尊重。尽管如此，最终确定某种督导选项是否适当的职责还是在于督导者。

提供教学领导

我们确信在我们的学校里，教师作为教学活动的领导者，承担着十分重要的角色。实际上，除非他们成为教学领导，否则学校将无法满足面临的日益扩大的学习需求。督导者在此过程中责任重大。在这一结构中，特定的督导者（比如校长）被视为教学领导人，他应该有能力根据需要发挥自身的领导才能，并逐步提高教师的教学领导地位。校长应如何培养教师的这种教学领导地位呢？令人遗憾的是，还没有一个适用于各种情况的方法。但我们可以关注其他人的实践，以获取可能发生的各种情况以及哪些重要主题是必需的等方面的有益意见。为了确定领导者应具备的特征，《教育周刊》请一些校长用电子邮件回答这样三个问题：你是怎样定义教学领导地位的具体含义的？举一个实例来说明你获取了领导者这一角色；描述一下你认为的实施教学领导中的最大障碍。他们把收到的 24 封电子邮件的回答与 115 位参与由美国教育部资助的“校长

[1] Glatthorn, *Differentiated Supervision*, op. cit., p. 59.

领导峰会"的校长们的意见进行了结合。以下是其中五位校长对第二个问题(举一个实例来说明你获取了领导者这一角色)所作的回答：

> 大约每隔一季度，我会发放一份不点名的"已阅并已记录"单子，表扬一些我在课堂上看到的出色表现。我对教学技巧的运用加以肯定……具体指出：教师是怎样把技术与课堂项目的特定范例融合起来的；我所观察到的超越课程的论题；同侪间的相互指导以及出现过的教学协作的杰出事例等等。这份小单子有助于将学校里的一些好的做法(根据我个人的判断)加以推广。
>
> 我[还]每天工作开始前召开一个例会，确定当天的氛围，与学生分享我们的教育优势，在常规基础上提醒他们我们的核心价值观，对每天实践这些价值观的学生进行奖励，庆祝成功，在学校里培养"我们"这一观念。
>
> 我会回顾每个孩子的测试或表现数据并停止所有介入计划(阅读充分性或风险性、出勤率、作业完成情况、态度、差的行为表现、个人教育计划等等)。通过审查学生目标管理文件夹、日常记录、定期撰写材料、与执行进度教学和支持的职员协商等多种形式来获得新的认识。
>
> "理性地看待孩子们(Seeing kids for good reason)"是指每天听取学生阅读日记、书本和作业。保证让每个孩子每年至少收到一张报告卡片，让他们得到针对其个性的鼓励和祝贺。我理性地了解了数百个孩子；数十个孩子在问题解决时期。
>
> 小学教师给孩子们的最重要的礼物是帮助他们培养起终身的阅读爱好，同时教给他们实现这一爱好的必要技能。我觉得小学的领导者应当对读写能力的培养及其与其他课程的关联有相当的理解。
>
> 我有许多优秀教师，我尊重他们的观点。我常常与一两个教师非正式会面，听取他们对某些特定问题的想法。我把他们视为有声的黑板，与之讨论新学区的开创、现实的趋势以及可行的改进。我十分细心地听取他们的意见，毕竟他们是专家！
>
> 此外，我鼓励骨干教师更为积极地参与学区活动——开发课程、设计职业发展实验场地、担当培训者等等。
>
> 在我的学校里，教学领导意味着尽可能地留在教室里。我尝试与大家共同努力，每天至少走访五个教室……我会事先不打招呼地进来。大家都知道，我能踏进一间教室并说"我确实对前几天在这里看到的情况很满意"……或许我在寻找资金方面(也)是最好的，这样就可以派遣教师参加州或全国性的会议。

> 校长应该成为教学的中心。任何时候我的教师参加一个新的项目，我都与他们一起接受培训。[1]

显然，对教学领导的理解与要求每个学校都有所不同，以上所述一方面反映了督导者的个性和取向上的差异，另一方面反映了管理中的问题、要点、目的的不同。不考虑这些风格和环境上的差异，这是致力于教和学，帮助教师在教与学方面领会更多，研究学校的教学实践怎样不断提高的共同点。这些共同点构成了教学领导的主要方面。但仅有这些就够了吗？

教学领导的构成

从以上五位校长所提供的关键事例可以看出，成功地施展教学领导需要把焦点聚集在教与学方面，并着重于三个主题：学科的主要内容、学习的原则以及教学程序。在当前的督导中，教学程序似乎占主导地位，以致常常忽视学科内容和学习原则。而这种忽视又会使教学领导地位变成空谈。如果课程内容贫乏，学习的原则又被忽视，而仅仅只是让学生参与进来，提供一个监护环境，备妥教师要分发的资料，课程按时开始并结束，教师把目标写到黑板上，采纳协作式学习，安排适当的等待时间等等，仅仅因为这些，并不一定可以提高学业成果。然而许多观测计划着重对教师行动存在与否以及在学科标准、课程内容充分性和学习意愿方面进行记录。督导者，如芭芭拉·纳尔逊(Barbara Nelson)和安妮特·萨西(Annette Sassi)指出的，“要能够洞悉课程的核心知识要点，并专注于如何在课堂设计和实践中使其得到发展”。[2] 同时，虽然内容和学习原则适当而教学程序测试通不过，对学生同样不利。如果我们要拥有成功的教学领导地位，对三者都要予以关注。

许多校长找到了把这三个部分结合起来的有效办法。纽约市第二学区某校校长，卡门·法里纳(Carmen Farina)，提供了这样一个范例。她建立了一种叫做参与性授课的方法，用于对 P. S. 6 教员中的聘用教师以及志愿参加的终身教师进行督导。参与性授课使校长有机会走访每个教室并作为一名教学副手参与到教师设计的授课中去。走访的前一天，法里纳夫人会收到任课教师制定的一份授课计划，清楚地说明课程主题、目标、讲授和学习的方法以及可能涉及的材料。一组学生会被选出来与法里纳夫人共同工作。授课计划中还包括本节课和下一节课有关的背景情况。根据卡门·法里纳叙述，1999 年“通过这一方法，使我得以在所有关于读写能力的授课方面

---

〔1〕 Leadership Survey, “Telling It Like It Is,” *Education Week*, November 1, 2000, p. 18. The respondents, in order of comments, were Linda Searby, Marci Brueggen, Mary M. Reece, Janet Vernon, and Belinda Shook. Reprinted with permission from *Education Week*.

〔2〕 Barbara Nelson and Annette Sassi, “Shifting Approaches to Supervision: The Case of Mathematics Supervision.” *Educational Administration Quarterly*, vol. 36, no. 4, October 2000, p. 574.

跟上了最新的 TC（哥伦比亚大学教师学院）语汇标准和程序，并使我获得更多的信息，从而对于推动培养全校教师在读写教学方面的主动性也更有帮助”。[1] 附录 13－3 描绘了参与性授课的更多细节。该附录包括了一封为十三位教师提供指导的信、一位教师提供的授课计划和卡门・法里纳给这位教师的回信。这封信说明，内容、学习原则和程序这三个部分对教学领导地位的培养具有十分重要的意义。

P. S. 6 的其他督导能动性包括与所有教师“进行对话”以及所有任期内教师的发展汇总。对话是 P. S. 6 里的大事。教师和校长坐下来商讨，交流双方所关心的问题，交换观点并提出建议。会谈时门口挂上“请勿打扰”的牌子。“对话内容涵盖与课程有关的所有问题和班级花名册上列出的全部学生，制定出的策略可以让处于‘边缘’的学生介入到班级和集体活动中。对话最后应形成书面资料并归档，作为可供教师在年度计划执行过程中随时参考的永久记录。”[2] 对话结果就是让教师表达自己的观点，各方达成一致，设定教学目标，并将它作为校长和教师之间关于本年度工作中共同遵守的协议。校长如果真的期望成为教学工作的领导者，卡门・法里纳有些什么建议？这里提供了两项参考意见。“为了激励变革，校长要了解每个教师身上每天发生的情况。”[3] 还有，“要想用好的教学策略使教师信服，我自己首先要做好一名教师。我不仅要引进新方法还要能走进课堂进行示范。我相信教学方法的变革是没有止境的”。[4]

评价我们的计划

本书这部分的各章是关于职业发展、教学督导和教师评估的，这三个主题被认为是教学领导地位的核心。下一章是这部分的最后一章，重点在于考察影响我们关于教师评价的思考和实践的问题。把我们的思考集中起来，附录 13－4 提供了评价学校在职业发展、督导和职员评估等方面所面临的一系列问题。这些问题由研究职业发展、职业团体及其与学校改良之间的关系等问题的专家——朱迪思・沃伦・利特尔（Judith Warren Little）设计。

附录 13－1：独立行动研究的实例[5]

一位五年级的课堂老师，一段时间以来一直在关注他所教的一组学生在阅读能力

---

[1] Carmen Farina, "Dateline for School-wide Planning," School document P. S. 6, District 2. New York City Board of Education, 1999.

[2] Ibid.

[3] Carmen Farina, "Crating a Climate for Change," *NYC Challenge*, 1993, p. 31.

[4] Ibid, p. 32.

[5] From Florence B. Stratemeyer, Hamden L. Forkner, Margaret G. McKim, and A. Harry Passow, *Developing a Curriculum for Modern Living*, New York: Teachers College, 1957, p. 709－710.

方面的个体差异。他发现今年以来这些学生在阅读能力的差异似乎与往年相比不断扩大。他还注意到除了阅读成绩、阅读兴趣和阅读动机方面存在的差异之外，制定计划和孩子本身的问题也应予以考虑。他对这种状况十分不满，竭力要找出关于个体间阅读差异的更多证据，以便着手改进教一学现状的其他方面。他开始调查这些差异的所在以及它们的表现形式。他在积累下来的记录中收集一切可利用的信息，包括标准化测试的结果及其对学习其他方面具有的影响。他在对文献进行的分析中发现，以上这些材料都还不能完整地反映学生的情况，他还需要一些额外的数据把问题界定得更为确切。

下一步，这位教师以诊断性阅读的方式对学生的阅读情况进行测试，以查明他们所遇到的困难。他要求学生以书面形式报告他们所阅读的材料，并对阅读情况加以记录。这一调查为期两周。此外，该教师还从学生家长那里获取信息，了解学生在家阅读书籍的内容以及他们课外阅读的取向。从这些数据中，教师可以大致找出问题所在以便作进一步的研究。获得关于学生阅读技能和习惯的可靠数据之后，这位教师继续分析有关个性化阅读指导的资料，从收集的论据中获得对个性化阅读指导的新认识，这使他获得一些直觉或得出一些假设，接下来便可以在课堂上进行测试。

这位教师确信，在阅读技能上，如果他能有更多的时间与学生共同努力，可以暂停目前较多人组成的较大型的阅读小组的活动，而与仅由两三个学生组成的阅读小组进行协作，其结果将带来三个方面的益处：增进学生的阅读技能，扩大他们对作品的兴趣，提高他们在其他课程中阅读类似材料的能力。他决定对这一假设加以测试。在为期两个月的测试过程中，他把学生分为人数很少的阅读小组，直接对他们的阅读进行指导。他继续收集学生阅读技能和兴趣方面的资料，在研究团体时关注学生使用印刷材料的行为。然后他尝试他的直接阅读指导计划，测试阶段结束时，收集他所关注的增长数据。

通过分析这些数据，他发现以较小的分组进行阅读确实有助于达成所需的特定目标，但其他方面则与多人一组的阅读情况无显著差异。数据分析显示，还需要引入其他形式的个性化指导。例如，他认为，使用附加多层次的阅读材料的方法可能更适合不同个体的需要。接下来，该教师还对阅读指导中运用多层次材料这一假定进行了测试。

附录 13-2：合作行动研究的实例[1]

一所规模不大的乡间中学的教员对他们的尖子学生在全州性学术能力测试中的

---

〔1〕 From Florence B. Stratemeyer, Hamden L. Forkner, Margaret G. McKim, and A. Harry Passow, *Developing a Curriculum for Modern Living*, New York: Teachers College, 1957, p. 710-712.

成绩进行了考察，发现这些学生尽管在测验的某些方面表现良好，但与其他学校的学生相比，他们在对艺术的理解和欣赏、处理概念和抽象思维能力以及阅读的广泛程度上存在很大差距。而这些方面恰恰在教师看来也是教育的重要目标。

对以上发现展开的讨论引出了多种解释。有两位教师提出这样的质疑：这究竟是一种普遍现象还是仅仅存在于那些被考察的学生身上？一些教员志愿搜集此前四五年间参加过这种测试的学生的一些可供分析比照的数据。对这些数据的搜集整理结果以报告形式提交给了下一次的小组会议。从报告中可以看出以前那些学生的情况也是如此。为什么该校学生在测试的这些方面表现得不如其他学校的学生，特别是在鉴赏、评论和归纳能力上得分较低，而在对客观知识要求较多的部分则得分相当，对此产生了许多猜想。另一次会议上，成员们公布了一些补充发现，是关于艺术、音乐、文学和观念同化领域的发现。还有一些教师成员总结了一些关于其他小型乡间中学学生成就的文章和报道。

召开了几次这样的会议之后，问题变得更为明了，各方面的因素都被考虑进来。教师们确定他们的学生在这些部分表现较差的原因多数是因为学生在这些方面缺乏针对性的体验。小组提出了这样的假设，如果让学生参加一种专题讲座，这种讲座的目的只在于帮助他们获得某种文化体验而并没有具体的任务，这将让他们在这些方面的收获提高到一个新的水平，理解力得到顺利发挥，足以使他们在年度全州学业能力测验上与来自大的城市学校的学生相抗衡。

教师们于是着手制定一套方法来检测他们的假设。那些一向成绩优秀、被认为有望在测验中取得最好成绩的学生被选出来参加每周一次每次持续三个小时的特别训练课程。这一课程由三位兴趣不同、各有专长的教师志愿担任主讲。学校对他们的教学时间加以调整，让他们能够实行轮班，以便抽身出来参与这项任务。主讲教师们每周都要会面，对培训内容进行协商和再安排，并定期将他们的培训实施情况和遇到的难题向一个由教员组成的讨论小组报告。该小组会根据收到的情况选取训练的主题，并提供相关资源。学生也辅助计划的实施，包括欣赏交响音乐，更多地阅读大人们看的文学作品、诗歌和戏剧，观看电视节目，参观离学校最近(可能在45英里之外)的艺术博物馆，听取专家们对各自研究领域和专长的介绍等等。总之，让学生们能够在常规课程一般涉及不到的文化领域进行探索。教师们把执行过程中的资料(学生的功课情况和能体现每个学生成长发展的行为表现的资料)加以汇编。

最后，这些学生参加了全州的测验，他们的成绩(特别是早先曾引起教师们焦虑的那些方面)大大好于前几年参加这个考试的学生成绩。教员小组以此作为对他们所提假设的有效性进行检验的一个标准，并对需要进一步加以检验的方面进行概括。例如，提供以拓展学生的文化视野为目的，并对观念、概念进行研讨的教—学的教学情境是否重要？如果确实如此，那么教员小组应开始寻求对课程设计进行修订以及对教学方法加以改进的途径，并在今后几年中进行试验，以确定这种专题讲座的价值能推广到其他学生。

附录 13－3：参与性课程要点——示范文档[1]

A. 一封致十三位教师的信

卡门·法里纳
校长
玛丽亚·斯泰尔
校长助理

收件人：十三位教师
寄件人：卡门·法里纳
关　于：参与性课程
日　期：1999 年 12 月 17 日

今年，根据我们所做的每一次会谈，参与性课程将集中于读写能力（写作或者阅读）方面的提高，特别强调以下策略：

1. 计划
2. 分类
3. 节奏
4. 适当性

为更好地对上述策略进行评估，我将用以下方法安排走访：

我们将在你的教室召开半小时的计划会议，这一会议至少会在实际走访前两天内召开。此次我要参与你的班级授课，届时你会得到通知。我仁将讨论你的授课内容以及我在其中承担的独特角色。我期待你的来信，向我说明这一课程如何适应你一年来对读写能力性提高的努力，并包括你计划授课的细节。我希望你能提供一份针对边缘学生的特别作业，以便我也能有所准备。你的计划须包括我走方之前和走访之后的学生评价，以及在我走访结束之后你对课时的安排详情。我会在 1 月 10 日下午3∶15举行信息发布会，回答任何关于上述课程的问题。如你所知，计划是良好教学不可或缺的组成部分，因此本次年中评价的大部分重点会集中在这一策略上。我还提请你对本次课程材料的适当性进行认真考虑。我明白每个人工作都十分努力，我期待着对你的课堂进行愉快的走访。

你可以就接受课堂走访的准备事宜咨询学校的顾问，也可以直接询问我本人。

〔1〕 Source: School documents used with the permission of Carmen Farina.

B. 其中一位教师提交的授课计划

参与性课程的授课计划

日期：星期五，2000 年 1 月 21 日

目标：学生们在作文中尝试并体验一个或多个写作技巧要素

材料：

- 天花板投影仪
- 写作技巧表(craft chart)
- 写作夹[《也许是一场搏斗》,(琼·利特尔)著]
- 作文簿
- 铅笔

上一课：

- 介绍什么叫"写作技巧"
- 用两天时间讲解课文(《也许是一场搏斗》,琼·利特尔著)
- 用两天时间与写作伙伴协作，互相针对各自的写作技巧提出建议
- 用几天时间指导学生在作文中尝试特定的写作技巧

程序：

1. 学生在地毯上集中(带上写作夹、作文簿、铅笔)
2. 与写作同伴坐在一起
3. 昨天我们在作文中尝试了关于写作技巧的各种观点，并和同伴进行了交流。
4. 在同伴的帮助下，我们在星期三为今天的试写制定了计划。
5. 在我的笔记里，记下了我们讨论过的不同的写作技巧。下面我把本周准备好的一份"引入"的拷贝放到投影仪上，我要求你们和同伴一起阅读，并就我在里面所运用的不同写作风格进行讨论。
6. 你们在我的"引入"里看到了什么？
7. 现在和你的同伴一起就你的作文怎么展开进行讨论。读一下同伴的作文，讨论你所运用的技艺。花些时间互相阅读对方的作文，并对技巧上需要改进的方面提出建议。今天我会告诉你们怎么排座位。
8. 讨论完以前的作业后，可以着手进行今天的写作。在你的作文簿上新起一页，写上作业标记和今天的日期。

评价/下一步：

- 开会审查学生作业的进展情况
- 讲解另一篇课文，学生自发谈论更多的写作技巧
- 阅读作品，了解写作技巧的实例

C. 关于上述程序 5. 和 6. 中教师笔记本里的“引入”

“引入”笔记

2000 年 1 月 19 日

外面很冷，但还没有冷到大家所说的程度。我不明白这些纷扰是怎么来的。有时，我觉得下雪反倒会让我感到暖和些。

我听到了前门发出吱吱的响声。“丽贝卡，”我听到喊声，并对接下来将会发生的事感到害怕，“该进来了”。

“还没好呢，”我应了一声，同时让声音尽可能动听些，显得既酷又有说服力，“我不冷。”接下来是一片寂静。是不是她又回屋里，在检查我的计划？很快，我听到“热巧克力准备好了”的声音。

在我看来，这意味着今天不会再有没完没了的争论和说服了，当然也不会再下雪。该离开雪地回屋去了。

D. 卡门·法里纳(D. Carmen Farina)接下来的一封信

参与性课程 2000 年 1 月

尊敬的：

走访你的教室十分令人愉快，我注意到你为这些四年级学生创造了一个出色的氛围。教室里的每件事情都有精确的尺度，我尤其欣赏你的打分方法：“棒极了”，“比较好”和“糟透了”。我问了学生那是否是他们的主意，他们给了我肯定的回答，因此我认为，你不仅教给了他们一些极好的词汇，也调动了他们阅读的主动性。整个教学的风格令人尊敬，显然孩子们学会了互相倾听并能进行真正的对话。

有一个我需要在全校提出讨论的是，读写小组按照同一性别进行分组的做法是否恰当，我担心这样在每一组里是否还能存在“激励”。

显然你为这次讲课忙了很多天，这一课所取得的良好效果也是你认真评估和准备的结果。你以自己的作品为范例开始这节课的做法很可取，我认为如果教师成为写作者，他们就能深刻理解学生的思维。我要说蓝色的工艺纸片深深吸引了我，它们教给了我一些新的词汇，比如“三明治对白(dialogue sandwich)”，也让我了解琼·利特尔的作品和学生作品间存在的具体联系。我为________的复述所打动，她不需要看作者的原文，就能清晰地表述她自己总结出的要点。事实上，她是这样说的，“这帮助我提高作业质量，使我无需苦苦思索”，这恐怕可以作为 P. S. 6 历史上的经典。我还注意到，很少参与的两名学生，________和________，也非常随意地自愿进行讨论。但还是有些学生的表现跟他们的同伴以及你的积极态度不太协调。

你的课堂气氛一直显得忙碌而有效率。我与小组的________，________，________，

________和________坐在一起，他们能够完全理解你的写作训练程序，但有三名学生没有做前一晚的家庭作业，这点我已经和你讨论过。________和________的表现令人惊讶，我原先还以为他们不如别人。尽管学生们的句式结构很简单，但想法都不错，没有谁在运用头脑风暴提高写作能力方面存在困难。不过，________表现不太积极，无法将他想要表达的东西写下来，这使我重新考虑我们应怎样安排额外的课外训练班。对一些学生，只有让他们花些时间在思考和说话上，否则写不出东西。显然，在我这一组里，这是引起我与一些学生共同关注的第一步。

你给课堂带来这么多积极的活力和学识，从中已很难看到你刚刚当老师时的样子。我有一些建议供你参考：是否可考虑由孩子们来决定将教室桌子按数字或是有趣的名字来标记，因为我发现他们花了五分钟时间才找到 4 号桌子。此外，如果继续按同性来分组，对那些完成得很快并有时间讨论一些与课堂无关的话题的小组，就需要有进一步的计划和安排。________所在的那一桌一直几乎无话不谈，也许在他们完成指定任务后给他们一份能让他们安静下来的阅读作业，会让他们无所适从的感觉得到消除，在其他人迎头赶上的时候给他们一点事情做。

再次感谢你允许我走进你的课堂，因为我感受我获得了全面的 TC 教育。而我自己付出的努力很少甚至可以忽略不计。我希望你能长期与我们共事。

致

礼

卡门·法里纳

校长

抄送：职业档案

我收到了此信并知道一份副本会进入我的职业档案________________

（教师签名）

附录 13－4：指导学校评价其职业发展、督导和教员发展计划的提问

1. **联系学生的学习目标**。学校应能说明其职业发展重点及策略是如何推进学生的学习目标的：

● 学校结构和文化的哪些要素影响了教师个体和集体对学生成就和人格培养的责任，并成为教师学习的推动力量？

● 对于学生学习的系统审查，对于在职业发展基础上运用程序性的学生评价，对于把审查、评估与教师自身发展相联系等问题，学校都作了哪些准备？

● 在获取学科内容和学科教学的专业知识方面，学校为教师创造了哪些条件，提

供了什么机会？

2. **组织教师的工作。**学校应该能展示它是如何组织和支持教师工作，充分利用现有的教师专长，激发并赋予他们新的学习能力，并适应不同教师经验、责任和环境的差异的。

● 学校的课程安排和教员职责，是减少还是增加了教师的孤立感？是否增进了教师间的合作？对于教师时间方面进行的组织工作，是否保证他们有足够的机会与同行切磋？

● 对于教师任务所制定的政策和所作的实践，能否使教师最大限度地运用其知识并促进其进一步学习？是否增加了教师与其共同学习的同事间的接触？是否保证学生们能够接近称职而可靠的教师？

● 对资源的配置是否使教师易于获得支持其工作和职业发展的设备、场所、参考资料、技术和补给？

● 学校如何包容教师们在经验、兴趣和职责方面的差异？提供了哪些正式和非正式的支持，以帮助新入行的教师、新聘用的教师以及职位发生重大变化的教师走上正轨？学校为经验丰富的教师和教师领导者提供了哪些机会？

3. **参加职业发展活动。**学校应当能让所有或多数职业教育者参加重要的职业学习，避免职业发展陷入"洗衣清单"式的简单模式。

● 学校能否为教师提供重要的校内学习机会（包括一般计划的时间、顾问指导、教师主动性研究）以及校外的职业提高活动（网络、专业协会、研讨会，与学院、实业和博物馆等联系）？

● 职业发展如何致力于知识、技能和学校的意向，以达成预期的学生目标（教学主题、教学法、评价、学生学识等等），而不至为浅薄的内容和分散的努力所困扰？

● 为保证教师能在课堂上验证新思路，学校在时间和其他方面需要作哪些准备？

● 学校采取了哪些步骤确保职业学习能够扩展到所有的人，包括职员？

4. **职员评价和学校/项目审查。**学校应能说明如何运用学生评价、职员评价和学校审查的程序和结果对职业成长提供支持。

● 对学生学习的评价在教师表现评价或学校项目评价方面起到什么作用？

● 教师和其他人员在获取其职业表现的及时有效反馈时，有哪些渠道——正式的还是非正式的、来自同事还是来自督导者？

● 职员评价是否认真考虑了个人在职业发展和实践效果上的参与（关系到个人是否做了一些事尽力提高自己或他人的工作）？

● 学校用以评估职业发展影响的证据是什么？

5. **重视学习的氛围。**尽管对于"氛围"这个说法可能无法给出明确的定义，但员工们应该能分辨出其核心的价值和规范是如何鼓励或抑制教师学习的。

● 在鼓励并支持职业学习方面，管理者和其他学校领导扮演了什么角色？

● 职员评估、学校审查或者学校层次的决策实践是创建了一个职业信任、相互支持、揭示问题的环境，还是助长了竞争性、隐秘性及"掩盖问题"？

● 旁观者用什么方式才能了解学校对教师和其他职业人员来说是一个激发知性、弘扬个性的场所？学生如何才能看到教师也融入了学习当中？

来源：Judith Warren Little, "Excellence in Professional Development and Professional Community," a working paper prepared for the Office of Educational Research and Improvement Benchmarks for Schools. Washington, DC: U. S. Department of Education Blue Ribbon Program, March 1997, p. 20 - 22.

第十四章 督导与总结性评价

每个共同体都是由有着不同个性特征的个体所组成，这些个体有各自的天赋、烦恼、梦想和癖好——正是这些特征使得这个共同体丰富多彩。个体之间存在的共性也赋予共同体一些共同的特质，因为作为一个共同体，有必要保持其一致性，这既是把它与其他共同体区分开来的特性，同时也是把共同体成员凝聚在一起的一种特殊的东西。有时这种一致性源于共同体创立的中心目标；有些共同体因种族、宗教或文化传承而结合；还有些共同体则由基于共同的生活方式或兴趣爱好的人构成。多数共同体对吸纳新成员和维持成员资格有明确的要求。有时这些要求是通过设立一定的加入程序和入会仪式来加以形式化，并定期举行各种仪式以重申其成员对共同体的承诺（如重述结婚誓言、周年庆典、周年颁奖典礼、发行年度报告、任期总结、年度社团反思，等等）。有时获得成员资格很简单，只需在共同体中停留一定的时间即可被接纳。不过，大多数共同体要求通过某种仪式来反映其主张并对共同体的一致性加以维持和保护。

作为学习者的共同体，学校把青少年、家庭和成年人汇集起来。尽管这些人原本分属其他不同的共同体，但他们凑在一起便又组成了一个新的共同体，以将文化和制度传承给下一代为目的而不断探索，其任务就是使这一更大范围社会群体的生命力能够不断延续、不断出新。作为一个以学习为内容的共同体，其一致特性不断被重申的机制或惯例的方式之一就是定期进行评价。通过评价，整个共同体对其任务完成进度取得一致意见。对于学生，评价的形式可以是测试、口头或书面测验、期终考试、学习记录和竞赛。对于教师，评价呈现多种形式。

传统上，正式的教师评价会带来压力、产生冲突和导致疏远的状态。但有些评价是无法避免的，也可能是有益的（当其涉及到学校社团的真正使命时）。无论如何，如果把评价看作一个共同体的自我管理行为，那么就是把它当成学校这个共同体维护并加强其学习功能的一种方式，而不是一部向下级施加压力和控制的官僚机器。如果这样来认识，那么有关评价的许多令人不安的因素就可以被消除。要想使共同体评价过程变成全体共同实践的一条重要途径，就必须要求所有成员都接受评价，包括督导者、管理者以及评价者。

在前几章里我们一直强调督导是提高教师成长和增进学生学习的方式。在把形成性评价和总结性评价进行比较的过程中，我们一直对形成性评价给予了更多强调。换言之，通过教师之间的互动，可以对备选方案进行质询和审查，并积累相关的信息和观念，进而帮助他们对实践进行一定程度的反思。

本章我们探讨的重点转向总结性评价。这种评价方式涉及对教师的教学质量下结论或作判断。这一方式对教师的表现进行鉴定，以确定其是否符合、超过或低于某个教学能力标准或公认的教学水平。总结性评价一般和正式的人事决定相联系，例如在决定是否给予某个教师任教期限时，或者是否将某个教师提升至高一级的职位或等级，以及在决定是否延长某个教师的任教合同时，等等。总结性评价也可以用于在一定标准下对取得终身资格的教师进行评级，评级结果既可以是对该教师的薪资或裁员数量(rif number)有影响，也可以是没有影响，根据需要而确定。形成性评价认可教师作为学习共同体成员的资格；而总结性评价对照学习团队的特定目标，根据对其成员所应具备资格的要求及其内涵，引入了结构更为合理的审查。总结性评价对其成员的资格有着明确的确定标准，其最基本的团体特征是通过总结性评价得以确认并维持的。形成性评价是丰富并活跃团体一致性特征的一种方式，尽管以上两种评价方式都有助于这一目标的实现。

有些总结性评价把职责重心放在管理者身上，督导者被排除在外。有时管理者也担任督导者角色，比如校长或副校长。在这种情况下，他们就必须事先确定自己在相关的总结性评价中的身份究竟是管理者还是督导者。有时一些职员虽然不是管理者，但也会参加以形成性为目的的教师督导，同时还被要求参加对教师进行的总结性评价。

无论督导者行使管理职能还是单纯的督导职能，有一点必须明确：他们应对形成性评价、总结性评价以及管理评价决策这三者之间的区分做出正式的表述。推动教师成长和加强学生学习的督导程序要与以人事决策为目标的督导程序严格区分开；如有可能，应该由不同的人员分别进行操作；如果不能做到分别进行，教师们应该事先就对不同运作程序之间有何区别、本次活动执行的是哪一个程序等问题有所了解。如果这些区别模糊而不明确，会造成教师间普遍缺乏信任，削弱形成性督导的内在潜力。如果实施督导程序时各种形式的评价都同时采用一个模式，那么这一督导过程将被看成是具有危险性和对抗性的。

教师总结性评价中存在的问题

督导者需要对几个涉及到教师总结性评价的、还没有被广泛证实的假设有所意识，因为基于这些假设的轻率行为会导致教师对于督导者的真正不满。试看以下的例子：

假设 1：存在一系列明确的、得到一致公认的标准或准则，可以实现对教师绩效的评价。

反证：没有任何结论性的或无争议的研究证实存在一个或一系列可以促进任何学生进行学习的教师行为。我们能够加以证实的是，在教师的某些行为和学生基本能力测试总体评分的提高之间存在较弱的相关性。在这些案例中有证据表明，教师的教学可能会针对测验而忽视了测验以外的能力，[1]这将导致学生学习活动的扭曲，因为它疏漏了其他同样必需的学习内容。

假设 2：对课堂进行不定期的、未事先通知的走访，事前不需对话，事后也不需讨论，这种教师绩效评价方式是合理的和可以接受的。

反证：一方面，访问者对教师为什么要做及他正在做的事情无从了解；另一方面，直到最后裁决之前，教师同样无法获知访问者对自己表现的看法，因而即使大家都认为该教师的教学有不恰当的地方，他也无法对自己的行为作出改进。还有一种假设，即访问者看见的样本是适当的，教师在大多数课堂里都会这样做；但这一假设目前还未得到研究证实。[2]

假设 3：以课程目标来测定的学生成就是评价教师绩效的惟一方式。

反证："学生成就"意味着什么？如果指的是标准化测试的总成绩，那么这一测试真正衡量的内容是什么？衡量的内容又应该由谁来决定？针对学生学习这一目标，即使这些测试被接受并作为对教师和学校进行检验的合理尺度，对学生的意愿水平进行预测仍是必需的。用于计算平均分数上升或下降的原始数据是否可得？即使事前和事后介入的数据是可得的，教学管理者也必须对一组学生的平均分数进行处理。如果某位教师善于教迟钝的学生却不善于教聪明的学生，或是情况相反，这时会怎样？是否对这类情况不予考虑？如果教师的特长在于培养创造力、协作能力、研究能力和艺术审美能力，但对学生成绩所进行的测试却不包括这些方面，结果又会怎样？

从另一个方面来看，可以设想以划分等级的方式来评价学生成就。假定分级是从 A 到 F，那么对教师能力的评价是否根据其班上 A 等生人数的增加而定？如果学生从 F 等的低级别提高到了 F 等的高级别，又该如何评价？换言之，学生成绩的提高有多少可以归因于教师并在教师的等级评价中得到客观的反映？由于教师必须根据其生源情况进行因材施教，那么如果他最初面对的学生基础较差，而他又不得不采用适合他们水平的教学方式，这样在开始的评价中他的学生可能就会比别人落后一到两个

---

〔1〕 See Michael Kirst, "Interview on Assessment Issues with Lorrie Shepard," *Educational Researcher*, vol. 20, no. 2, p. 21-23, p. 27; Lorrie A. Shepard, "Why We Need Better Assessments," *Educational Leadership*, vol. 46, no. 7 (April 1989), p. 4-9.

〔2〕 Susan Stoldowsky, "Teacher Evaluation: The Limits of Looking," *Educational Researcher*, vol. 13, no. 9 (1984), p. 11-19.

等级，这位教师是不是该因此而接受较低的等级评定呢？再如果学生的日平均出勤率很低，以至于在任何一个学习日里，几乎没有固定不变的12个学生（学生总数为27人）留在教室里，因此也就不可能认定该班多数学生的课堂经历具有连续性，对这种情况又该如何评价？显然，除了以课程目标作为学生成就的评价标准外，评价还必须考虑许多额外的、前后关联的因素。

假设4：对教师绩效的评价只需处理可观测到的课堂行为。

反证：这一假设部分源于临床督导的一些局限形式，在此督导者设法将关注的重点集中于可观测的行为，对教师和学生双方的行为方式都提出意见，以免作出主观的判断。随之而来的一个问题是这种观察的方式包含一个假定，即观察活动与授课内容是分离的；例如，它无法考察教师是否准确地传授了他的教学内容。对一些行为进行的观测，比如教师给出正面或负面反馈的次数、指派同一个学生回答问题的次数、提问后等待学生回答时间的分秒数以及教师使用可视教具的次数等等，这些计数都不能考察这位教师是否在正确传授二次方程的解法或第一次世界大战的起因等知识。进一步来看，一些研究显示，可观测的教师行为和基于不同标准的学生成就之间的联系其实是相当微弱的。[1]

上述四种假设都经不起反复推敲。如果一个督导者根据以上假设提出建议或作出决议，不对教师进行续聘或给予其终身资格，那么他恐怕会陷入法律和职业上的困境。法律对此有过明确规定，对教师（哪怕是初任教师）必须要给予公平权利程序。公平权利程序的要点就是教师必须事前了解评价标准或准则，以及运用它们进行评价的程序，而且知晓这些标准和程序事实上已经被执行与否。若超出公平权利程序的规定，学校或学校机构为这类评价所设置的特别标准和规则都将受到质询。

对新的方法体系的需要

如同丹尼尔森（Danielson）和麦格里尔（McGreal）所建议的，对传统的教师评价方式需要来一个彻底的修订。[2] 现行的操作方式传达给教师的是一些模糊的信息，它们不断强调责任制这种政策给教师这一职业带来的广泛威胁，学校当局不甘于自身的平庸表现，于是教师有责任创造成果，否则就不称职。我们需要的是一个建立在明确标准之上的清晰的评价体系，要确定评价什么、在预定的程序下如何进行评价以及在评价过程中需要考虑哪些证据。在设计这一套体系的时候教师应该参与进来，以便使其关注的问题得到反映，同时也能反映学校当局的意见。

丹尼尔森和麦格里尔提出了四个广泛的责任范围，并构成了评价体系的核心：

---

〔1〕 Michael Scriven, "Can Research-Based Teacher Evaluation Be Saved?" *Journal of Personnel Evaluation in Education*, vol. 4(1990), p. 19-32.

〔2〕 Charlotte Danielson and Thomas L. McGreal, *Teacher Evaluation: To Enhance Professional Practice*, Alexandria, VA: Association for Supervision and Curriculum Development, 2000.

1. 规划和准备；2. 课堂或学习环境；3. 教学；4. 职业责任。[1] 这些范畴对应于第六章和第七章的许多论述，即教师对课程负有责任，使课程符合预定的计划，适合讲授和学习并且符合评价的要求。这一评价体系要有助于收集证据，表明对学习活动作出了精心的设计和计划，学习活动与学区和州所制定的内容标准紧密联系；要有助于形成促进学生开展学习作业的课堂程序，提供能够激发学生学习且用户友好的学习环境，形成一个有序的氛围使学生专注于手中的作业，免于可预防的因素干扰；要有助于提供教学活动多样性的证据，包括吸引学生投入学习活动的兴趣，用以前学习过的材料来制作学生作业，激发、鼓励、支持学生对问题进行质疑、提问和澄清，对过程进行演示，对作业提供全程的反馈，鼓励团体的学习和评议，等等。最后，评价体系还要有助于提供教师认真记录学生进步的证据，教师还要能够与学生及其家长交流其进步的方面，在学校发展项目和职业成长方面进行合作。

评价体系还要具备非常清晰的程序，排列出时间间隔、期限长短、确定角色，明了谁在什么时候做什么，说清楚需要提供什么文档资料，需要商议哪些约定，在评价的不同阶段使用什么样的表格。在遇到困境的时候，还要能提供第三方的介入和裁决。

丹尼尔森和麦格里尔建议的另外一个重要方面是关于接下来的总结性评价程序所必不可少并需要重新审查的各种证据方面的约定。除了传统的课堂观察，还期望教师能够提供课程计划、学习活动的设计、原始的评定程序以及学生课业的样本，这些样本反映学生在不同阶段、不同层面的理解方面所取得的成效，并附上简短的评语，着重说明学生课业如何体现了预定的课程计划，学习如何对应了教堂内容标准。其他方面的材料可以包括致学生家长的信件、与家长和学生进行对话的记录、阅读清单、工作表、职业发展活动记录以及与其他教师合作的课程设计。

如果没有经过严格培训的评价人员，这一体系就显得不完整。执行评价的人员应当对评价标准达成一致的理解，并且通过多种训练努力达到对各种证据能够形成比较接近的评定。由于这一评价方式在很大程度上取决于执行评价的人，因此如果对教师进行的总结性评价出现显著的差别，将使这一评价体系面临严峻的挑战。为公平起见，评价人员需要在如何鉴定证据以及如何实行评价体系的策略和程序方面达到相当的一致性。

丹尼尔森和麦格里尔还提出了评价体系还应当加以考虑的一个相当重要的因素，即面对一些特定的学生时教师可能遇到的各种额外的困难或挑战。比如，一些教师可能无法确定所有学生预期取得的进步，一些学生可能存在一定的缺陷，有些是刚进入美国的移民，有些还跟警方之间存在一些麻烦没有解决，还有些家境十分贫困等等。由于这些因素都是教师们几乎无法控制的，这类学生的进步可能会因此显著落后于大

〔1〕 These four areas of responsibilities were derived from her earlier work, Charlotte Danielson, *Enhancing Professional Practice: A Framework for Teaching*, Alexandria, VA: Association for Supervision and Curriculum Development, 1996.

多数学生。在教师评价与学生学习关系紧密的评价体系中，这位教师就会得到不公平的评价，因此评价体系需要找到可以将这类因素考虑进去的方法。

阳光学区（Sunlight School District）的评价体系

学校的教师和管理者应当对形成性督导和总结性督导之间的差异有所了解。总结性评价根据其目的的不同而有所不同，每种形式都应该有一系列设计好的步骤，并理清相互的责任。依据人事决定的种类不同，评价活动的架构也不同。以下从阳光学区这一假想的例子中可以看出总结性评价是如何构筑的。

Ⅰ. 对阳光中学非常任教师的总结性评价程序

A. 在作出长期聘用决定的六个月前，非常任教师将收到关于他的教学表现的口头和书面评价。这一评价的内容以他任职第一个月时收到的评价标准为依据。

B. 在作出总结性评价报告前，初任教师在一学期内将被听课六次。每次听课后都会就该教师的表现进行广泛的讨论，并将改进的建议记录下来。每次听课至少应有两人参加，以确保在获得观察数据时至少有两个声音发表意见。与此同时，教师要解释其教学活动是如何计划的，以及课堂中学生的学习活动是如何与不同学科的学区课程内容纲要相联系的，同时还要提供学生课业的样例，以证实学生达到了预定的理解水平。

C. 至少三人（其中一人是校长或由负责人指派的人员）对课堂观测数据进行讨论，并参与之后的讨论，由这三人给出总结性评价报告并共同署名。

D. 对初任教师的评价标准集中在四个主要方面：对学生学习的计划；如何建立引导性的学习文化和学习环境；如何促进学生的学习；怎样执行规定的记录，怎样与学生和家长进行交流，以及如何在顾问指导计划下工作。更加具体的评价内容将由常任教员决定。

E. 如果评价结果对该教师不利，他应有一个月的时间来证明评价为什么不正确，或者证明不管评价结果如何自己都有资格获得常任教师职位。

F. 在不利的评价报告提出后的几个月中，初任教师将参加由管理者及特意选派的教师共同进行的一系列讨论，以决定是否留下来继续从事教学，还需要完成哪些程序，或者考虑是否需要放弃教师职业转而考虑其他工作。

Ⅱ. 阳光中学建议常任教师终止合同的总结性评价程序

A. 只有在以下原因被证实的情况下，才能终止常任教师的任职合同：有违背法律或道德的卑劣行为；明确地、再三地违反学校政策规定；在反复收到要求其提高教学能力的警告后仍表现出对教师职责的无法胜任；作为专业教师却多次地、明显地疏于职守。以上情况被认为是教师已经想要退出学校这一群体的明显迹象，但学校有必要对这些情况的真实性加以验证。如果证明确实如此，就应终止该教师群体成员的资格。如果发现严重违犯法律的证据，该教师的教师资格将会被中止，直到法律判决后学校再对其作出处理。

B. 学校须有适当的管理者通报教师在教学中的严重失职，并决定在发现某教师的失职行为后应该立即对其加以纠正还是应将他划入试用者行列加以考察，并定期进行评价。

C. 如果教师认为针对自己的批评是不正确或不公正的，他们和管理者双方都可以要求第三者对缺陷是否存在加以证实。

D. 如果批评没有被证实，教师无须采取任何措施；如果得到证实，教师则必须采取步骤在规定的时限内加以改正；在这种情况下，这名教师将被列入"留用查看"名单，并将有关记载归入该教师的人事档案。

E. 如果在规定的时限之后这名教师未能改正其缺点和错误，那么就必须有两位以上教员中的专业人员证实其仍然存在失职。

F. 如果失职被证实，该教师将得到合同不能续签的通知。这个通知必须在聘期届满当年的2月1日前给出。不过，在条件允许的情况下，也可以立即终止合同。[1]

注意两种评价程序的区别：与非常任教师相比，常任教师有更多的机会改变状况，也有更多机会让同事们参与额外的评价以防止受到不公正的待遇，同时还要注意上述两个程序和以下程序之间的区别（以下所述被认为是更为正式的评价经验）。

Ⅲ. 阳光中学常任教师的定期评价程序

A. 每三或五年常任教师将接受一次全面评价。这种评价对教师来说是一次很好的机会，可以证明自己为维系和促进这个学习团体的共同目标所作的努力。同时对团体来说也是一次机会，使它可以通过委派人员进行评价，对每个教师为学校事业所作的贡献进行评价。

B. 一旦被接纳为常任教师，每个教师都必须提交一份为期三年的发展计划。该计划应包括以下所列的部分或全部内容：针对上一次评价中提出需要改进的方面所制定的改进措施；通过大学课程、学区及区域教员发展机会或其他学习途径增进基础知识的措施；扩展教学策略储备、提高诊断能力以帮助困难学生的措施；以职业发展为目的，与学校、系统或区域范围内其他教师进行沟通联络的措施；丰富和陶冶情操，实现文化传承的措施，等等。每个教师都应准备一个文件夹，把根据自身发展计划制定的系统性提高的资料和实际实施情况的证据装入其中。

---

〔1〕 For a more detailed treatment of approaches to dealing with incompetent teachers, see Edwin M. Bridges, *The Incompetent Teacher*, London: Falmer Press, 1986; Jim Sweeney and Dick Manatt, "A Team Approach to Supervising the Marginal Teacher," *Educational Leadership*, vol. 41, no. 7 (April 1984), p. 25-27.

C. 在即将进行全面评价的年初，学校委派管理者或高级教师与被评价的教师一起工作。受委派者（评价人）和教师根据发展计划一起回顾所取得的进展，并共同准备一份报告，该报告应作为全面评价报告中一个重要内容供校长审查。受委派人还要与教师一起制定计划，确定如何在该年度中开展全面评价。

D. 在关于全面评价工作的第一次会议上，教师需从五种全面评价格式中选择一种，这些格式都是由全体教员选定并在合同中清楚说明了的，或者是在得到校长同意的情况下，采用了其他更适合教师的特殊需要且符合全面评价的总体目标的评价格式。

E. 在第一次会议上，教师与评价者共同回顾全面评价报告的格式，特别是四个分级（优秀、满意、一般、留用察看）的评定标准。这些分级决定了年终递交的发展计划的类型。获得优秀级别的教师，其下一次全面评价将在五年之后进行，他们可以根据学校和自身职业发展需要自由制定发展计划。获得满意等级的教师下一次全面评价将在三年之后实施，他们应根据学校和自身职业发展需要制定发展计划。获得一般等级的教师必须针对需要改进的方面提交发展计划，并在两年后接受下一次全面评价。而得到留用察看等级的教师，则必须在下学期开始时即执行评价规则要求的程序。

F. 在初次会议中，评价者会和教师一起安排全面评价年度中的五次长会。会议结束后将是总结会，在评价报告递交校长之前进行最后一次审阅。五次例会的形式依教师所选择的评价格式而定。

G. 如果在例会过程中对评价者认为存在问题的方面产生异议，双方都可以要求其他教员加入讨论，甚至加入课堂观察。如果一开始就不断发生重大分歧，校长和一位由被评教师选定的教员将会被请来对争议进行裁决。

H. 提交给校长的最终报告应包括以下内容：

1. 对前一阶段发展计划执行情况的评价。其中包括该计划中的内容如何影响所教班级的证明材料及数据。
2. 根据该年度中所采用评价格式的要求，对教师当前表现所作的评价。这一评价应包括以下内容（但不限于以下内容）：

a）在教师所承担的课程领域，对本地、本学区、本州的教学大纲的理解力的评价（教师的知识面是否宽于教材以及学生使用的其他资料的内容？教师能否在班级的学习活动中使大纲的知识适应学生的认知水平？是否班级中的所有学生都充分发挥了学习能力？教师是否为学生学习大纲中的材料提供了多种选择并对学生的表现给予了足够的反馈？）。

b）教师对学生责任感的评价（针对不同的学生，教师能否运用不同的激励手段？是否对学生作业反映出的问题及时作出明确应对？教师能否说出每个学生的长处和短处并能证明自己是如何不断对学生进行个别辅导的？对学生表现的评价是否公正？是否能鼓励其奋发进取？是否是对所授知识的真正检验？教师能否拿出所有学生都取得进步的证据?)。

c) 对教师授课水平与学生所取得的进步之间相关性的评价(教师对所讲授的课程是否有个总体的基本框架？教师是否在指定的学习活动开展过程中对学生的学习进行有效的监控，能否及时发现有困难的学生，能否提出有益的评判或有启发性的问题以推进学生的学习？教师是否能提供经常性的示范，以帮助学生入门或是对以前的功课进行总结？教师是否运用评定方法来增强和扩展学生的学习?)。

d) 对评价者和教师双方一致认为需要进一步加强以增进所有学生学习方面所作的评价，并对如何改进这些方面所进行的初步探讨。

3. 评价者对教师分级的整体鉴定，并列出定级的理由。
4. 教师或评价者的附加评论。
5. 教师对本次评价结束后与下一次全面评价之前这一期间所制定的发展计划。

I. 评价报告应在5月1日前提交校长。校长在5月份分别与每个教师共同对报告进行审阅。

这个例子演示了在一些较开明的学校里阶段性的总结性评价工作是如何展开的。对非常任教师和留用察看的常任教师而言，这一套体系的运用是不同的。常任教师更多地参与职业评价过程，有更多的选择，评价者和教师可以根据被评价教师所处的环境来确定评价方式，在此过程中有一系列的核查和制衡机制来保护被评价教师。

只要评价体系保持其鲜明的独特性，督导者采用形成性或总结性评价都不至于使其在职员中失去信任。表14-1对这些独特性进行了概括。在与教师建立成长性的督导关系时，运用总结性评价很可能会使督导者丧失一些信任度，至少在开始时会出现这样的情况。在进行总结性评价之间的三或五年的间歇期内，教师会始终记得督导者给予他们的评级，更为重要的，他们记住了督导者有**权力**确定总结性评级。除非获得优秀等级，否则教师会倾向于怨恨那些给了他们较低级别的督导者。教师们有时会忘了他们曾经也对这一体系作过表决，曾经也参与了设计过程。但如果评价体系被视为是公正而又公平的，这种怨恨情绪或许会消失。[1]

[1] Milbrey Wallin McLaughlin and R. Scott Pfeifer, *Teacher Evaluation: Improvement, Accountability, and Effective Learning*, New York: Teachers College Press, 1988.

表 14－1　评价的类型

类型	行政性评价	督导的总结性评价	督导的形成性评价
目标	常任资格的确定 留用察看的确定 解聘的确定	分阶段、全面反映 成员资格的更新 重新明确任务 成长的评定	不断反映成长过程
方法	法规上的适当性 高度结构化 很强的指导性 标准的惟一性 判断的惟一性	结构化的方案选择 协同性的权利分散 检查和制衡 具有多维性	行动研究： 追求成长的目标 职员发展场所 临床督导 同侪指导 学校更新目标 与区域团体组成联系网
成果	做出决定 否定→解聘 肯定→留任	总结性评价 否定→行政性评价 肯定→新的成长计划＋形成性评价	反思性实践 创新 课堂活动与学校整体目标的结合 新材料、新策略 新课程

学生学习的深入探讨

所有教师都可以提高其学生工作的有效性，学生可以也应当更刻苦地学习并在更高层次上实现自我，对这两点都不存在什么疑问；但在提高教师教学效率和增进学生学习方面，是否可将这些新引进的教师评定措施看作是主要的因素呢？或许还有其他因素对学生在校内的学习同样具有影响力？家庭环境会使学生的在校表现产生最大的变数。[1] 从学校内部来看，教师在课堂上的行为是否是学生学习的惟一最重要的在校影响因素，这一问题的研究还没有形成结论。如掌握性学习的研究显示，学生们花在课业上的时间与他们的学习明显相关，也与学生的学术自我概念及学生的自我功效意识相关。其他研究还表明，学生对于前途的意识、掌握自己命运的意识，同样影响着他们的学习。

除了关注教师行为与学生学习之间的对应关系，教育工作者还须考察一个关键的介入变量——学生着手进行课程学习时的思想状态。学生学习知识的动力何在？即

[1] See James S. Coleman et al., *Equality of Educational Opportunity*, Washington D. C.: U. S. Office of Education, National Center for Educational Statistics, 1966; Christopher Jencks et al., *Inequality: A Reassessment of the Effects of Family and Schooling in America*, New York: Basic Books, 1972.

使在希望获得好分数这一外在推动力下(不管学习是否对于学生有任何个人意义),得高分的学生是否真的很在意他们的分数?学生们是否有取得好成绩的意识,是否认为获得晋级、取得学校文凭是有意义的?学生是否有意识地希望通过努力学习、遵守纪律以获得生活上的成功从而控制自己的命运?也许他们认为机遇掌握在别人手里,或者更为严重的是,认为机遇要靠运气和街头生存能力,而与学校教授的那些东西毫无关系?换言之,如果学生在学习课程时抱着一种知识没什么大不了、学不学习无所谓的观念,那么不管教师采用 29 种还是 52 种效能规程,提高学生成绩的可能性都是微乎其微的。

教师通过课堂上的努力激发学生学习,提高他们的学习自我效能意识,使学生意识到如果全身心投入前途将一片光明;除此以外,学校作为一个**机构环境**,必须对学生的内在动力和学习自我概念有所帮助。[1] 学校是否整体上"用户友好"?在这里,孩子们有没有得到足够的尊重和关照,大人们是否把这里营造得欢乐而丰富多彩,学生们的表现是否有目共睹,自豪感和自尊心是否都得到了精心培养?学校的整体氛围是否体现了这样一些关注:即,课程的设置与学生的生活体验是否相关,是否具有实用性,不仅可以运用于工作中,而且还可以运用于家庭和街坊邻里?学习是否被看作是包括了自我表达、团队协作和在作业中建立成就感的一个过程?课程是否提供了宝贵的学习经验而为学生所热爱?

或者学校并非"用户友好":学生们觉得自己的兴趣和愿望在学校里无关紧要,他们被成年人认为是靠不住的,他们的叛逆精神被控制、压迫和钳制,他们不得不投入到学习中去;学生把学校当成被迫穿制服、被动服从、机械顺从、抑制自发性的场所;这里不断发生矫正与处罚,学生们惟恐遭受来自分数、记过、禁闭以及老师们在自己朋友面前挖苦羞辱的惩罚恐吓;厅堂的监视器对他们怒目而视,进出校园要接受保安检查;学校的铃声是敌人,要求他们准时上课,匆匆忙忙吃饭,有趣而好玩的聊天也随铃声草草结束。

学习环境是影响学生学习的重要因素。教师对学习环境没有完全地,甚至是主要地产生影响。在学校整体环境中,学生-成人间的互动会向学生传达一种积极或消极的情绪。同学之间的期望和同伴文化也影响着学习环境。对学校和强迫的学习,学生间存在的同伴文化可能不仅不会予以尊重,还可能将视之为背叛,从而产生一种团结起来对抗学校当局的同辈团体的行为。当责任义务被提起,就无法忽略这样一个问题:对于如何在整个学校中创造积极的学习环境方面,学校管理者都在做些什么?没有制度保障一个有效的学习环境,作为个体的教师就无法为学生的进步独立承担

[1] See A. S. Bryk and M. E. Driscoll, *An Empirical Investigation of the School as Community*, Chicago: University of Chicago, Department of Education, 1988; Thomas B. Gregory and Gerald R. Smith, *High Schools as Communities: The Small School Reconsidered*, Bloomington, Ind.: Phi Delta Kappa Educational Foundation, 1987.

义务。

学校课程的影响也是一样的。这里显然有技术上的问题，如课程配置是否恰当，其范围、次序应如何确定，测验和分数与课程学习内容的真实关系如何。除了技术上的考虑，还有一个问题就是课程还应让人感到与现实有联系，与学生有关联。这并不意味着课程就要稀释到通俗音乐或视频游戏文化的程度。确切地说，学习莎士比亚要和了解自身及自身所属的世界相联系。学习识别一个州或整个国家的地图，可以被看作无意义的记忆练习，也可以看成一次激动的旅游，使学生熟悉河流、山脉、公路、人口和工业中心的联系。课程是否被视为是一系列需要记忆的清单、正确答案的汇总或是一本别人认为重要信息的资料汇编？如果是，那么教师即便使用有效的教学规程也很难对学生的学业有帮助。

如果不与学校的评定相联系，任何形式的与所谓责任性结合起来的教师评定都是不全面的，而且也不公正。可以这么说，学校，作为一个机构整体，以最大努力创造良好的环境以利于学生的学习，然后再评价教师是否以及如何有效地运用这样的环境以取得突出的专业表现，还是未能充分地对其加以利用。同样，当学校的制度框架不利于学生学习，却因为学生学习成效不大而责备教师，那么这种情况下实施的任何评定都可以说是迷失了方向。在此我们可以回顾一下图 1－1 对学校如何促进学生学业成就所作的概括。在对这个图示所做的分析中我们指出，在通往督导领导层推动学生学习的道路上，社会的支持是一个关键因素。

学生学习的真实评价

越来越多的证据显示，把基于课堂功效规程的教师评定方法和学生测验成绩联系起来，将会导致教师为考试而教学。尽管这种教学方法的结果是提高基本技能的测验成绩，但这一成绩排除了其他领域的学习成果，比如文章的写作、分析性的阅读、数学难题的求解和科学推理等。[1] 这些证据会进一步引发人们对基于教学功效规程而创建评定手段是否明智提出质疑。斯克里夫(Scriven)对导出这些规程的研究基础以及结合多种似乎是有机联系的规程是否符合逻辑、是否合理提出了质疑，除此以外，对学习本身的性质进行的反思又引出了其他问题。

排除那些完全相反的异议，上述的教学功效和教师评定的支持者会带给学习者根本上的被动状态。学习者吸收教师讲授的东西，经过练习和课堂作业，学生获得对材料和测验所需知识的充分了解，从而取得测验的好成绩。把学习界定为吸收教师所传授的知识的能力，并在测验中复述这些知识以取得高分数的活动——这种定义把学习

〔1〕 See Linda Darling-Hammond and Arthur E. Wise, "Beyond Standardization: State Standards and School Improvement," *Elementary School Journal*, vol. 85 (1985), p. 315－335; see also Brian Rowan, "Commitment and Control: Alternative Strategies for the Organizational Design of Schools," in Courtney B. Cazden (ed.), *Review of Research in Education*, vol. 16. Washington D. C.: American Educational Research Association, 1990, p. 353－389.

降格为被动接受并不断考试的一种模式，教学也因此而降格成为提高学生考试结果而进行的活动。

当学生真的希望学习某些东西的时候，他们会把知识融入自身并与所学到的其他知识进行系统关联，将它们变为个人的价值体验；他们会理解这些知识之间的联系，并因此得以应用以往所学来诠释新的知识，对新信息进行重新组合，分析并提出新问题，以及描述一系列新的联系。这种学习过程不是一个教师所能确定和控制的，学生才是它的主体。与对刺激作出被动反应不同，在这种情况下学生必须把知识变成自己的一部分，思考它们，消化它们，不断回顾并请教老师一些问题，再回头继续消化。渐渐地，学生对知识有了理解，懂得如何运用它们，明了其意义，理解它与其他事物和人的联系。这些过程都由学生自己来完成。这样的学习是主动的、建构性的，调动了学习者的整个身心——体力、智力、想象力、感知力、记忆力以及关于这个世界的理念。

教师要做的就是促使学生进行主动学习。教师采取各种手段，引诱、说服、怂恿、威胁、鼓励、支持、刺激、邀请、梳理、解释，讲述有趣的故事、描述、演示、提示、不断找茬。询问教师为学生所做工作的一些最重要的问题包括：是否培养了学生学习的主动性？是否有足够的多样性、忍耐力、创造性、持续性和清晰性来运用各种必要的措施，引起学生对目前学习资料的好奇心和兴趣？在评价教学时，教育管理者要观察学生的主动性并提出这些问题：学生是否投入？引导学生关注学习材料的过程是否关注、尊重并接受了他们的意愿？教师的作为是否具有挑战性，是否对学生提出了高要求而又能铁面无私地执行它们，从而迫使学生专注于学习资料？教师的授课行为是否使学习通向更大的学习目标，并且这一目标是整个学校既定的任务？

我们指出，提供积极学习环境的组织支持对于学生的学习具有至关重要的作用。与此相应的是，教师评价这一过程也要包括以下问题：这些年轻人面临的家庭环境是什么？他们的自我意识是怎样的？他们的功效意识是什么？他们是否愿意对材料进行挖掘从而学到有价值的东西？他们的志向是什么？他们是如何把学习活动与他们所认为的真实环境、与自己的未来联系起来的？课堂是否体现出一个更大的机构环境，鼓舞学生主动性、自豪感、自尊心、团队精神和对社会的关怀？年轻人踏入课堂是否觉得即将学习的东西对他们来说具有本质的意义和内在的价值？对于执行教师总结性评价的人来说，这些问题的结果提供了关于教—学活动中教师取得成功的可能性的信息。在这一活动中，如果年轻人开始就没有感受到机构环境的支持，而是感到被孤立，因而与环境发生冲突，那么在教师评定的初期就要对此予以关注。在审查这一评定过程中，行政管理者应当注意到机构对学习环境促进的情况。

如果把教师评价与学生学习和学校发展相关联，就要包括学生对学习活动的准备状态的考察，如图 16－3 所示。评价人应当设法确定这一状态受到的影响主要是来自教师还是来自机构环境，以及这一影响是朝着哪个方向发展的。当机构环境和教师行为对学生的能动性、效能意识和现实联系都产生正面影响时，评价人还要关注这一界面是如何发挥作用以增进学生学习的。如果机构环境和教师努力两者产生的影响不一致，教师和评价人应该商议进一步的措施。

小结

本章我们探讨了教师评价这一有争议的主题。一开始我们把教师评价置于学校这一学习共同体的背景之下。总结性评价与这个共同体中成员的确定有关，还与共同体用于表彰其成员突出贡献的方式有关。总结性评价可用于各种人事方面的决策，在可能发生终止教师合同的情况下，这些评价引发了行政管理程序。我们还考察了总结性评价用于常任教师阶段性评定的范例，这些例子提供了总结性评价的概貌。然后我们对总结性教师评价的一些合理构成标准进行了研究。迈克尔·斯克里夫(Michael Scriven)提出了一套方法，看来可以避免在一些学校中正在施行的许多方法的缺陷。我们提出，对学生学习来说，积极的学习环境所提供的机构支持的影响和教师行为的影响作用同样巨大。对教师的评定不应该与机构的评价割裂开来。而且对学生学习的内涵所作的深入了解，为解答总结性教师评价体系中的诸多问题提供了的另一个基础。

由于总结性评价关系到团体成员谁将被接纳、谁将会留用、谁将得到表彰而使共同体得以充实，这一方法常常会因为法律问题或遇到对抗而受到阻碍。理论上，总结性评价应当运用于确定和鼓励为学习共同体做出的突出贡献。

第四部分 提供领导力

第十五章 激励 满意度 教师的工作场所

改善教师的工作场所是改进学校的一个重要途径。但是对教师来说什么是真正重要的以及怎样达到这种改进，存在着很多困惑。结果是，尽管有良好的意愿，但落后的学校政策和实践经常导致出乎意料的结果，如对工作不满意、缺乏工作动机导致了教师之间的疏远。在学校系统中，这些困扰有一部分是来自四种普遍的情况：

- 对教学工作标之以“专业”却视之为科层。
- 与教师相比，督导者和管理人员被赋予更多的信任和道德责任。
- 认为教师主要是为私利而工作，不愿为了他人而对工作负责。
- 认为教师作为一个理性而客观的个体，应该能独自决定什么是重要的和要做什么。

这四个方面相互加强，造成了一个循环，使事情变得更糟糕。例如，因为国家和学区不信任教师具有专业工作所必需的明辨力，所以给他们安排科层工作。在这种情况之下，需要督导者告诉教师做什么并且要对他们进行检查。此外，他们认为教师没有能力为自身的发展担负起责任，所以需要督导者提供行政督导和正式的在职方案。因此，教师越来越成为督导者的客体，而作为客体，教师容易失去责任感。他们既感到怨恨，觉得被疏远，又变得越来越依赖督导者，这也使得督导者有必要对他们进行“激励”。在一项对教师被疏远感、效能感、满意度、业绩影响的研究当中，帕特里夏·阿什顿(Patricia Ashton)和罗德曼·韦伯(Rodman Webb)认为：

> 大多数学校的教师认为管理部门对他们非常无礼。教师认为自己是专业人员，却被别人当作是行政人员或淘气的小孩时，就感到受到冒犯。例如，在教师的工作日中，当学生放暑假离开学校后，学校的教职员工要批改考卷、排列等级、整理教室。校长经常用公用通信系统提醒他的员工“不得离校”，直至成绩交上去了，管理人员已检查好了教室卫生。教师被告知，副校长将到每一个房间，检查所有的东西，包括抽屉和文件橱，以确保这些都保持整洁。一位教师愤怒地对调查团的一名成员说：
>
> “我在许多学校教过书，没有人检查过我的桌子和抽屉，从来没有！我认为这是一个莫大的侵犯。他们说我不专业。这个学校最大的问题是我们不被视作专业人员，我们被看低了。会有人来问我们的看法，但大家都知道结果不会有什么变化。在教工会议上，我们不会起什么作用。如果一个教师做错了什么事，管理者应该去告诉他，全体员工不应该只是被训斥。”[1]

如果上述是事实，督导者采取的激励策略就是建立在教师的目标和督导者的目标不一致的基础之上的。他们认为对学校的事情教师考虑得没有督导者多，因而激励教师的基础就成为一系列的交易，由此督导者给予教师他们想要的东西来换取他们服从督导者的要求和必要条件。这样，反过来加深了教学工作中的科层化，强化了督导者优越的训导地位，更加重了对自我利益定向的激励策略的运用，也使这种逆循环永存。要打破这种循环就必须认真三思：对教师来说，什么是重要的？

科层工作和专业工作

我们可以从这里开始重新思索这个问题：教师是专业人员，而他们的工作却被看成是科层工作。例如，在今天的学校里，存在一种普遍的现象：教师被一个精细的工作系统管理和控制着，系统会详细说明哪些必须做并确保能做到。但是科层工作和专业工作是不同的。虽然官僚和专业人员都是合理构想工作系统的一部分，但官僚是从属于这个系统的，他们根据提出的指示负责系统的运行。督导就是被设计出来监督这个过程的，其重点是正确地做事情。

---

〔1〕 Patricia T. Ashton and Rodman B. Webb, *Making a Difference: Teachers' Sense of Efficacy and Student Achievement*, New York: Longman, 1986, p. 49.

对比之下，专业人员是位于他们的工作系统之上的。在教学工作中，工作系统代表一个参考点而非注解。教师利用这个系统的方式是在实践时感到有意义，对专业人员的督导如果严格要求将是有利于并方便其定位的。在专业工作中，重点是在实践时即时进行记录，从更宽广的一个角度，专业人员是在实践中创造实践，他们不仅是执行者，也是研究者、问题解决者和创造者。

科层工作看起来适合督导Ⅰ，而专业工作适合督导Ⅱ。在督导Ⅰ中，督导目的是监督并控制已核准的体系；在督导Ⅱ中，督导目的是授权并扩大教师的视野，让他们在实践中有能力做出更好的决定。把工作视为专业时，教师的满意程度、责任感和效能感均高于把工作视为科层事务。我们将在以后章节中讨论到督导Ⅱ的这些条件与增加教师效能感以及提高学生成绩之间的关联。[1]

教师作为原创者和质押者

在成功的学校中，教师更有责任，工作更努力，对学校更忠诚，对工作更满意。对工作动机的研究表明，在以下情况时，会出现高的动机：

- 发现他们的工作生活很有意义、有目的、合情合理、重要，并且把工作本身看作是很重要的、很值得做的事。
- 能合理控制自己的工作活动和事务，能对工作的环境和条件施加合理的影响。
- 体验到工作的个人责任并对工作结果负责。[2]

当教师体验到工作是有意义的、可控的，并负有个人职责时，他们就会表现得更像“原创者”而不是“质押者”。作为原创者，行为由自己选择决定；相反，质押者的行为则由超越自己的外部力量所控制。原创者对个人原因有强烈的感觉，他们相信自己能对现存环境中的事物和状况施加影响；相反，质押者认为他们将要做什么是由自我控制之外的力量所决定的。[3] 根据理查德·德查默斯(Richard DeCharms)所言，质押者具有强烈的无能感和无效感。[4] 德查默斯之类的专家认为，在正常情况下，人们对构成自己所在环境的事件和形势作出影响和改变时，力图达到有效。他们尽力成为自己行为的原点。当情况不是这样时，他们会体验到挫折、无力和冷落。

---

〔1〕 Patricia T. Ashton and Rodman B. Webb, *Making a Difference: Teachers' Sense of Efficacy and Student Achievement*, New York: Longman, 1986, p. 49.

〔2〕 See, for example, Frederick Herzberg, Bernard Mausner, and Barbara Snyderman, *The Motivation to Work*. New York: Wiley, 1959; Thomas J. Sergiovanni, "Factors Which Affect Satisfaction and Dissatisfaction of Teachers." *Journal of Educational Administration*, vol. 5, no. 1 (1967), p. 66 - 82; J. R. Hackman and G. Oldham, "Motivation Through Design of Work: Test of a Theory," *Organizational Behavior and Human Performance*, vol. 16, no. 2(1976), p. 250 - 279; Edward L. Deci, *Why We Do What We Do: The Dynamics of Personal Autonomy*, New York: Putnam, 1995; and, Joseph Blasé and Jo Blasé, "Principals' Instructional Leadership and Teacher Development: Teachers' Perspectives," *Educational Administration Quarterly*, vol. 35, no. 3, August 1999, p. 349 - 378.

〔3〕 Richard DeCharms, *Personal Causation: The Internal Affective Determinants of Behavior*, New York: Academic Press, 1968.

〔4〕 Ibid.

成为原创者而不是质押者的结果之一是功效感增强。一个有效力的教师相信自己有力量有能力创造出自己所期望的结果。功效必定与个人效能感相关，个人效能感是对自我控制事件和产生结果的感受。近期的研究不仅把教师功效感与动机和行为相关联，而且与学生成绩相关联。例如，帕特里夏·阿什顿(Patricia Ashton)和罗德曼·韦伯(Rodman Webb)在他们"教师效能感与学生成绩"的研究中发现：教师的效能感只与那些对学生热心、理解、有回应、接受学生的主动、对全体学生的个人需求给予关注的教师相关。[1] 教师的效能感也与学生的热情和师生互动中学生的主动性有关。最后，教师效能感与学生的成绩相关。阿什顿和韦伯研究了高中数学老师及其沟通，通过数学和语言基本技能测验测到学生成绩。使用阿什顿和韦伯的数据，可以建立教师效能感和学生成绩的模型。如图 15－1 所示。

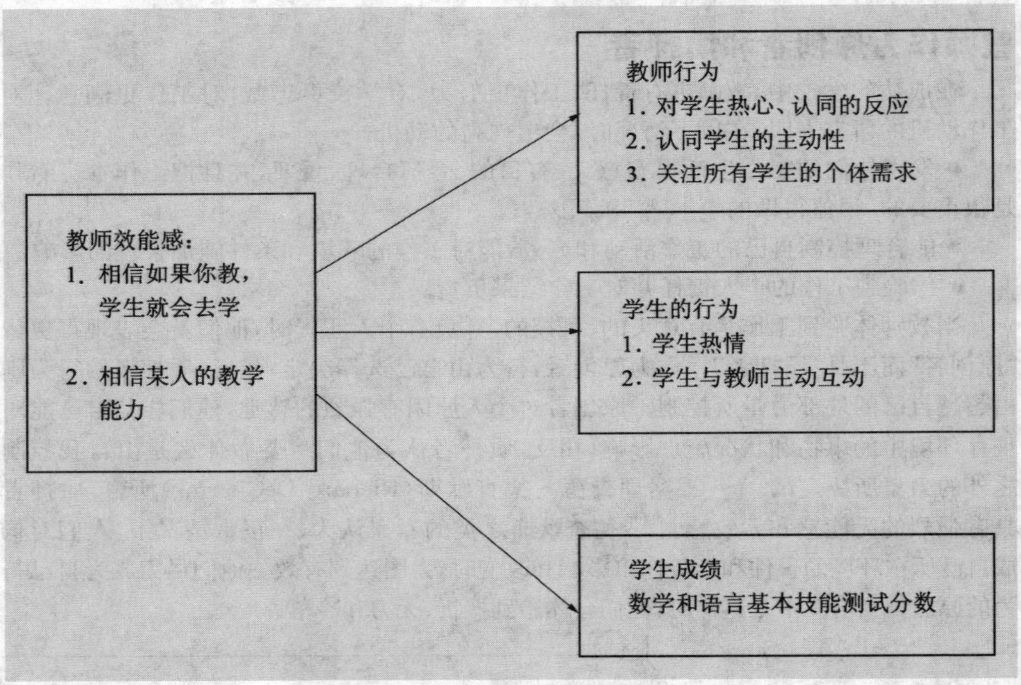

图 15－1 教师效能感与教一学行为及学生成绩的关系

来源：Patricia T. Ashton and Rodman B. Webb. *Making Difference: Teachers' Sense of Efficacy and Student Achievement*, New York: Longman, 1986

图 15－2 表示了对教师效能感和增加动机及责任感有影响的因素。[2] 一个学校

[1] Ashton and Webb. op. cit.

[2] See also M. Tschannen-Moran, A. Woolfolk Hoy and Wayne K. Hoy, "Teacher Efficacy: Its Meaning and Measure," *Review of Educational Research*, vol. 68, 1998. p. 202－248.

的支撑环境，明确的同事价值观、共同决策，让教师有目标感的学校文化，为教师界定了共同的规约。这些特征（下一章会讨论到）是合作关系、强烈的社会认同、个人责任感、原创的感觉、对工作结果有高度责任感、对共同目标的承诺共享。

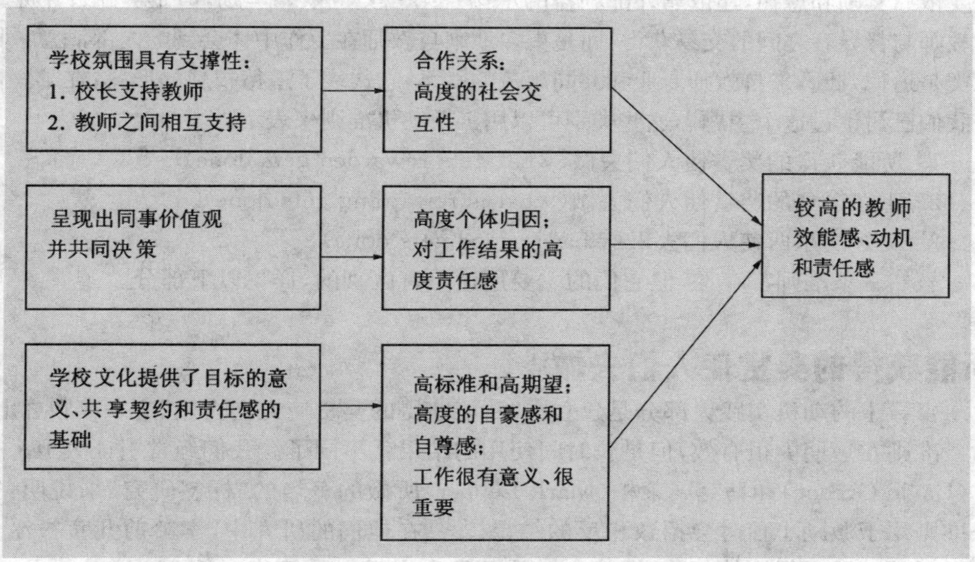

图 15-2 对教师效能感、动机和责任感有影响的因素

图 15-1 和图 15-2 对教师的动机如何发挥作用及其结果作了概览。这与目前在大多数学校里发生的大不相同，为了理解，我们要回到开头，审视一些基本的假设，它们能从不同角度提供工作动机的基础。

随着功效主题成为学校共享理念和学校文化的一部分，教师效能感的影响在增加。韦恩·K. 霍伊（Wayne K. Hoy）和塞西尔·G. 米斯凯（Cecil G. Miskel）把这些影响称为**教师的集体功效**，其定义为**一个学校中教师的共同观念，即教职员工作为一个整体的努力会对学生产生积极的影响。**[1] 他们指出教师集体功效有助于解释学校在提高学生成绩上的不同结果。[2]

一个理解教师动机的框架

动机一部分表达了心理需求，一部分表达了道德判断的功用。督导Ⅰ的诱导策略和实践过于强调前者而忽视后者，相反，督导Ⅱ寻求将两者结合在一个更加可行的动

〔1〕 Wayne K. Hoy and Cecil G. Miskel, *Educational Administration Theory, Research, and Practice*, 6th edition. New York: McGraw-Hill, 2001, p. 153.

〔2〕 Ibid.

机理论之中，更好地反映人类潜能的本性。

动机理论可以分为三大类：第一类是强调对服从的奖励或惩罚；第二类强调通过工作本身体验满意来寻求服从；第三类的基本观念是依从结果来自道德判断。第一类主要依靠奖励和惩罚，还依靠外部利益的承诺。第二类也依靠奖励，但是奖酬并不是来自教师与督导者之间的交易获得，而是更多地来自教师在工作中体会到的内部满意。第三类是道德判断，来自教师专业和共同规范的联系，它代表了道德权威的形式，在第一部分我们已讨论过这个主题。这些类别可以用三条动机准则来表示：

1. 所能获得的奖赏使人们去做（what gets rewarded gets done）
2. 正在得到的奖赏使人们去做（what is rewarding gets done）
3. 美好的东西使人们去做（what is good gets done）[1]

虽然三条准则都存在，但它们的主要用途是有区别的，详见以下部分。

所能获得的奖赏使人们去做

督导Ⅰ的动机实践大部分是建立在"所能获得的奖赏使人们去做"这一准则之上。这条准则在短期内很有效，但是长时间使用的结果就不同了。我们经常引证大卫·格林（David Greene）和马克·莱柏（Mark Lepper）所做的著名的"标签研究"来说明：这条准则用于激励小孩时会招致相反的结果。[2] 在他们的研究中，学龄前儿童被激励去做标签而没有得到外部奖励，就会对活动失去兴趣。爱德华·德西（Edward Deci）和理查德·瑞安（Richard Ryan）在另一个独立的研究中发现：告诉成人他们的工作有外部奖酬时，他们不仅会在动机水平上有所下降，而且会有被控制的感觉。[3] 这些感受会对随后的绩效和创造力产生消极影响。

詹姆斯·G. 马奇（James G. March）指出，对绩效进行奖酬不可避免地导致强调可测的绩效。这种把奖励和测量联系起来的做法显然会带来问题，用他的话说："把奖酬与精确测量相联系的系统，不是人们好好工作的诱因；但它能刺激人们获得好分数。"[4] 根据马奇的观点，教师会为了奖酬而不是工作本身而工作，这种风气产生了许多严重的问题。当不再提供外部奖励时，会发生什么样的事情呢？而且一旦使用了外部奖励，其他途径的激励会有怎样的变化呢？

---

〔1〕 The discussion of motivational rules that follows is drawn from Chapter 2, "What Motivates? What Inspires?" and Chapter 5, "Creating a State of Flow at Work," in Thomas J. Sergiovanni, *Moral Leadership: Getting to the Heart of School Improvement*, San Francisco: Jossey-Bass, 1992.

〔2〕 David Greene and Mark R. Lepper, "How to Turn Work into Play," *Psychology Today*, vol. 8, no. 4 (1974), p. 49 - 52.

〔3〕 Edward L. Deci and Richard M. Ryan, *Intrinsic Motivation and Self-Determination in Behavior*, New York: Plenum, 1985.

〔4〕 James G. March, "How We Talk and How We Act: Administrative Theory and Administrative Life," in Thomas J. Sergiovanni and John E. Corbally (eds.), *Leadership and Organization Culture*, Urbana: University of Illinois Press, 1984, p. 27 - 28.

一手了解或是有其他的明确反馈信息。图 15－4 是哈克曼和他的同事提出的两个工作丰富化模型。

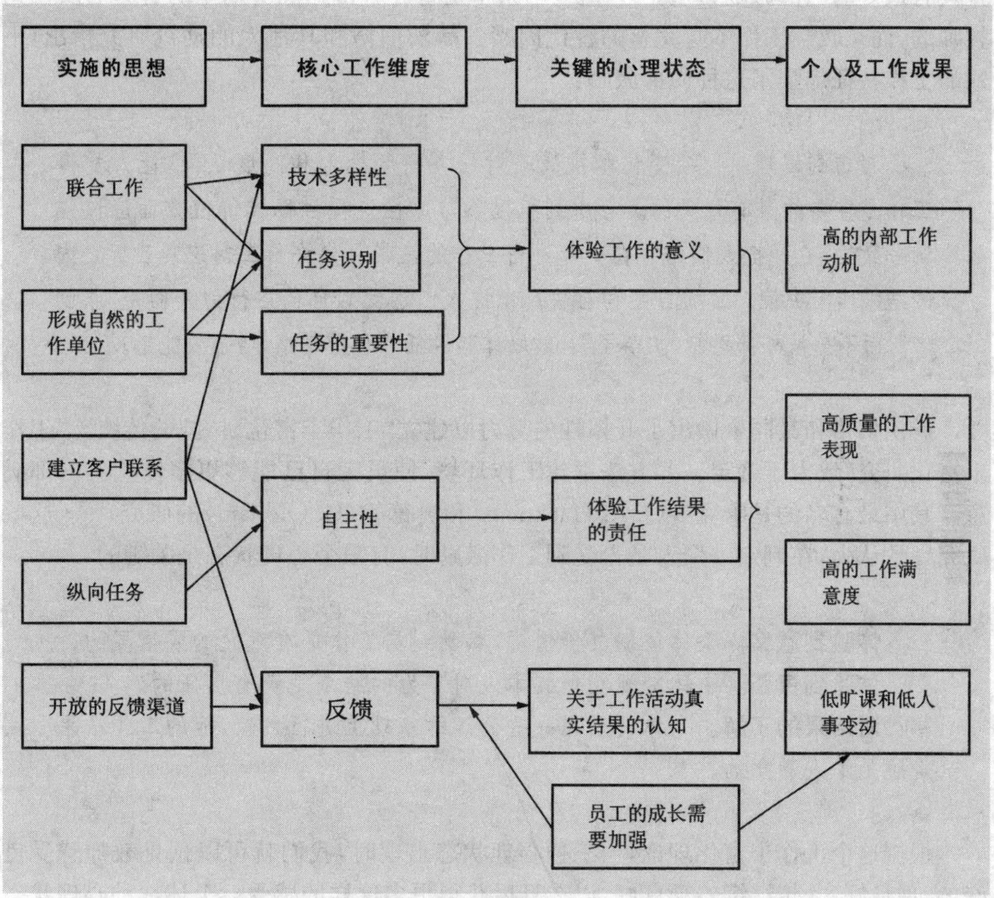

图 15－4 工作丰富的观念和实践

来源：J. R. Hackman, G. oldham, R. Johnson, and K. Purdy, "*A New Strategy for Job Enrichment*," © 1975 by The Regents of the University of California. Reprinted from California Management Review, vol. XVⅡ, no. 4, p. 64, by permissions of the Regents.

合作文化、教师团队学习和共同体实践的重要性，始终是贯穿本书的主题，也有很好的理由成为督导Ⅱ的一个完整部分。共同工作为加强教师学习和提高教师的动机提供了一个有效环境。黛安娜·G. 庞德尔(Diana G. Pounder)检测了教师团队工作是如何影响他们的工作特性的，正如哈克曼和奥德翰描述过的那些特性。[1] 团队教

〔1〕 Diana G. Pounder, "Teacher Teams: Exploring Job Characteristics and Work-Related Outcomes of Work Group Enhancement," *Educational Administration Quarterly*, vol. 35, no. 3, August 1999, p. 317－348.

动机心理学家弗雷德里克·赫茨伯格(Frederick Herzberg)指出，如果工作本身能提供体验成就和责任感的机会，提供趣味和挑战性，提供提升的机会，那么这个工作就具有最好的内部激励力量。[1] 这些因素不是督导者得到他所期望的行为后反馈给教师的，而是教学工作本身完整的替代因素。赫茨伯格和其他人的动机研究指出，下列的工作特征加强了这种内部激励：

> 考虑到发现、探索、变化和挑战。对任务高度投入和高度认同，让人觉得工作是重要的且有意义的。考虑到积极参与。在宏观目标或价值方面应该强调一致性，它是把人们结合在一起进行工作的纽带。允许员工对宏观目标之内的结果作出决策。鼓励自主和自决。允许人们感受到自己在行为方面是"原创者"，而不是被外部控制的"卒子"。鼓励体验胜任感和控制感，增强效能感。[2]

赫茨伯格和其同事做出了开拓性的努力以建立"工作丰富化研究"的传统。"工作丰富化研究"致力于确定一些方法重建工作环境，使员工自己能够更多体验到内部满意。其中最有名的是哈克曼(J. R. Hackman)和奥德翰(G. Oldham)的研究。[3] 这些研究一致认为，在判定一个人是否受到工作激励时，有三个心理状态是关键的：

> **体验到意义。**个体依据其价值观，感受到其工作是有意义的或重要的。
>
> **体验到责任。**个体必须相信其本人对努力的结果是负有责任的。
>
> **对结果的了解。**个体必须在一些公正的基础上进行判断，他的工作结果是否是令人满意的。[4]

根据这个工作丰富化理论，当三种心理状态出现时，我们就可以预见教师感受良好、表现良好，并想继续表现良好，以在日后获得更多这样的感受。上述三种心理状态成为内部动机的基础，因为教师不需要依靠自身以外的东西来激励或领导自己。

在增加教师体验到意义、责任和了解结果的可能性上，学校督导者能做些什么呢？哈克曼和奥德翰的答案是：在教学工作中创建机会，让教师更能发挥才能，施展技巧；让教师参与那些能看到全局的活动，明白他们的贡献如何适应整个计划或使命；在安排工作、班级计划和教学方法及过程中体验决定感(自主性)；对自己的工作影响有第

---

〔1〕 Frederick Herzberg, *Work and Nature of Man*, New York: World Publishing, 1966.

〔2〕 Thomas J. Sergiovanni, *Value-Added Leadership: How to Get Extraordinary Performance in Schools*, San Diego: Harcourt Brace Jovanovich, 1990, p. 129.

〔3〕 Hackman and Oldham, op. cit.

〔4〕 J. R. Hackman, G. Oldham, R. Johnson and K. Purdy, "A New Strategy for Job Enrichment," *California Management Review*, vol. 17, no. 4, (1975), p. 57.

境。如果教师达到了督导者需要的角色期望，督导者就会满足教师希望的需求。例如，如果教师教学得当，肩负了课外的责任，自愿承担义务工作，并且愉快地加入需要他的工作，他就能在学校的职业阶梯上得到提升。这种提升使他有权利更好地控制其行为，影响更多的学校决定，并且可以帮助他获得实现自主需要的其他利益。相反，如果教师没有达到期望，他们则对学校发生的事没什么发言权，并且被"看得更紧"。

毋庸置疑，"所能获得的奖赏使人们去做"和物物交换（体现在需求的满足和依从的交易上）是有其价值的。但是，就其本身而言，在学校所需要的激励氛围中，它既不够强大，也不够广泛。并且，在激励教师时（同样可以是学生），过多使用这一准则会产生很多负面效果。

著名的质量控制专家 W. 爱德华兹·戴明（W. Edwards Demming）总结了其中的一些后果：

> 人生来具有内部动机、尊严和学习的好奇心，人生来就喜欢学习。破坏性的力量从蹒跚学步的孩提时就开始了——作为奖品包括最好的万圣节的化妆戏服、学校的成绩、金星以及上大学的荣誉。在工作中，人类、团体和部门都是划分等级的——奖励高层，惩罚底层。MBO、分配、鼓励性工资、商务计划分别放在一起，引起了更多的迷惑、未知和不可知。[1]

彼得·M. 森杰（Peter. M. Senge）在评论戴明的观点时写道："具有讽刺意味的是，当人们把焦点放在行为上以得到别人的承认时，企业创造的所有条件注定了员工的平庸业绩。"[2]这个对美国企业的评论，似乎用在美国的学校教育上更为合适。

正在得到的奖赏使人们去做

正如阿尔菲·科恩（Alfie Kohn）、[3]巴里·施瓦茨（Barry Schwartz）[4]和爱德华·L. 德西（Edward L. Deci）[5]指出的那样，作为激励准则，"正在得到的奖赏使人们去做"比"所能获得的奖赏使人们去做"具有某些优点。因为第一，这条准则的基础是蕴涵于工作本身，激励并不是依靠督导者的行为和其他的外部力量；第二，它受制于内部暗含的一种自我管理，不需要维持直接的督导或其他形式的监督。

---

〔1〕 Demming quoted in Peter M. Senge, "The Leader's New Work: Building a Learning Organization," *Sloan Management Review*, vol. 22, no. 1 (1990), p. 7.

〔2〕 Ibid.

〔3〕 Alfie Kohn, *Punished by Rewards*, Boston: Houghton Mifflin, 1993.

〔4〕 Barry Schwartz, *The Costs of Living: How Market Theories Erode the Basic Things in Life*, New York: Norton, 1994.

〔5〕 Deci, *Why We Do What We Do*, op. cit.

虽然"所能获得的奖赏使人们去做"可能是真实的，但是"如果没有奖赏，则无人去做(what does not gets rewarded does not gets done)"看起来也同样正确。这条准则倾向于让人们的注意集中，窄化了对工作的回应。例如，教师因为某种形式的教学受到奖励后，他就不会采用另外的教学方式。虽然在某种程度上鼓励教师用其独特的方式教学是一件好事，但是作为一个总的准则而言，这类策略可能并不是一个好主意。因为存在教学的复杂性、学生需求的多样性以及教学情境的多样性，教师事先就定下了在任何特定时间内都采用一种方法教学，那是无效的，所以必须根据当时的场景作决定。

马斯洛的理论——一个例子

用以指导"所能获得的奖赏使人们去做"最常用的理论框架是亚伯拉罕·马斯洛(Abraham Maslow)的动机理论。[1] 马斯洛认为所有的人类需求可以分为五大类：按从低到高的层次排列，最低的一层是生理需要，然后是安全、社会、尊严，最后是自我实现的需要。根据马斯洛的理论，最低层的需要是最先遇到的，它先于更高层的需要。莱曼·波特(Lyman Porter)提出：在许多工作环境中，生理需求不能真正地被认为具有激励潜能，而是有一种新的自主替代了生理需要。[2] 这些层次通常用"需求等级"的形式来表现。如图 15－3 所示。

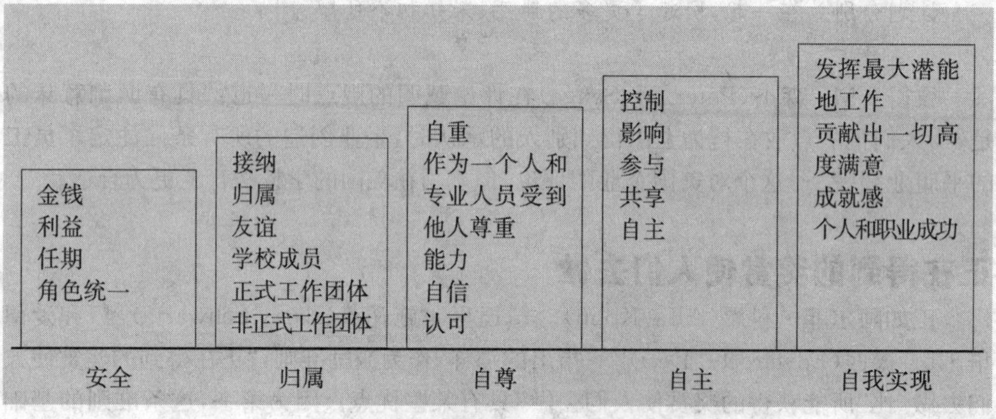

图 15－3　需求等级

在实践"所能获得的奖赏使人们去做"时，其假设是教师的需求能在工作中得到满足。如，在安全需要上，他们需要金钱、福利、任职和明确的角色期待。在自主层次上，他们需要有影响力、成为股东、拥有权威等等。督导者控制着能让这些需求满足的环

〔1〕 Abraham Maslow, *Motivation and Personality*, New York: Harper & Row, 1954.

〔2〕 Lyman Porter, "Job Attitudes in Management: I. Perceived Deficiencies and Need Fulfillment as a Function of Job Level," *Journal of Applied Psychology*, vol. 4 (December 1963), p. 386－397.

发展相关的课堂责任。这些教师做的似乎与督导者做的许多事一样，除了没被视为管理部门的一员——至少现在如此。

在当前更为传统组织的学校及学校体系与将来重新设计的学校及学校体系之间，有许多事情是督导领导者能够做的。当学校努力进行转变时，督导者能对管理者和教师之间的不一致和误解进行仲裁。当两个团体摸索向前重新界定它们各自在学校内的权威时，督导者能充当中间人或调解人，把两者的注意力引向他们所追求的高于一切的任务，那就是青年人的教育。因为共同体经历了让角色和责任重新结盟的努力，督导者能够成为它主要的发言人。

在学校革新的努力之中，督导者也肩负着另外一项极重要的任务，它涉及到要更加留意共同体中的一个重要部分，那就是曾经在全国一阵风似的学校革新中被忽略的——学生。在大多数关于允许教师自主权可远远超过教学事务的讨论中，似乎暗示了要把自主权运用在当前所建构的课堂和学校当中，而不是对这类结构是否妨碍了学生提出质疑。

很少有人会问：当前构建的学校学习环境是否有激励性、灵活性和支持性？学生是否了解他们所做的事情，而不顾空间、时间表和课程单元那些限制他们学习潜力的东西？而且，很少有人会分析在学校内大多数学生在与成人的关系中所处的被动地位。他们被告知做什么，什么时候做，怎么做以及明确什么不能做。他们很少遇到对他们的想法、梦想、他们的恐惧感兴趣的老师。学生在校内遇到的大多数成人都努力让青年人关注他们的课程，却很少关心课程是否与青年人的生活经历有丝毫联系。

在传统上，督导者有责任与教师一起提高他们的教学，当然在预设的目标下，也提高学生的学习。在这种传统的督导观念下，督导者与教师几乎没有讨论过学生在逐步完成学习任务时的思想状态。似乎通过更加清晰地呈现学科内容，或者运用多样化的表现手段，或者把班级分成工作小组，已经被纳入群体思想中的学生学习就会自动提高。只要教师教导正确，坐在那里等待启蒙的群体思想就会吸取到新的知识。

然而，越详细的学习表现也越复杂，显示出个体化过程在很大程度上受学生情感状态的影响——他们的自我形象、自我效能感、对未来的控制、个人的生活史以及与字词、形象影响相关的残留物——通过这些显示出智力更加绝对的特性。这样，学习就是一种与情境高度相关的事件。学生带到课堂上或学习活动中的状态与情绪，被认为是课堂之外的，却在很大程度上决定了学习的质量。因此督导者和教师都必须更加关注青年人在面临学习任务时的思想框架，并尽力处理好这个抑制学生进入学习活动准备状态的思想框架特征。显然，在群体学习和群体活动的设置中，我们不可能在学校内的每一个时刻都完全意识到每一个学生的思想框架。但是，在教育者对学习环境有一些控制的范围内，他们能够把环境中对学生的感受和自我形象有消极作用的特征移开。

在这里，督导者可能会扮演主要的角色。如果督导者把学校看成需要成为一个共同体，使学生成长最大化并最大化地发挥教师的潜能以促进那种成长，那么督导者就能把促进共同体作为他(她)督导的核心。在一个促进共同体的学校环境中，青年人更有可能感受到关怀和尊重。在一个学习共同体的环境中，学生更有可能受邀与教师一起探讨主题，而不是体验一些理论作品，就像某种东西漠不关心地压在他们身上，并且完不成任务就会有可怕的结果。在学习共同体中，学生的问题更有可能得到敏感的倾听和诚恳的回答。在学习团体中，知识更容易被看作是共同体珍贵的遗产，而非个体在竞争中为获取稀有的奖励所进行的个人积累。换句话说，学习共同体的环境将影响学生面临学习任务时的状态和情绪。在学习共同体的背景下，督导者能真正地同教师一起工作，探索更好的方式让学生加入这样或那样的学习小组中，但是教学草案的中心点仍然要关注学生的思想框架。

学校革新的第一次浪潮集中在控制机制上：发布一些官僚主义的命令，如更多的课程，更长的校内时间，更严格的考试，执行不提升政策。学校革新的第二次浪潮强调提高教师的责任以提高教学，强调教师职业的专业性，给予教师更多的自主权和影响教、学过程的决策权威，但是很少提及提高学生致力于学习任务的需要。可以确定的是，在文献中记载着有关校长一直告诫学生们要提高自己的成绩，关注自己的学业任务的情况。但是这些努力仅仅是外部的控制装置，与成绩、班级等级、提升和毕业标准联系在一起。这些与“把某些东西学好”的内部价值无关；与学生所学的，他们对于自身的理解，以及他们所在的世界无关；与他们必须理解世界的令人敬畏的集体责任感无关，尽管他们的未来与之息息相关；没有与他人一起探索世界的激动，无法在人文与科学中接触到人类精神的翱翔。简而言之，没有学习的超级视野，也就没有学习共同体的超级视野。

除非是更多地关注培养学习者积极的思想框架，否则各种学校复兴的努力目标都会夭折。督导者和教师的共同工作，可以把学习环境转变成一个更加“用户友好”的环境，转变成关注沟通、尊重每一个学生的环境，转变成支持学习者共同体的环境。这仍然是督导领导者首要的智力和道德挑战。这是本书所有章节围绕的中心：关注氛围和文化，动机和平台，课程和评估，临床督导，反思实践，员工发展。

这些关注都影响到学习共同体在追求学校教育的超级视野时，怎样管理它的事务。如果督导者没有消极地待在一旁观看学校革新的奇观，而是在学校复兴中扮演着重要的角色，那么在促进学校成为真正的学习者共同体这一超级视野时，必定会带来智力和道德的挑战。

词汇表

A

Accountability　责任
Achievement levels　成就水平
Action research　行动研究
Active learning　主动学习
Active producer of knowledge　主动的知识生产者
Anticipatory activities　预期行为
Application intents　应用意向
Artifacts analysis　遗留物分析
Artistic approaches　艺术方法
Assessment　评估
Association for Supervision and Curriculum Development　督导和课程发展协会
Assumptions　假设
Authenticity　真实性
Authentic learning　真实的学习
Authentic pedagogy　真实的教学方法
Authority　权威
Authority functional　权威功能
Autonomous individual　自主性个体

B

Basic Competency Platform　基本能力平台
Behavioral artifacts　行为人造物
Boslter　支撑
Bottom-line　底线
Bureaucratic aspects of supervision　督导的行政特征
Bureaucratic authority　行政权力

C

Caring communities　体贴的共同体
Character　特性、特征
Climate，school　氛围，学校
Clinical supervision　临床督导
Cognitive science research　认知科学研究
Coherence　一致性

词　汇　表

Collaborative learning　合作学习
Collective individualism　集体利己主义
Collective participation　集体参与
Collegial Value　同事价值观
Common school　普通学校
Community　团体、社会、共同体
Competence　能力
Conation　意动
Connoisseurship and criticism　鉴赏能力与评论
Consensual validation standard　一致性标准
Consistency theory and research　一致性理论及研究
Construction　建设、建构
Constructivist learning theory and research　建构主义学习理论及研究
Content knowledge　知识内容
Content standards　内容标准
Continuous learning　持续学习
Conversational communities　对话的共同体
Cooperative action research　合作行为研究
Criteria　标准
Criterion-references teacher evaluation　教师评价的参考标准
Curriculum matrix　课程内容矩阵
Curriculum-as-learned　学习的课程
Curriculum-as-planned　计划好的课程
Curriculum-as-taught　教授的课程
Curriculum-as-tested　测验的课程
Curriculum theory and research　课程理论和研究
Cycle of supervision　督导循环

D

Decentralized management　分散管理
Definition　定义
Democratic socialization platform　民主的社会化平台
Differentiated system　区分体系
Dimensions of understanding　理解的维度
Direct reading in struction play　直接阅读指导计划
Disclosure models　揭示模式
Dissonance reduction　降低不协调

对比之下，专业人员是位于他们的工作系统之上的。在教学工作中，工作系统代表一个参考点而非注解。教师利用这个系统的方式是在实践时感到有意义，对专业人员的督导如果严格要求将是有利于并方便其定位的。在专业工作中，重点是在实践时即时进行记录，从更宽广的一个角度，专业人员是在实践中创造实践，他们不仅是执行者，也是研究者、问题解决者和创造者。

科层工作看起来适合督导Ⅰ，而专业工作适合督导Ⅱ。在督导Ⅰ中，督导目的是监督并控制已核准的体系；在督导Ⅱ中，督导目的是授权并扩大教师的视野，让他们在实践中有能力做出更好的决定。把工作视为专业时，教师的满意程度、责任感和效能感均高于把工作视为科层事务。我们将在以后章节中讨论到督导Ⅱ的这些条件与增加教师效能感以及提高学生成绩之间的关联。[1]

教师作为原创者和质押者

在成功的学校中，教师更有责任，工作更努力，对学校更忠诚，对工作更满意。对工作动机的研究表明，在以下情况时，会出现高的动机：

- 发现他们的工作生活很有意义、有目的、合情合理、重要，并且把工作本身看作是很重要的、很值得做的事。
- 能合理控制自己的工作活动和事务，能对工作的环境和条件施加合理的影响。
- 体验到工作的个人责任并对工作结果负责。[2]

当教师体验到工作是有意义的、可控的，并负有个人职责时，他们就会表现得更像“原创者”而不是“质押者”。作为原创者，行为由自己选择决定；相反，质押者的行为则由超越自己的外部力量所控制。原创者对个人原因有强烈的感觉，他们相信自己能对现存环境中的事物和状况施加影响；相反，质押者认为他们将要做什么是由自我控制之外的力量所决定的。[3]根据理查德·德查默斯(Richard DeCharms)所言，质押者具有强烈的无能感和无效感。[4]德查默斯之类的专家认为，在正常情况下，人们对构成自己所在环境的事件和形势作出影响和改变时，力图达到有效。他们尽力成为自己行为的原点。当情况不是这样时，他们会体验到挫折、无力和冷落。

---

〔1〕 Patricia T. Ashton and Rodman B. Webb, *Making a Difference: Teachers' Sense of Efficacy and Student Achievement*, New York: Longman, 1986, p. 49.

〔2〕 See, for example, Frederick Herzberg, Bernard Mausner, and Barbara Snyderman, *The Motivation to Work*. New York: Wiley, 1959; Thomas J. Sergiovanni, "Factors Which Affect Satisfaction and Dissatisfaction of Teachers." *Journal of Educational Administration*, vol. 5, no. 1 (1967), p. 66 - 82; J. R. Hackman and G. Oldham, "Motivation Through Design of Work: Test of a Theory," *Organizational Behavior and Human Performance*, vol. 16, no. 2(1976), p. 250 - 279; Edward L. Deci, *Why We Do What We Do: The Dynamics of Personal Autonomy*, New York: Putnam, 1995; and, Joseph Blasé and Jo Blasé, "Principals' Instructional Leadership and Teacher Development: Teachers' Perspectives," *Educational Administration Quarterly*, vol. 35, no. 3, August 1999, p. 349 - 378.

〔3〕 Richard DeCharms, *Personal Causation: The Internal Affective Determinants of Behavior*, New York: Academic Press, 1968.

〔4〕 Ibid.

成为原创者而不是质押者的结果之一是功效感增强。一个有效力的教师相信自己有力量有能力创造出自己所期望的结果。功效必定与个人效能感相关，个人效能感是对自我控制事件和产生结果的感受。近期的研究不仅把教师功效感与动机和行为相关联，而且与学生成绩相关联。例如，帕特里夏·阿什顿(Patricia Ashton)和罗德曼·韦伯(Rodman Webb)在他们“教师效能感与学生成绩”的研究中发现：教师的效能感只与那些对学生热心、理解、有回应、接受学生的主动、对全体学生的个人需求给予关注的教师相关。[1] 教师的效能感也与学生的热情和师生互动中学生的主动性有关。最后，教师效能感与学生的成绩相关。阿什顿和韦伯研究了高中数学老师及其沟通，通过数学和语言基本技能测验测到学生成绩。使用阿什顿和韦伯的数据，可以建立教师效能感和学生成绩的模型。如图 15-1 所示。

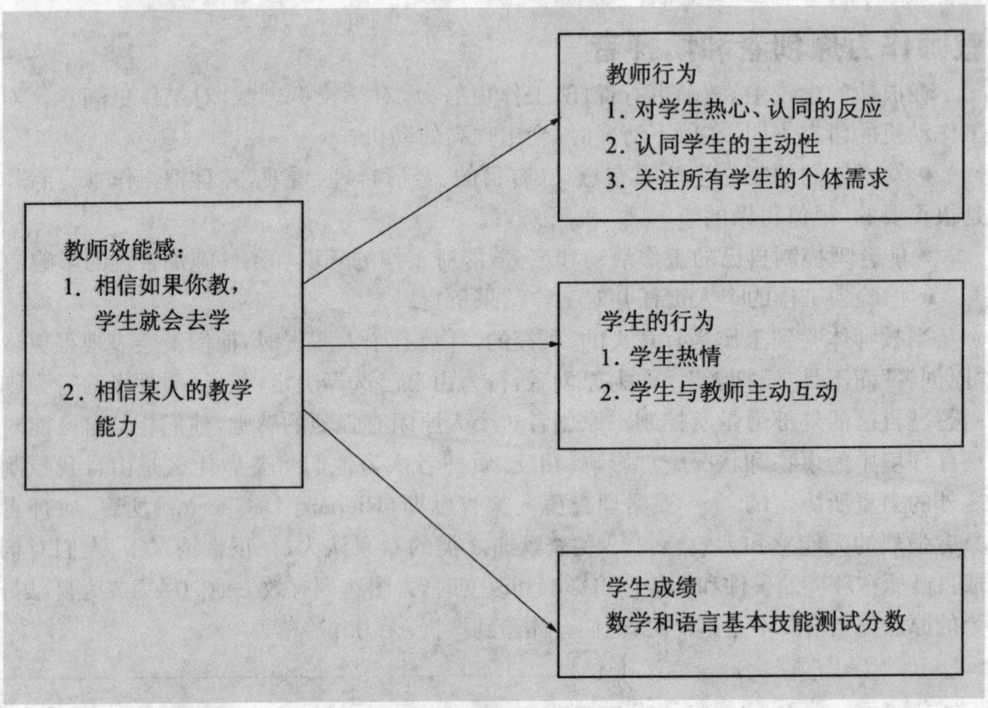

图 15-1 教师效能感与教—学行为及学生成绩的关系

来源：Patricia T. Ashton and Rodman B. Webb. *Making Difference: Teachers' Sense of Efficacy and Student Achievement*, New York: Longman, 1986

图 15-2 表示了对教师效能感和增加动机及责任感有影响的因素。[2] 一个学校

[1] Ashton and Webb. op. cit.

[2] See also M. Tschannen-Moran, A. Woolfolk Hoy and Wayne K. Hoy, "Teacher Efficacy: Its Meaning and Measure," *Review of Educational Research*, vol. 68, 1998. p. 202-248.

的支撑环境，明确的同事价值观、共同决策，让教师有目标感的学校文化，为教师界定了共同的规约。这些特征（下一章会讨论到）是合作关系、强烈的社会认同、个人责任感、原创的感觉、对工作结果有高度责任感、对共同目标的承诺共享。

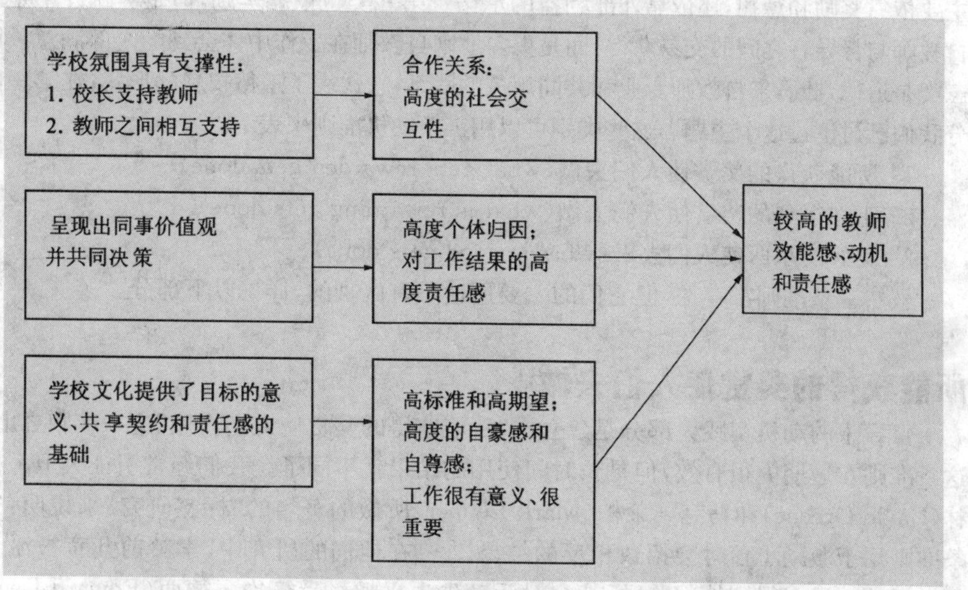

图 15－2 对教师效能感、动机和责任感有影响的因素

图 15－1 和图 15－2 对教师的动机如何发挥作用及其结果作了概览。这与目前在大多数学校里发生的大不相同，为了理解，我们要回到开头，审视一些基本的假设，它们能从不同角度提供工作动机的基础。

随着功效主题成为学校共享理念和学校文化的一部分，教师效能感的影响在增加。韦恩·K. 霍伊（Wayne K. Hoy）和塞西尔·G. 米斯凯（Cecil G. Miskel）把这些影响称为**教师的集体功效**，其定义为**一个学校中教师的共同观念，即教职员工作为一个整体的努力会对学生产生积极的影响。**[1] 他们指出教师集体功效有助于解释学校在提高学生成绩上的不同结果。[2]

一个理解教师动机的框架

动机一部分表达了心理需求，一部分表达了道德判断的功用。督导Ⅰ的诱导策略和实践过于强调前者而忽视后者，相反，督导Ⅱ寻求将两者结合在一个更加可行的动

〔1〕 Wayne K. Hoy and Cecil G. Miskel, *Educational Administration Theory, Research, and Practice*, 6th edition. New York: McGraw-Hill, 2001, p. 153.

〔2〕 Ibid.

机理论之中，更好地反映人类潜能的本性。

动机理论可以分为三大类：第一类是强调对服从的奖励或惩罚；第二类强调通过工作本身体验满意来寻求服从；第三类的基本观念是依从结果来自道德判断。第一类主要依靠奖励和惩罚，还依靠外部利益的承诺。第二类也依靠奖励，但是奖酬并不是来自教师与督导者之间的交易获得，而是更多地来自教师在工作中体会到的内部满意。第三类是道德判断，来自教师专业和共同规范的联系，它代表了道德权威的形式，在第一部分我们已讨论过这个主题。这些类别可以用三条动机准则来表示：

1. 所能获得的奖赏使人们去做(what gets rewarded gets done)
2. 正在得到的奖赏使人们去做(what is rewarding gets done)
3. 美好的东西使人们去做(what is good gets done)[1]

虽然三条准则都存在，但它们的主要用途是有区别的，详见以下部分。

所能获得的奖赏使人们去做

督导Ⅰ的动机实践大部分是建立在“所能获得的奖赏使人们去做”这一准则之上。这条准则在短期内很有效，但是长时间使用的结果就不同了。我们经常引证大卫·格林(David Greene)和马克·莱柏(Mark Lepper)所做的著名的“标签研究”来说明：这条准则用于激励小孩时会招致相反的结果。[2]在他们的研究中，学龄前儿童被激励去做标签而没有得到外部奖励，就会对活动失去兴趣。爱德华·德西(Edward Deci)和理查德·瑞安(Richard Ryan)在另一个独立的研究中发现：告诉成人他们的工作有外部奖酬时，他们不仅会在动机水平上有所下降，而且会有被控制的感觉。[3]这些感受会对随后的绩效和创造力产生消极影响。

詹姆斯·G. 马奇(James G. March)指出，对绩效进行奖酬不可避免地导致强调可测的绩效。这种把奖励和测量联系起来的做法显然会带来问题，用他的话说：“把奖酬与精确测量相联系的系统，不是人们好好工作的诱因；但它能刺激人们获得好分数。”[4]根据马奇的观点，教师会为了奖酬而不是工作本身而工作，这种风气产生了许多严重的问题。当不再提供外部奖励时，会发生什么样的事情呢？而且一旦使用了外部奖励，其他途径的激励会有怎样的变化呢？

---

〔1〕 The discussion of motivational rules that follows is drawn from Chapter 2, "What Motivates? What Inspires?" and Chapter 5, "Creating a State of Flow at Work," in Thomas J. Sergiovanni, *Moral Leadership: Getting to the Heart of School Improvement*, San Francisco: Jossey-Bass, 1992.

〔2〕 David Greene and Mark R. Lepper, "How to Turn Work into Play," *Psychology Today*, vol. 8, no. 4 (1974), p. 49 - 52.

〔3〕 Edward L. Deci and Richard M. Ryan, *Intrinsic Motivation and Self-Determination in Behavior*, New York: Plenum, 1985.

〔4〕 James G. March, "How We Talk and How We Act: Administrative Theory and Administrative Life," in Thomas J. Sergiovanni and John E. Corbally (eds.), *Leadership and Organization Culture*, Urbana: University of Illinois Press, 1984, p. 27 - 28.

虽然“所能获得的奖赏使人们去做”可能是真实的，但是“如果没有奖赏，则无人去做(what does not gets rewarded does not gets done)”看起来也同样正确。这条准则倾向于让人们的注意集中，窄化了对工作的回应。例如，教师因为某种形式的教学受到奖励后，他就不会采用另外的教学方式。虽然在某种程度上鼓励教师用其独特的方式教学是一件好事，但是作为一个总的准则而言，这类策略可能并不是一个好主意。因为存在教学的复杂性、学生需求的多样性以及教学情境的多样性，教师事先就定下了在任何特定时间内都采用一种方法教学，那是无效的，所以必须根据当时的场景作决定。

马斯洛的理论——一个例子

用以指导“所能获得的奖赏使人们去做”最常用的理论框架是亚伯拉罕·马斯洛(Abraham Maslow)的动机理论。[1] 马斯洛认为所有的人类需求可以分为五大类：按从低到高的层次排列，最低的一层是生理需要，然后是安全、社会、尊严，最后是自我实现的需要。根据马斯洛的理论，最低层的需要是最先遇到的，它先于更高层的需要。莱曼·波特(Lyman Porter)提出：在许多工作环境中，生理需求不能真正地被认为具有激励潜能，而是有一种新的自主替代了生理需要。[2] 这些层次通常用“需求等级”的形式来表现。如图 15－3 所示。

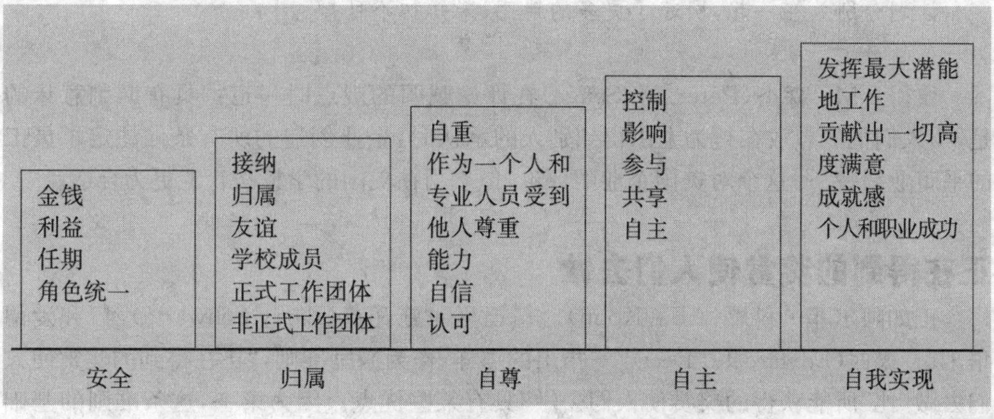

图 15－3 需求等级

在实践“所能获得的奖赏使人们去做”时，其假设是教师的需求能在工作中得到满足。如，在安全需要上，他们需要金钱、福利、任职和明确的角色期待。在自主层次上，他们需要有影响力、成为股东、拥有权威等等。督导者控制着能让这些需求满足的环

[1] Abraham Maslow, *Motivation and Personality*, New York: Harper & Row, 1954.

[2] Lyman Porter, "Job Attitudes in Management: Ⅰ. Perceived Deficiencies and Need Fulfillment as a Function of Job Level," *Journal of Applied Psychology*, vol. 4 (December 1963), p. 386－397.

境。如果教师达到了督导者需要的角色期望，督导者就会满足教师希望的需求。例如，如果教师教学得当，肩负了课外的责任，自愿承担义务工作，并且愉快地加入需要他的工作，他就能在学校的职业阶梯上得到提升。这种提升使他有权利更好地控制其行为，影响更多的学校决定，并且可以帮助他获得实现自主需要的其他利益。相反，如果教师没有达到期望，他们则对学校发生的事没什么发言权，并且被"看得更紧"。

毋庸置疑，"所能获得的奖赏使人们去做"和物物交换(体现在需求的满足和依从的交易上)是有其价值的。但是，就其本身而言，在学校所需要的激励氛围中，它既不够强大，也不够广泛。并且，在激励教师时(同样可以是学生)，过多使用这一准则会产生很多负面效果。

著名的质量控制专家W. 爱德华兹·戴明(W. Edwards Demming)总结了其中的一些后果：

> 人生来具有内部动机、尊严和学习的好奇心，人生来就喜欢学习。破坏性的力量从蹒跚学步的孩提时就开始了——作为奖品包括最好的万圣节的化妆戏服、学校的成绩、金星以及上大学的荣誉。在工作中，人类、团体和部门都是划分等级的——奖励高层，惩罚底层。MBO、分配、鼓励性工资、商务计划分别放在一起，引起了更多的迷惑、未知和不可知。[1]

彼得·M. 森杰(Peter. M. Senge)在评论戴明的观点时写道："具有讽刺意味的是，当人们把焦点放在行为上以得到别人的承认时，企业创造的所有条件注定了员工的平庸业绩。"[2]这个对美国企业的评论，似乎用在美国的学校教育上更为合适。

正在得到的奖赏使人们去做

正如阿尔菲·科恩(Alfie Kohn)、[3]巴里·施瓦茨(Barry Schwartz)[4]和爱德华·L. 德西(Edward L. Deci)[5]指出的那样，作为激励准则，"正在得到的奖赏使人们去做"比"所能获得的奖赏使人们去做"具有某些优点。因为第一，这条准则的基础是蕴涵于工作本身，激励并不是依靠督导者的行为和其他的外部力量；第二，它受制于内部暗含的一种自我管理，不需要维持直接的督导或其他形式的监督。

〔1〕 Demming quoted in Peter M. Senge, "The Leader's New Work: Building a Learning Organization," *Sloan Management Review*, vol. 22, no. 1 (1990), p. 7.

〔2〕 Ibid.

〔3〕 Alfie Kohn, *Punished by Rewards*, Boston: Houghton Mifflin, 1993.

〔4〕 Barry Schwartz, *The Costs of Living: How Market Theories Erode the Basic Things in Life*, New York: Norton, 1994.

〔5〕 Deci, *Why We Do What We Do*, op. cit.

动机心理学家弗雷德里克·赫茨伯格(Frederick Herzberg)指出，如果工作本身能提供体验成就和责任感的机会，提供趣味和挑战性，提供提升的机会，那么这个工作就具有最好的内部激励力量。[1] 这些因素不是督导者得到他所期望的行为后反馈给教师的，而是教学工作本身完整的替代因素。赫茨伯格和其他人的动机研究指出，下列的工作特征加强了这种内部激励：

> 考虑到发现、探索、变化和挑战。对任务高度投入和高度认同，让人觉得工作是重要的且有意义的。考虑到积极参与。在宏观目标或价值方面应该强调一致性，它是把人们结合在一起进行工作的纽带。允许员工对宏观目标之内的结果作出决策。鼓励自主和自决。允许人们感受到自己在行为方面是"原创者"，而不是被外部控制的"卒子"。鼓励体验胜任感和控制感，增强效能感。[2]

赫茨伯格和其同事做出了开拓性的努力以建立"工作丰富化研究"的传统。"工作丰富化研究"致力于确定一些方法重建工作环境，使员工自己能够更多体验到内部满意。其中最有名的是哈克曼(J. R. Hackman)和奥德翰(G. Oldham)的研究。[3] 这些研究一致认为，在判定一个人是否受到工作激励时，有三个心理状态是关键的：

> **体验到意义。**个体依据其价值观，感受到其工作是有意义的或重要的。
> **体验到责任。**个体必须相信其本人对努力的结果是负有责任的。
> **对结果的了解。**个体必须在一些公正的基础上进行判断，他的工作结果是否是令人满意的。[4]

根据这个工作丰富化理论，当三种心理状态出现时，我们就可以预见教师感受良好、表现良好，并想继续表现良好，以在日后获得更多这样的感受。上述三种心理状态成为内部动机的基础，因为教师不需要依靠自身以外的东西来激励或领导自己。

在增加教师体验到意义、责任和了解结果的可能性上，学校督导者能做些什么呢？哈克曼和奥德翰的答案是：在教学工作中创建机会，让教师更能发挥才能，施展技巧；让教师参与那些能看到全局的活动，明白他们的贡献如何适应整个计划或使命；在安排工作、班级计划和教学方法及过程中体验决定感(自主性)；对自己的工作影响有第

---

〔1〕 Frederick Herzberg, *Work and Nature of Man*, New York: World Publishing, 1966.

〔2〕 Thomas J. Sergiovanni, *Value-Added Leadership: How to Get Extraordinary Performance in Schools*, San Diego: Harcourt Brace Jovanovich, 1990, p. 129.

〔3〕 Hackman and Oldham, op. cit.

〔4〕 J. R. Hackman, G. Oldham, R. Johnson and K. Purdy, "A New Strategy for Job Enrichment," *California Management Review*, vol. 17, no. 4, (1975), p. 57.

一手了解或是有其他的明确反馈信息。图 15－4 是哈克曼和他的同事提出的两个工作丰富化模型。

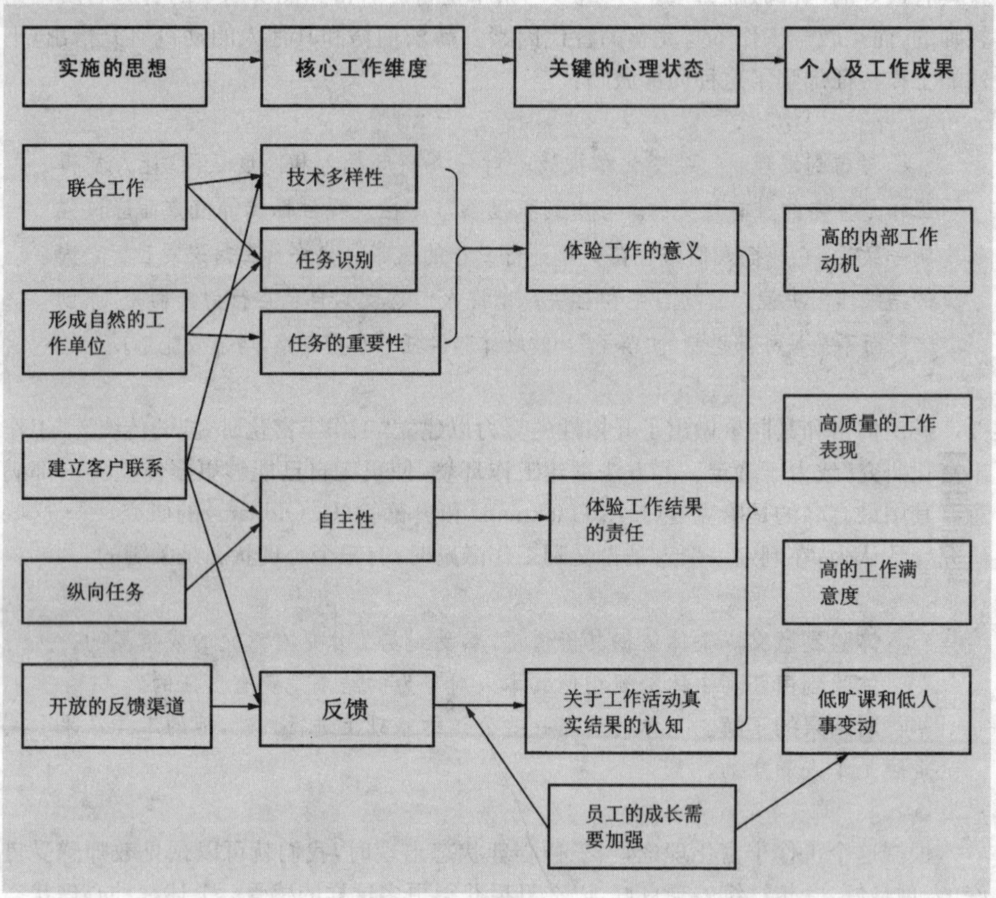

图 15－4 工作丰富的观念和实践

来源：J. R. Hackman，G. oldham，R. Johnson，and K. Purdy，"*A New Strategy for Job Enrichment*，" © 1975 by The Regents of the University of California. Reprinted from California Management Review，vol. XVⅡ，no. 4，p. 64，by permissions of the Regents.

合作文化、教师团队学习和共同体实践的重要性，始终是贯穿本书的主题，也有很好的理由成为督导Ⅱ的一个完整部分。共同工作为加强教师学习和提高教师的动机提供了一个有效环境。黛安娜·G. 庞德尔(Diana G. Pounder)检测了教师团队工作是如何影响他们的工作特性的，正如哈克曼和奥德翰描述过的那些特性。[1] 团队教

〔1〕 Diana G. Pounder，"Teacher Teams：Exploring Job Characteristics and Work-Related Outcomes of Work Group Enhancement，" *Educational Administration Quarterly*，vol. 35，no. 3，August 1999，p. 317－348.

师与非团队教师相比，团队教师在工作中技能的多样性显著要高，对学生教育特征和个人生活特征的了解显著多些，对工作更满意，职业责任感更强，内部工作动机更强，教师效能感更高。团队教师在群体互助和群体有效性上也高于非团队教师。

现在也许是你思考如何提升或丰富教师工作的好时机。利用图 15-4 的工作丰富化模型来帮助你思考。例如，用什么方式安排教师和教学能让教师多运用他们的知识和技能，对他们的教学给予更多的认同，并且把教学意义与更大的教育目标相联系；把他们的工作看得更重要一些，而不是可能在早上 10 点进行短短的巡视；让教师在工作中体验到更多的自由选择和责任感；就教学、学习和学生正在做的事情方面给予教师一些有帮助的反馈。因为督导者所作出的每一个关于学校和班级组织、课程发展和执行、资料的选择以及教学本身的决定都与工作丰富化有关，每一项决定也都与增加或降低教师的动机和承诺相关。

美好的东西使人们去做

督导Ⅰ基于"人性是自私的"假设。他认为引导教师的动机是通过不断计算供其选择的代价和利益以使自利最大化，这样选择既可以使他们赢，也可以避免输。督导Ⅰ还基于这种假设：人们的行为都是理性的，选择最有效的方法来达到其目标，他们可以不考虑情感而成为冷酷的计算器。最后，人们作为一个独立的个体作出决定。每一个人独立于他人"保管分数"。与他人的联系，特别是此类联系中出现的社会纽带，所起的作用并不大。

艾米泰·艾茨奥尼(Amitai Etzioni)对督导Ⅰ的动机假设提出异议，他提出这样的问题：

> 世间男女都是类似的单一想法的"冷酷"计算器，以利益最大化为出发点吗？人能理性地计算出其达到目标的最有效途径吗？社会最主要的就是一个市场，在这里自私自利的个体与他人在工作上、政治上、求助上进行竞争……以提升总体福利的过程？或者我们在追求做既正确又快乐的事，当道德观念和快乐不相容时，发觉自己经常处于矛盾之中？[1]

艾茨奥尼承认自利的重要性，但是他提出人们完全能够牺牲自我利益，并且确实可以为其他利益完全地牺牲自我利益。他提供了使人深信不疑的证据，证明人们很可能会受到他们认为的正确的和好的事情的激励，受责任感以及他们认为是重要的和合理的规范和价值观的激励。大多数督导者都同意艾茨奥尼的观点，如，督导者对工作

〔1〕 Amitai Etzioni, *The Moral Dimension Toward a New Economics*, New York: Free Press, 1988, p. ix.

投入了过多的时间，经常把工作放在休闲和家庭事务之前。艾茨奥尼认为牺牲私利不仅局限于督导者，还适用于更多的人。换句话说，我们没有理由相信，家长、教师、餐馆工作人员、监守人比督导者更不愿意为了公共利益而牺牲自己的私利。

认为教师是理性的、冷酷的计算器这种观点，认为教师能将理性和逻辑放在第一位，严格控制自己的情感、偏见和喜好，这种观点也是值得怀疑的。任何买了一辆新车的人都明白这一点，尽管用最理性的计划来保证轿车的选择是实用的又在预算之内，最后绝大多数人还是会因为一些不太客观的因素而动摇。买下之后，他们极力表现出自己合理地购买了"很棒的精巧的两厢车"。人们尽力表现出合理性来努力掩盖并非如此合理的事实。

艾茨奥尼也对"人们作为一个孤立的个体作出决定"的观点提出了挑战。他提出了使人深信不疑的证据，"社会集体（例如种族群体，工作中的伙伴团体，邻近的群体等）是主要的决策单位[1]"。他承认个人决策是存在的，但是这些决策反映了团体的属性和过程，是在每个人所在的各种群体的背景影响下产生的。对教师来说，教学职业的成员和学校共同体的成员提供了一种集体的属性，阻碍了单独决策。如，一个教师可能想在教学上走捷径，但是群体对规范和社会对教师的看法使他感到了压力。同样地，某位教师想在教学后留下来帮助学生，但是他受到来自其他教师隐含的每个人都该早点离校的压力。相互联系是如此重要，作为其中成员的社会化过程是这样地完全，所以独自决策的观念看起来是虚构模糊而不真实的。

本书第一部分讨论过的关于共同体建设的文献，首先所指的也是对师生起激励作用的道德、情感和社会纽带。在共同体中，人们一起分享思想和道德承诺，所以成员以一种特殊的方式结合起来。在一个真正的共同体中，其根基是共同体的想法，它以道德的声音对成员说话，对成员作出要求。这些要求被理解为必须做到的义务。处于这些环境下的激励，就既不是建立在规则之上，也不是建立在奖赏之上，而是基于规范之上。

督导Ⅰ和督导Ⅱ的不同之处在于，督导Ⅱ认为道德、情感、社会纽带是重要的。表15－1总结了这些差异。在督导Ⅱ中，教师通常对其督促作道德判断，经常为了别的原因牺牲自我利益和自己的快乐。此外，教师的行为和决定除了受私利的影响，还受到自我价值观和信念的影响，当自我利益和自我价值观、信念发生冲突时，首先考虑的是价值观。目前教师代表了一种未充分利用的资源，只要督导继续是以"所能获得的奖赏使人们去做"主导激励实践，教师就一直不会得到充分利用。教师的价值应该更大，学校需要的也更多。我们相信，认识到把督导实践改变到"正在得到的奖赏使人们去做"和"美好的东西使人们去做"两种状况是重要的，这是走向正确方向的步骤。

---

〔1〕 Amitai Etzioni, *The Moral Dimension Toward a New Economics*, New York: Free Press, 1988, p. 4.

表 15-1 督导Ⅰ和督导Ⅱ中的道德、情感以及社会纽带

督 导 Ⅰ	督 导 Ⅱ
道德 私利是动力。人们总是寻求利益的最大化,并尽量减少损失。道德被界定为自私自利。	**道德** 人们通过迫切要求来传递道德判断,结果常常是由于其他原因而牺牲个人利益。
情感 人们总是理性地寻求达到目标的最佳途径。情感并不重要。	**情感** 人们主要是根据喜好和情感来作出选择。
社会纽带 人们是一个个孤立的个体,独自地推理和计算,并独自作出决策。社会联系不重要。	**社会纽带** 人们是群体中的成员,社会联系体现在群体对个人决策的影响上。

感召意识

我们从新教师那里可以得知教师与工作关系的道德特征。[1] 2000 年出版的公众议程的国家普查表明:总体上而言,绝大多数的新教师热爱教师工作,他们寻求一个能让他干一番事业的工作,他们愿意把教书作为一生的选择,他们从工作中获得许多满足。[2] 至少在他们的自我报告和管理者的报告中可知,绝大多数青年教师受到专业的极大激励,这带给他们很强的责任感和士气。新教师视自己为有才能的、勤勉的、对召唤有所回应的专业人员,他们表达了对自己行业的热爱和奉献之情。[3]

公众议程要求新教师确认成为一名有成效的教师的必不可少的特征,并显示出自己在这些特征上达到的程度。公众议程也对管理者和校长的全国样本进行了调查,问到新教师是否具备有效教师的特征,反馈如下。列出的每个特征后面都有三个数字,第一个数字是认为该特征重要的教师的百分比,第二个数字是认为自己已具备该特征的教师百分比,第三个数字是认为新教师已具备该特征的管理人员和校长的百分比。如:91%的新教师认为保持课堂纪律和规则对有效教学是必不可少的,这些教师中 70%认为自己已具备这个特征,但是只有 44%的管理者认为新教师已达到了这一点。[4]

1. 保持纪律和规则	91	70	44
2. 喜欢孩子	91	95	86
3. 有效的教学技巧	83	58	52

〔1〕 At this writing, teachers who have entered the profession between 1995 - 2000.

〔2〕 Steve Farkas, Jean Johnson, and Tony Foleno with Ann Duffett and Patrick Foley, "A Sense of Calling: Who Teachers and Why," a report from Public Agenda. New York: Public Agenda, 2000.

〔3〕 Ibid, p. 10.

〔4〕 This data is summarized from Table Two: Absolutely Essential Characteristics of Effective Teaching. op. cit., p. 39.

4. 对所有小孩的高标准和期望	82	77	56
5. 能激励孩子	81	58	47
6. 和不同的孩子都能很好地相处	79	73	45
7. 与父母保持联系	67	60	43
8. 科目知识	67	75	74
9. 儿童发展与学习理论	38	59	55
10. 教育历史和教育哲学	15	62	59

比较一下新教师认为必要的和新教师认为自己已经具有了的特征的比例，很容易看出特征1、3、4、5、6、7项上存在差距，特征1、3、4项上差距尤其显著。管理人员的比例在第三列，宣告了在所有项目上都与教师有更大的差距。这些百分比能帮助管理者计划与新教师一起工作的职业发展主题。

公众议程研究指出，被调查的新教师中大部分认为做自己喜欢的工作是他们进入教师行业的主要原因，此外，喜欢孩子、奉献社会也是重要的激励因素。这些内在的道德特性是强大的激励因素。但是不能保证这类激励能一直有效。在某种意义上，新教师给了我们开始的一场动机胜利，但是我们到最后很容易失去，除非我们开始以不同的方式来思考教师的工作。

例如，假设我们打算为新教师重写学校教育手册，这在大多数学校中都存在，这个手册该怎么写？目前在太多的学校中还仍然是“沉下去或者游起来”式的一种制度仪式，包括朦胧的、对每一个教师都设定好标准的教学角色，认为教学工作无论对新手、相对没有经验的教师，还是经验丰富的或者老练的都是一个样。每个教师教的学生是一样多，教学的时间一样长，准备课的时间一样多。当谈到课本、设备、教室(如果在首选地点中有一个)时，一些新的教师只希望它是一样的。他们被安排来教学时心中充满了憧憬，但是使用的是老课本，而所面对的学生却是最富有挑战性的。我们知道我们能做得更好，如果我们能成功地帮助新教师在他们进入职业的第一年就有一个良好的开端，那么这些我们学校未来的督导将会一片光明。

怎样使大家认识到这个远景？让我们来共同分享一些观念。试着与你学校的两三位新教师会谈，询问他们怎样改变现有的规定，才对新教师有帮助。然后想象你的儿子或女儿(或是兄弟姐妹)在明年将成为学校职员，你希望学校对他们如何定位，指导和诱导程序？对于新教师带给学校的动机倾向和才能，学校领导和指派的督导者应作出哪些特殊的反应，才能起到维持、支持和发展的作用呢？这些问题很重要，因为它们使人想到要增强和维持动机可能与引进一套特殊的方案或策略不太相关，而更多的是和在学校内部建立同侪文化相关，也就是要把每一个人带进共同体的实践当中。作为共同体实践的成员，教师通过体验更富有意义的、更重要的工作生活而受益匪浅。

第十六章 学校氛围、文化和变革

学校的改进通常需要进行变革。变革发生在两个层次上——看起来怎样，实际运转情况怎么样。第一层上的变革是"结构"上的，结果是安排上的改变。第二层上的变革是"规范"上的，结果是改变观念。[1] 当学校仅有第一层的变革时，可能看起来事情有了变化，但对结果并不会产生什么影响，至少不会长期影响。

例如，一位督导者想鼓励教师对教学更加审慎，更努力以达到课程大纲的要求，于是与教师委员会一起提出一套关于课程内容的在职专题讨论会，讨论怎样选择教学目标，怎样编写有效的授课计划。她又制定了一个政策，要求教师每周上交授课计划以便查阅。虽然她发现授课计划与教学大纲相符，但是教师们在缩短实际教的和打算教的两者之间差距时所取得的进展并不多。在这个案例中，督导者成功地完成了教师组织计划这一项目的变革（结构变化），但是她并没有成功地改变他们的实际教学。后面这个目标需要规范上的变革，那就是改变教师对事物的看法，改变他们的观念、他们的需求、他们所知道的以及他们怎么做事。规范性变革更有希望影响结果。

虽然结构变革是重要的，但就本身而言，它们似乎价值并不大。它们经常是"不如所期待的那样有价值"。例如，一所高中更名为中学，取消了根据学科专业而"轮流教学"的学术部。另外一例是引入督导和评价体系，当进行观察时引起教师教学方式上的变化，如果不进行观察则没有引起变化。当变化不仅发生在结构上，而且发生在规范上，那么无价值的事就变成了有价值。

督导Ⅰ中的许多实践就涉及到结构性的但不是规范性的变革。督导Ⅱ的目标是规范性变革，考虑到了人性的方面。想到人性的心理、表征两个方面，对我们是有帮助的，从心理上说，人们有各种需求并寻求机会满足这些需求；从表征上看，人们通过寻求意义来使自己的生活有意义。人性的心理方面更易受到**学校氛围**的影响，而表征的方面更容易受到**学**

〔1〕 See, for example, Michael Fullan with Suzanne Stiegelbauer, *The New Meaning of Educational Change*, 2d, ed., New York: Teachers College Press, 1991.

校文化的影响。本章我们先讨论学校氛围后讨论学校文化，评价每种情况在改进学校过程中的重要性。

学校氛围的重要性

教师在工作中满足自我需求时，学校氛围能起到帮助或阻碍的作用。理解学校氛围的一种方法是在学校的团体中进行自我体验。例如，回想你曾经属于或是知道的一个团体，它能最好地鼓励成员学习，解决问题，抓住合理的机会。再回想第二个团体，它最阻碍学习，阻碍问题的解决和冒险行为。简要描述这两个团体。它们有哪些成员？团体想做到什么？成员是怎样工作的？他们怎么对待别人？领导者是什么样的？用图 16－1 的问卷评价你所回想的团体。从最有效的团体开始，在最能准确描述这个团体的数字上画圈；再评价不太有效的团体，使用校正分数来表明结果，再比较你画的圈和校正值。

描述促进和阻碍学习的两种团体并对它们进行评价，这实际上就是在描述和测量学校氛围的各维度。图 16－1 的七大类是由许多维度综合而成的，社会心理学家认为这些在决定氛围对学习具有支持性还是阻碍性方面起着重要作用。把七个项目的分数加在一起，就可以得到你所评价的两个团体在氛围上的总和。项目 1 是顺从，其分值要反向计算，它的低分表示支持性，反向才能与总分相一致。总分值越高，表示团体的开放性或支持性越高。使用这些分类和分值，写下一些你能想到的句子来描述支持性和阻碍性团体。现在你是用社会心理学家的语言在描述团体氛围。

由于学校氛围是一种印象的东西，因而很难对其进行准确地定义。氛围可以被看作是一种持久的特征，用于描述一个特定学校的心理构成，使它和别的学校区分开，并影响到教师和学生的行为以及他们对学校的感受。如，乔治·利特温(George Litwin)和罗伯特·斯特林格(Robert Stringer)把氛围定义为："正式系统被感知的主观效果、管理者的非正式'风格'，以及其他的重要环境因素对特定组织的员工在态度、信仰、价值观和动机上的影响。"[1]

氛围提供了事情如何进展的前兆和预测结果的基础。这个晴雨表代表了一种重要的工具，用以评价当前的条件，计划新的方向，监督新方向的进展。实际上，学校氛围是人力资源督导的重要维度，也是前面章节中描述的督导 C 的重点。

---

〔1〕 George H. Litwin and Robert A. Stringer, Jr., *Motivation and Organization Climate*, Boston: Harvard University, Division of Research, Graduate School of Business Administration, 1968, p. 5.

介绍：

对于下述组织氛围的七个维度的每一个，在组织目前状况所达维度的数字上面打“A”以表明你的评估，在这个维度上应该达到的理想状况的数字上面打“I”。

1. **顺从。**感觉在组织内有许多从外部施加的限制；成员感觉到有许多规章、程序、政策和习惯必须要遵守的程度，而不是感觉合适才会去工作。

顺从不是这一组织的特征。	1 2 3 4 5 6 7 8 9 10	顺从绝对是这一组织的特征。

2. **责任。**组织成员都负有个人责任以达到组织的部分目标；成员觉得不需要督导者对每一步骤进行检查就可以作出决策并解决问题所达到的感受程度。

在组织内没有什么既定的责任。	1 2 3 4 5 6 7 8 9 10	在组织内非常强调个人的责任。

3. **标准。**组织对于优良表现和杰出产品的重视程度，包括成员感觉到的组织在设定富有挑战性目标并把这些目标义务对成员进行传达的程度。

在组织内标准很低或不存在标准。	1 2 3 4 5 6 7 8 9 10	在组织内设定富有挑战性的标准。

4. **回报。**成员感受到的被认可以及做好工作所得到的回报程度，而不是在事情出现麻烦时被人忽视、批评或是惩罚。

成员遭到忽视、惩罚或批评。	1 2 3 4 5 6 7 8 9 10	成员受到了认可并得到了积极的回报。

5. **组织的明晰度。**组织成员感受到组织以及目标明确界定所达到的程度，而不是无序、模糊和混乱。

组织无序、模糊和混乱。	1 2 3 4 5 6 7 8 9 10	组织井然有序，并且有明确的目标。

6. **温暖和支持。**在组织内感受到友好是一项非常重要的准则；成员间相互信任，相互提供帮助，在工作环境中感受到良好关系的程度。

在组织内没有温暖和帮助。	1 2 3 4 5 6 7 8 9 10	温暖和相互帮助绝对是组织的特征。

7. **领导。**组织成员接受他人合格领导和指引的意愿程度。当领导需求出现时，成员会自然地承担起领导角色并为所作的成功领导而取得回报。领导是建立在专业基础之上的。组织不是依赖于一两个人或为一两个人所垄断。

领导没有回报；成员处于被支配或隶属地位，并且抵制施加领导的意图。	1 2 3 4 5 6 7 8 9 10	对于以专业为基础的领导，成员接受并给予奖赏。

图 16-1 组织氛围调查表

来源：David A. Kolb, Erwin M. Rubin and James M. Mcintyre. *Organizational Psychology: An Experiential Approach*, 3d, ed., Englewood Cliffs, N. J.: Prentice-Hall, 1979, p. 193-194. Reprinted by permission of Prentice-Hall, Englewood Cliffs, N. J.

健康的组织

氛围也可以用学校健康这样的暗喻来理解。马修·迈尔(Matthew Miles)对"健康的"学校的描述如下：具有明确和公认的目标(目标关注)，垂直沟通、水平沟通和跨越界线的沟通相对真实无扭曲(充分沟通)，对组织中所有层次的影响力分配平等(任选权力均等)，有效利用人力和物力(资源利用)，健康的学校反映出一种把人们凝聚在一起的团结和睦(凝聚力)，一种在群体中的幸福感(士气)，一种对环境的主动反映(自主和适应)，以及健康的学校保持并加强自身解决问题的能力(问题解决的充分性)。[1]

下面列出了迈尔对健康的10个维度的描述。[2] 读这张列表时，思考一下怎样根据这10个维度描述你先前评价过的两种团体。

1. **目标关注。**在健康组织当中，组织成员应该了解并接受组织目标。这种目标的清晰性和公认度，应当是组织健康必要的但不是充分的条件。目标也必须在现有的或可利用的资源条件下"可以完成"，并且要"合适"——与环境需要相一致。

2. **充分沟通。**组织中不会像小团体那样同时面对面地沟通，因此组织内的沟通活动就显得很重要。这个维度意味着在垂直方向和水平方向都有相对无变形的交流，并越过系统界线与周围环境发生关系，即信息流动相当合理——就像一个健康个体"了解自身"，只有最低程度的压抑和扭曲感，等等。在健康组织中，成员对内部紧张度有较好的、适度的感知；针对系统中的问题，有足够的数据来确保当遇到困难时能作出良好判断。人们拥有自己所需要的信息，并在获取这些信息时不需要过多的努力。

3. **任选权力均等。**健康组织中，影响力的分配相对公正。下级(如果有正规权力层次表)可以向上影响，更重要的是——如伦赛斯·利克特(Rensis Likert)所证明的[3]——他们觉察到老板和他们在一起时就像老板与他的老板在一起时一样。在这类组织中，虽然群体间的冲突不可避免(就像每一个人类组织一样)，但是因权力而产生的群体斗争不会激烈。员工在这类组织中的位置，无论上下左右看过去，都是一种合作关系，而不是一种明确的或模糊的强制关系。

4. **资源利用。**当我们说起一个健康的人时，比如二年级的学生，他会"发挥他的潜能"。换一种方式，班级能通过适当的、目标定向的紧张度促使他们作出贡献。在组织层面，"健康"意味着系统的输入，特别是员工，要得到有效的利用。总体的协调表现在人员既没有超负荷工作也没有空闲。总的来说，紧张感最小。在健康组织中，人们可能会非常努力地工作，但并没有感到与自身或与组织相对立。在个人的自我定位和组织对其角色的需要这两者之间有良好的匹配。除此之外，人们能理性地感受到"自

〔1〕 Matthew Miles, "Planned Change and Organizational Health: Figure and Ground," *Change Processes in the Public Schools*. Eugene, Ore.: University of Oregon, Center for the Advanced Study of Educational Administration, 1965.

〔2〕 The 10 dimentions of health are abridged from op. cit, p. 18-21.

〔3〕 Rensis Likert, *New Patterns of Management*. New York: McGraw-Hill, 1961, cited in Miles, op. cit.

我实现”，他们不仅在工作中感受良好，而且在实现组织目标的过程中，真正感受到在学习、成长和发展。

5. **凝聚力。**我们认为健康的人对自我有明确的认识；在他为自己所设定的所有特定目标之下，他知道自己是谁；除此之外，他“喜欢自我”，即使其行为存在着讨厌的无效的方面，他对生活的态度也不需要自我贬损。与此相类比，在组织层面，系统的健康包含着组织了解自己的状况，组织成员被成员关系所吸引，他们想归属于这个组织，受到它的影响，并在上述提到的合作类型中发挥自己的影响。

6. **士气。**所隐含的一个观念是幸福或满意。当然，满意并不足以产生健康。一个人可能陈述自己对其生活感到幸福或满意，同时成功地否认深置于心的敌意、焦虑和冲突。但这看起来仍然对唤起组织层次的士气有用：一种个体的综合情感，它围绕着幸福感、满意、愉快并与不安、紧张、不满意相对立。

7. **革新。**一个健康的系统倾向于创造新的程序，向新的目标前进，生产出新的产品，使自己多样化，增多而不是减少差异。某种程度上，这样的系统可以说是在成长、发展、变化，而不是保持惯例和标准。

8. **自主。**健康个体的行为是源自内心。例如，在培训或治疗团体中，这类人看起来近乎自由，可以不听从或不依赖于权威人物，也不需要对任何权威象征作出反抗或破坏。同样的，健康的组织不会被动地对外界需求作出反应，把自己作为环境的工具，它也不会对觉察到的需求作出破坏性或反抗性的反应。它倾向于在环境中保持一种独立性，就同健康的个体一样，在与他人一起处理事情时，不把他们的反应看成是自己行为的决定因素。

9. **适应。**自主和革新的观念都与这样一种想法有关，即健康的个体、团体或组织都与周围的环境发生了现实的、有成效的联系。当环境需要和组织资源不匹配时，问题解决和重构的途径来源于已经在某些方面有所变化的环境和组织。之所以要更加充分、持续的克服组织困难，是地方体制变化、环境变化，或者二者都产生变化的结果。这样一个系统，有足够的稳定性和承受力来克服适应过程中的困难。

10. **问题解决的充分性。**最后，任何的健康组织，即使像电脑那样在理论上没有丝毫纰漏，也会有问题、紧张、困难以及无效应对。问题不在于有没有问题出现，而是个体、群体、组织应对问题的态度。克里斯·阿吉里斯(Chris Argyris)指出，在有效系统里，解决问题使用的能量最小；问题处于解决的状态；问题解决的机制没有削弱而是保持或加强了。[1] 一个合适的组织，具有发展良好的结构程序，以觉察存在的问题，产生可能的解决方案，决定解决方案，执行解决方案并评价其有效性。

尽管迈尔在分析健康时使用的是组织理论的语言，但其中的基本观念也适合学校。任何学校的健康都在一个动态的交互作用的系统中运行，其特点是高度的相互依

〔1〕 Chris Argyris, *Integrating the Individual and the Organization*, New York: Wiley, 1964, cited in Miles, op. cit.

赖。如，明确的目标关注，依靠学校传达其目标的广度，以及允许成员对它们进行修改和重排。在另一个水平上，高层次的健康有助于学校的适应性，同时，学校的适应性又是促进学校健康必不可少的因素。

氛围和学习

一个重要的问题是，学校氛围在提高学习的机会方面起作用吗？苏姗·罗森霍尔茨(Susan Rosenholtz)提供了令人信服的证据说明有作用。她发现学校中工作关系的性质与学校的改进能力有很大的关系。她把"性质"定义为开放、信任、沟通以及支持的程度，这些都为教师们所共享。这些因素激励的不仅是学习，而且还有工作满意度和绩效。罗森霍尔茨把拥有这些特性的学校视为"学习丰富"，以区别于"学习贫乏"的学校。[1]

氛围关注学校内人与人之间的关系，因为它影响教师、管理者和督导者。氛围也影响了学生。例如，有一条重要的质询线把教师和督导者对于学生的设想与氛围的各个维度连接了起来。这个研究使用了唐纳德·威洛厄(Donald Willower)和其同伴首创的PCI量表(学生控制理念量表)。[2]这个量表测量的是从监管走向人性化的连续过程中，教师和督导者对学生的假想和态度。"监管型学校"倾向于严格的控制、关注秩序。在监管学校之中，学生不参与决策，并且被要求毫不怀疑地接受已作出的决定；此外，学生被视为无责任感、缺乏纪律、不值得信任且有问题倾向；其结果是，通过开发和使用惩罚的手段来加强控制学生。另一方面，"人性化学校"像一个共同体，把学生当作完全的成员，寻求他们的合作和互动。强调自律，学习可以通过获得学生认同而得以提升和加强。在人性化氛围的学校中，教师在一起工作时更可能与他人合作，士气更高，并更能享受到工作成就的乐趣；教师的社会交往也很多；在学校里找不到这些相互疏远的学生和视学校为战场的教师。韦恩·霍伊(Wayne Hoy)和詹姆斯·阿普尔贝里(James Appleberry)发现在监管氛围更浓的学校里，教师投入他们的工作明显地比较少，表现出精神不佳，或才智较少，更加冷淡疏远。[3]这些重要的发现指出了氛围与因素之间的关联，它能直接影响教学和认知的质量。

克莱蒙特研究生院的教育与改革研究所(Claremont Graduate School's Institute for Education and Transformation)的研究者指出，教师与学生间的关系以及其他的关系主题都是学校发展的重要影响点。研究者研究了两个小学、一个初中以及一个高中，分别调查了学生、教师以及其他人员，研究者认为数据有力地表明了"迄今为止所

---

[1] Susan Rosenholtz, *Teachers' Workplace: The Social Organization of Schools*, New York: Longman, 1989.

[2] Donald J. Willower, terry I. Eidell, and Wayne K. Hoy, *The School and Pupil Control Ideology*, Pennsylvania State University Studies no. 24. State College: Pennsylvania State University, 1967.

[3] Wayne K. Hoy and James B. Appleberry, "Teacher-Principal Relationships in 'Humanistic' and 'Custodial' Elementary Schools," *Journal of Experimental Education*, vol. 39, no. 2(1970), p. 27-31.

确定的学校教育存在的问题（低成就，较高的失学率以及教学职业中的问题）是由于更深层次、更基础的（关系）问题所引起的”。[1] 他们的结论是：对于变革学校的努力，无论多么合理，如果在很多关系上没有更好地变革，那么变革就不大可能取得成功。改善学校氛围、建立学校共同体可能会对这些问题有所帮助。这个重要研究结果总结在图 16-2 中。

对很多非常成功的学校所进行的研究都证实了氛围的重要性。如迈克尔·拉特(Michael Rutter)，巴巴拉·莫汉(Barbara Maughan)，彼德·莫蒂默(Peter Mortimer)，以及珍妮特·乌斯滕(Janet Ouston)在他们对 12 所伦敦中学进行的著名研究中发现，那些学校之间存在的重要氛围差异或多或少都是有效益的。[2] 这个案例中的效益被定义为在国家考试中取得好成绩、良好行为和更好的出勤率。在更有效益的学校中，教师工作更努力，对学习有更好的态度，在实际的教学中花费的时间更多，为学生赞扬得更多，更能让学生作为一个主动学习者参与教学。研究中很成功的学校，强调人种学技巧和文化的重要性，也会有类似的结果。[3]

最后，帕特里夏·阿什顿(Patricia Ashton)和罗德曼·韦伯(Rodman Webb)的工作提供了更多的实证。他们把教师效能、动机和承诺与教师行为、学生行为以及学生成绩联系起来，提供了进一步的证据。[4] 图 15-1 总结了他们的成果，由图可知，更有效的教师教出的学生就会更热情，更愿意主动与教师进行互动，并在数学与语言测试中有更高的分数。一个支持性的学校氛围对教师的效能感有重要作用。

学校氛围和团体行为

学校氛围的概念是一个集合体，是学校教工共同生活和工作时人际关系的总产物。团体的成员身份，对教师是重要的，团体中发展起来的规范影响着教师的观念和行为。从心理学的角度，团体的成员身份为教师提供了满足其众多需求的途径；从符号角度，团体给教师提供了能建构现实和寻求意义与价值的途径。这两个都是重要的条件，能让教师在工作中寻求满足，发挥所有潜能。艾米泰·艾茨奥尼(Amitai Etzioni)提出，教师作决策时，不是作为一个独立的个体，而是倾向于作为一个集体的成员。[5] 他们的教学偏好，他们对学校发展动机的可能反应，以至于他们怎样与督导

---

[1] Institute for Education and Transformation, *Voice from the Inside: A Report on Schooling from Inside the Classroom-Part I: Naming the Problem*, Claremont, Calif.: Claremont Graduate School, 1992, p. 11.

[2] Michael Rutter, Barbara Maughan, Peter Mortimer, and Janet Ouston, *Fifteen Thousand Hours: Secondary Schools and Their Effects on Children*, Cambridge, Mass: Harvard University Press, 1979.

[3] See, for example, Joan Lipsitz, *Successful Schools for Young Adolescents*, New Brunswick, N. J.: Transaction Books, 1984; Sara Lightfoot, *The Good High School*, New York: Basic Books, 1983.

[4] Patricia T. Ashton and Rodman B. Webb, *Making a Difference: Teachers' Sense of Efficacy and Student Achievement*, New York: Longman, 1986.

[5] Amitai Etzioni, *The Moral Dimension Toward a New Economics*, New York: Free Press, 1988.

者进行合作，这些都受到此类成员关系的影响。在相当大的程度上，改变个体就意味着改变群体。因为这个原因，把员工理解为一个工作团体是很重要的。此外，帮助成员成为有效的工作团体，不仅是督导者的一个重要目的，也是学校改进过程中的一个关键部分。

克莱蒙特的研究者得出了结论，认为学生的绩效低、失学率高、教学职业中的问题以及学校中的其他困难是更深层的、更基础的问题的结果，可以归为七个方面的主要问题，归纳如下。关系主题包含在每一个问题当中，因为关系是最为重要的。

1. **关系。**参加者认为学校中的危机与人际关系直接相关，提得最多的是教师与学生之间的关系。其中记录了学校当中许多实际的事情，包括那些对别人进行关心、倾听、理解、尊重，以及那些诚实、坦白、敏感的人的个人汇报。教师们汇报了他们在学校当中最美好的经历，他们与学生联系紧密并能够在某些方面帮助学生。他们还宣称，他们的白天时间太宝贵了，很少有时间来挑选出个别的学生。……有色人种的学生，特别是年龄较大的学生，经常说他们的老师既不喜欢也不理解他们。许多教师也说他们并不总是理解学生与自身所存在的民族差异。当学校的人际关系非常贫乏、恐惧，也即所说的受到暴力的威胁时，沮丧和无助感也同时存在。这一点是参与者特别强调的，它与其他主题材料的联系是如此之深，以至于人们认为这也许是解决学校危机的两个中心问题的一个。

2. **种族、文化和等级。**就像人际关系贯穿于其他主题一样，有一个主题也是如此，它就是种族、文化和等级。这一主题讨论得很多，但很少取得一致。许多有色学生和欧美混血儿感觉到学校从员工到课程都有种族主义偏见。许多学生怀疑教学内容的真正主旨……教师们被毫无道理地按照这类问题进行了划分。其中一部分教师认为学生对种族问题的看法是正确的，另外一些则不这么认为。……学生们对于了解其他人的文化有着强烈的兴趣，但是从学校和家庭当中却很少得到这方面的知识。

3. **价值。**在美国经常会有一些相关的讨论，表明有色人种或者是那些经济不发达地区的人们持有的基本价值观与其他人不同，这些差异导致了学校中和社会上的冲突。文化差异在表述中确实存在，或是有价值优越感，或是没有数据证据表明学校中有非常不同的基本价值观。我们的材料表明了所有民族和阶层的家长、教师、学生、职员以及管理人员的价值、渴望的教育、诚信、正直、美观、关心、正义、真理、勇气以及有意义的艰苦工作。参与者的写作和讨论中充斥着基本价值观的附注，但是，在课堂上很少花时间讨论这些问题，反对的声音仍然存在。在我们研究开始的时候，许多参加者假设其他的参加者会持不同的价值观。我们讨论得越多，这一假设就面临着越来越严重的挑战。学生们希望有一个成人网络(家长和教师)，可以和他们"就一些重要问题进行真正的讨论"，并且想和其他人进行价值观方面的探讨。

4. **教与学。**很多学生，特别是那些高于五年级的学生，经常宣称他们在学校中感到厌烦，看不到学校中所传授的内容与生活、未来有什么关联。教师们对指定的教学内容感到了压力，有时候甚至怀疑这对于学生来说是否恰当。教师们也经常对必须教授的课程感到厌烦。……来自所有群体的学生，不管是补习生还是学习优秀的学生，从高中到小学，都希望从家庭作业中体验到严肃性又能找到乐趣。他们表示非常热衷于一些学习体验，包括那些既复杂又能理解的，那些具有丰富的内涵又有争议性的价值，能够亲自行动的，以及那些可以有多种选择的体验。

5. **安全。**关系分离且不知道各自的差异性，与此相关的是安全问题。参与者以及家长当中很少有人认为学校是个安全的地方。这在初中和高中更是如此。教师、学生以及员工都非常惧怕人身暴力。学生们可以感受到毒品、歹徒成群以及随意性暴力的影响。学生们觉得在教室里最安全，在去学校或从学校回来的途中，在大量人群聚集的地方感觉最不安全。

续 图

6. **自然环境。**学生所需要的学校要有条理，漂亮，有空地，拥有丰富的资料和工具。首先要求学校空间要干净，给人以美的愉悦感，使人身体上感到很舒服。为学生所提供的食品一直招致批评，很多学生喜欢更具有家庭特征和文化的食品。缺少任何重要的个人空间，例如衣帽间，对学生来说都是有问题的，并且会使人有一种被贬低的感觉。许多学校令人沮丧的自然环境，特别是那些社会经济比较落后的地区，参与者认为这反映了社会没有把孩子及其教育放在一个优先地位。

7. **绝望、希望以及变革的程序。**许多参与者对学校感到非常失望，这在社会当中、在音乐中、在青年艺术当中都有所反映。有一点是自相矛盾的，即在对集体绝望之后，希望好像就出现了。参与者渴望改革并且愿意加入到他们认为比较适宜的变革当中去。我们有足够的迹象表明，学校内部的变革最好通过参与的方式来推动。在这些自动的研究过程当中，参与者坦率地探讨希望和梦想。通过这一过程，我们明白了存在着共同的价值观，围绕着这一点我们就可以设想一所更加理想的学校。

图 16-2 人际关系的重要性：研究总结

来源：Institute for Education and Transformation，*Voices from the inside: A Report of Schools from inside the Classroom - Part Ⅰ: Naming the Problem*，Claremont，Calif.：Claremont Graduate School，1992，p. 12-16.

督导者怎样判断员工团体有效工作所达到的程度呢？团体产出的种类和性质就是一个指标。团体想要完成什么以及达到什么程度？如果有成果，这个团体就是**有效率**的。但是用这种方法看待有效性，效率只是其中一个必不可少的组成部分。另一个组成部分是**成长。**一个有效的团体关心的不仅仅是完成它的任务，而且要发展其能力，以应对将会面临的更困难的新任务。许多学生已表现出对其效率给予最初的关注，却忽视其成长，这可能会造成产出的短期增长，但时间一长工作团体就失去了它的产出的锋芒。[1] 由于督导工作越来越多地置身于团体背景之中，有效督导与团体效率之间的关系就变得日益重要。例如包括大学同侪督导，临床督导，团队定位的成员发展计划，课程发展计划，团队、家庭或团体教学。

学校文化

督导Ⅱ寻求充分考虑什么事情对教师重要，什么事情与帮助教师更仔细地思考自己的实际工作有关。充分考虑意味着给予学校生活符号方面和心理方面的关注。

氛围是对学校生活的心理方面而言的，文化是对学校符号方面而言的。教师对工作的反应不仅是心理需要的结果，也是意义的创造者。因此，学习学校文化就是学习学校事务和相互作用是怎样意义化的过程。[2]“文化”可以被定义为群体成员

〔1〕 See, for example, RENSIS likert, *The Human Organization*, New York: McGraw-Hill, 1967; and Likert, *New Patterns of Management*. op. cit.

〔2〕 Linda Smicich, "Is the Concept of Culture a Paradigm for Understanding Ourselves?" in Peter J. Frost et al. (eds.), *Organizational Culture*, Benerly Hills, Calif.: Sage Publication, 1985, p. 55-72.

共享的一套协议和意义。通常这些含义被默认并且用于定义这里的团体，以区别于其他团体。[1]

共同体是文化的一种类型。共同体文化的价值观和共享的意义深置于心，引起人们强烈的忠诚感和情感。被理解为共同体的学校文化，用共享价值观的中心来定义当然是更为神圣。在理解文化时，爱德华·A. 希尔斯(Edward A. Shils)用"中央区"的概念来阐释共享价值观的重要性。

> 中央，或称之为中央区，是价值观和信仰领域中的一种现象。它是符号秩序、价值、信念的中心，它统治着社会……中央区有神圣的本性。在这个意义上每个社会有一个法定的"信仰"。……中央区也是行为领域中的一种现象。它是一种行为，能和个人的结构处于机构的网络之中。在这些角色中，处于中心位置的价值观和信念得到了体现和考虑。[2]

作为价值观的贮藏所，这些中心内容是个人认同、集体认同以及工作有意义的源泉。中心内容为普通的事件提供了一种目标感，让组织中的人类行为有了价值和尊严。

文化的层次

把学校文化至少考虑成四个层次是有帮助的。[3] 最明白的、最值得注意的一层是文化的人造方面，显示在人们的言语、行为以及事物的表象上。口头人造物包括我们使用的语言系统，讲述的故事以及用来解释某些重要观点的例子。行为人造物明显表现在学校和各种仪式以及其他的符号实践中。

学校文化的第二层是人们的观点。观点是指共享的准则和规范，是解决类似问题时存在的共性，人们如何界定他们面临的情况，以及人们能接受和不能接受的行为界限。

第三个层次是价值观。价值观给人们提供了一个基础，用以评价他们面临的情况，评价行为，活动，自己优先考虑的事，以及其他人行为的价值。价值观表现为教师

---

〔1〕 M. R. Louis, "Organization as Culture Bearing Milieux," in Louis Pondy et al. (eds.), *Organizational Symbolism*, Greenwich, Conn.: JAI, 1980, p. 76 - 92.

〔2〕 Edward A. Shils"Centre and Periphery," in *The Logic of Personal knowledge: Essays Presented to Michael Polanyi*, London: Routledge & Kegan Paul, 1961, p. 119.

〔3〕 The levels are from Craig C. Lundberg, "On the Feasibility of Cultural Intervention in Organizations," in Peter J. Frost et al., *Organizational Culture*, Beverly Hills, Calif.: Sage Publications, 1985. The four levels are based on the work of Schein and Dyer as follows: W. G. Dyer, Jr., *Patterns and Assumptions: The Keys to Understanding Organizational Culture*, Office of Naval Research Technical Report TR-0 NR-7; and Edgar H. Schein, *Organizational Culture and Leadership*, San Francisco: Jossey-Bass, 1985.

共享的惯例的方式，这种惯例可能存在于教育管理的平台和学校哲学的陈述之中。平台和哲学详见第五章。

第四层次是假设。假设比其余三个层次要抽象，因为它显然是含蓄的。克雷格·C. 伦德伯格(Craig C. Lundberg)把假设描述为“成员对自己、他人、自己与他人的关系，自己所在组织之性质所持有的无言的信仰。假设是前面三个层次的无意识的基础，即是说，暗含的抽象的原则决定了意义中更加明确的系统”。[1]

确认你学校中的文化

文化的四个层次为分析学校的历史、传统、信仰模式、规范和行为提供了一个框架。例如，下面的问题能帮助督导者确认和描述其学校文化的重要方面。

学校历史。学校是怎样延续到今天的？什么样的传统可以继续下去？掌故是怎样描述和转述的？学校历史中的哪些事被忽略了或遗忘了？在学生或教师中有英雄人物吗？他们的奇特行为或功绩还被记着吗？经过多年的重新解释后，学校的传统和历史事件是通过什么方式得以改变？例如，你能否想起一个历史事件从一个事实演化成为一个神话？

信仰。虽然没有明确表述，教师和其他人共享着怎么样的设想和理解？这些信仰可能与学校组织、教学任务的设置、教师与学生的角色、纪律、家长与学校的关系都有关。可能这类设想和理解有时以哲学或其他表述方式写在了某处。

价值观。你们学校重视什么样的事情？也就是说，当教师和校长们谈起学校时，他们的谈话中潜在着哪些主要的和重复出现的价值主题？

规范和标准。什么是教师、督导者和校长必须、应该做的，什么是不该做的？规范和标准可以通过测量得出哪些行为该受到奖励，哪些行为该受到惩罚。

行为方式。学校里占主导地位的做事、行为方式、习惯和仪式以什么样的方式被认可和重复出现？

科威斯·汉森(Corwith Hansen)指出，可以向教师询问下列问题来确定他们所在学校的文化：[2]描述你的工作日，不论是学校内，还是学校外。你的时间和精力花费在什么上面？假如大部分学生会忘掉他们所学过的知识，你希望你的学生经过一段时间后，还会保留从你的课堂上学的哪些东西？想想那些最能引起你注意的学生——那些你喜欢、重视或欣赏的学生，这些学生共同具有的特点是什么？你的学校或你的部门里的成功教师是什么样的？你会给新教师以什么样的建议？对以前的教职员工和学生，你能记得多少？如果要你为学校具有代表性的某些方面画一

---

〔1〕 Lundberg, op. cit, p. 172.

〔2〕 Corwith Hansen, “Department Culture in a High-Performing Secondary School.” Unpublished dissertation. New York: Columbia University, 1986.

幅图或拍一张照片或是做一张拼贴，它会是什么样子呢？怎样奖励学生？怎样奖励教师？新教师做了哪些事，可能立即给别人传递了一个信号，即知道他（她）将不会成功？

"学校文化目录：识别指导观念"在图 16－3 中所示，设计这个目录是为了帮助教职员工通过检查学校的观念结构，解决确认他们的文化的任务。依据教师的反应，一个学校的文化在总体上可以被分成从强到弱的连续区域。

从学校文化的讨论中，也许有理由得出这样的结论：文化和氛围的概念是相似的，但是它们仍在许多方面是独特的。前面我们讨论过 PCI 量表，用于确定监管学校和人性化学校。当考虑到教师对学生、纪律、控制的设想和信仰时，这两类学校是有差异的。在很多方面，氛围的 PCI 观念涉及到学校文化，表明了两个概念有共同之处。但是，氛围这个暗喻让人更多地考虑到学校的人际关系生活，而文化则让人想到学校生活的更深层，想到信仰和规范的缄默世界，想到意义和价值的范畴。

计划一个一个地改变教师

承认人性存在心理、符号两个方面就重新界定了如何引入变革的问题；怎样克服教师个体的抵触问题，就变成了更大的一个问题——怎样改变学校文化。一个有效的改变策略要同时关注两方面。

W. J. 雷丁（W. J. Reddin）把教师个体的忧虑划分成以下三大类：

1. 提议的变革将怎样影响个体？
2. 提议的变革将对人际关系有何影响？
3. 提议的变革会对个人的工作有何影响？[1]

他认为尽管这些提议是真正存在的，但是在赞成或反对一个变化时，它们并没有被作为正当理由加以考虑。因为这个原因，教师的忧虑经常没有得到重视。相反，谈到抵触，必须涉及到这类问题，像所提议的是否具有"教育意义"。

例如，有这样一个教师，她面临着要和别人结成一组而必须放弃在独立的教室里教学的安全性和自主性，在涉及到必须与他人商议教什么、怎么教、什么时候教等问题时，她可能会担心别人怎样看待她的教学，担心时间安排以及人际关系压力等。此外，她可能还考虑，这种新的教学安排，对她成为校长助理的可能性会起到增强作用还是减弱作用。但是在学校的正式角色扮演中，公开表述此类个人忧虑通常是得不到社会认可的。因此，教师不会去讲这些真实的问题，而只会抱怨：学生们容易感到团体教学没有个性，明晰的威信会变得模糊，纪律问题上升，学生会感到适应几种不同的教学方式是种负担。

〔1〕 W. J. Reddin, *Managerial Effectiveness*, New York: McGraw-Hill, 1970, p. 163.

在理解、评价和改变学校文化之前，首先要描述它。组成目录的问题列表能帮助教职员工描述自己学校的文化。这些问题大体上是根据杰里·帕特森(Jerry Patterson)、斯图尔特·C. 普凯(Stuart C. Purkey)在《一个非理性世界中的多产学校系统》(*Productive School Systems for a Nonrational World*)中出现的问题编制的。虽然以目录(清单)的形式列出，但在员工争论时这些问题会具有最大的意义。当个人及团队的等级从教师那里取得之后，要补充一些事例。为了帮助你熟悉目录项目，试着用下面的尺度评价你所熟悉的一所学校。

{总是如此(Always)　大部分时间是(Most of the time)　部分时间是(Part of the time)　绝不(Never)}

学校目标：

学校达到的程度：

1. 传达一套目标以提供方向感和评价的基础　A M P N
2. 对教师和学生理解这些目标的重要性是否重视　A M P N
3. 希望作出决定来反映目标　A M P N

举例：

授权：

学校达到的程度：

4. 重视授权给教师，让他们可以对所面临的环境作出合理的决策　A M P N
5. 要求决策反映学校的共享价值观，以这种方式将授权与目标联系起来　A M P N
6. 相信教师、督导者、管理者在获取信息和资料时应该有同等的通道　A M P N
7. 相信权力是一种扩展的实体，在共享时得到了提高　A M P N

举例：

作决策：

学校达到的程度：

8. 作出的决策应尽可能地向落实的点靠近　A M P N
9. 评价决策应该让那些直接受影响的人决定　A M P N
10. 应该让那些最内行的人作决策，考虑特定的环境或问题，忽视等级层次　A M P N

举例：

团体观念：

学校达到的程度

11. 重视"我们"作为学校主人翁精神和感受　A M P N
12. 把教师和其他的员工看作是股东和财产管理人　A M P N
13. 示范对学校成员进行帮助和发展的行为　A M P N

举例：

续 表

信任：	
学校达到的程度：	
14. 相信只要给予机会，教师就会为了学校的发展而做得更好	A M P N
15. 对教师作出明智决策的能力充满信心	A M P N
举例：	
质量：	
学校达到的程度：	
16. 对教师和学生高标准、高期望	A M P N
17. 对教师和学生抱以“能够做”的态度	A M P N
18. 重视一种共享的气氛，鼓励学校成员发展	A M P N
举例：	
认可：	
学校达到的程度：	
19. 注重认可那些寻求新环境和更好办法的师生	A M P N
20. 注重认可师生取得的成绩、成就	A M P N
举例：	
关心：	
学校达到的程度：	
21. 重视全校成员的福利和个人忧虑	A M P N
22. 在关注工作和教师职业发展的同时，发展个人兴趣	A M P N
举例：	
正直：	
学校达到的程度：	
23. 在言行上肯定诚实	A M P N
24. 对教师、学生和其他的学校成员采用单一标准的规范和期望	A M P N
25. 重视一贯性	A M P N
26. 示范最高的个人信念和道德信念	A M P N
举例：	

续 表

多样性：	
学校达到的程度：	
27. 重视个体哲学和个性差异	A M P N
28. 重视教学方法的差异性	A M P N
29. 针对学生的差异性，重视教学与学的方法的灵活性	A M P N
30. 把方式、方法的多样性与一般的学校目标和价值观相联系吗	A M P N
举例：	
纵向之和：________	

记分说明：对以上项目进行计分，选 A 计 4 分，选 M 计 3 分，选 P 计 2 分，选 N 计 1 分，然后将各项分数加起来得到总分。以下划分是判断学校职业文化强弱的一个粗略的参考：

110—120 分	强
90—110 分	中等强度
60—90 分	弱
60 分以下	很弱

图 16-3 学校文化目录：识别指导观念

来源：Adapted from Jerry Patterson, Stuart Purkey, and Jackson Parker, "Guiding Beliefs of Our School District", in *Productive School Systems for a Nonrational World*, Arlington, VA.: Association for Supervision and Curriculum Development, 1986, p. 50-51. Reprinted with permission of the Association for Supervision and Curriculum Development and Jerry Patterson, Stuart Purkey, and Jackson Parker.

毫不奇怪，这些更组织化的合理关注并不是真正存在于其自身，但它们却是教师个人关注的代理人。这是不幸的，因为当教师和个人关注和睦共处时，这些代理就会消失。健康氛围所具有的一个优点是，同事间的信任和开放水平达到了可以接受提出这些关注变革的"不正当"理由。

将雷丁的分类用到你自己的体验上，你就可以验证他的观点。例如，回想一个提出重大变革的场景。你对这个变革的最初反应是什么？不要考虑你对别人说了什么，而是更多回想你当时对变革的真实想法和感受。使用雷丁的表单，确定你最关心的问题：

关注自身

我晋升的可能性会发生怎样的变化？

我的薪水会怎么变？

我在这个公司的将来会有怎样的变化？

我对自己的看法会有怎样的变化？

我的正式权力会发生怎样的变化？

我以前的价值观会发生怎样的变化？

我预测未来的能力会发生怎样的变化？

我的地位会发生怎样的变化？

关心工作

我的工作量会发生怎样的变化？

我对工作的兴趣会发生怎样的变化？

我的工作的重要性会发生怎样的变化？

工作的挑战性会发生怎样的变化？

工作压力会发生怎样的变化？

对我的技能的要求会发生怎样的变化？

工作环境会发生怎样的变化？

工作时间会发生怎样的变化？

关心关系

我与同事的关系会发生怎样的变化？

我与上级的关系会发生怎样的变化？

我与下属的关系会发生怎样的变化？

我的家庭对于我的看法会发生怎样的变化？[1]

督导者若想使用雷丁的理论来解决变革中的抵触，就应该了解你所关心的以及你认为的重要程度。在拔河比赛中，督导者在一边拉而你在另一边拉，督导者应该试着改变你的观念。[2] 督导者会指出改变的益处，这些好处超过变革所能带来的不便，通过这种方法努力，尽可能地减少你的忧虑。让我们比方说，你最关心的两件事是你对院系的非正式影响和你将要增加的工作量，督导者可能尽力让你相信，团队提供了一个更好的竞争环境，使你的影响力上升。此外，督导者会帮助你展望到自己成为团队领导人，以此来打消你对工作负担增加的顾虑。这两个优势都能增大你最终成为助理校长的机会。换句话说，督导者通过提供诱惑或是削减对方的抵抗力，增加拔河比赛中自己这一边的拉力，来击败你的抵触力。

一些研究者用发展的眼光聚焦于“关注的问题”，寻求教师最初关心的和后来关心

[1] W. J. Reddin, *Managerial Effectiveness*, New York: McGraw-Hill, 1970, p. 163.

[2] In the parlance of social science this tug of war is called *force field theory and analysis*. See, for example, Kurt Lewin, *Field Theory in Social Science*, New York: Harper & Row, 1951.

的问题。他们的推理是，根据关注的水平，教师们很可能关注一些有限的问题，反对另外一些问题。然而，一个好的改变策略，会精心计算关注程度，注意恰当的反应。这项工作导致了变化的"基于关注的接受模型"的发展。这个模型用图表示了从知道计划变革，到准备去运作，到应用，最后把它作为每天工作程序中的一部分这一系列过程中教师在情感上的变化。这个模型提出了关注的七个连续出现的阶段，如下所示：〔1〕

1. 意识 我对它不感兴趣。
2. 信息方面 我想知道得多一些。
3. 个人方面 它的实施会对我有何影响？
4. 管理 我似乎花费了所有时间来准备材料。
5. 结果 是怎样影响到孩子的？
6. 合作 我关心我所做的与其他教师所做的之间的关系。
7. 重新聚焦 我有了一些主意，可以使工作做得更好。

模型的开发者并没有假定每一个教师都要从开始的意识到最后的重新聚焦而经历所有的阶段。他们也没有假设这些阶段互相排斥，在一个时间内只有一个阶段存在。相反，各阶段代表了在变革发生及采纳和运用时的总体发展类型。

一个典型的发展模式如下。在早期，教师很可能自我关注，中心点是更多地学习所提议的革新以及它将怎样影响他们个人。这与雷丁提出的分类系统没有什么不同。一旦教师有了这些关注，他们就准备集中面对可能发生的管理问题，因为他们要开始履行变革了。此后，教师的注意力转移到变革很可能给学生带来的影响上。一旦这个问题有了愉快的结果，教师的问题就变成是与其他教师的合作，努力去实行变革并提高它的效果。最后，因为教师是有差异的，他们会努力去适应变革，更好地去适应自己的独特环境。总之，研究者建议，对促进变革感兴趣的督导者应把基于关注的模型作为评价个体是否达到变革策略各水平的基准体系。

看起来很明白，人们抵触变革是因为自己的基本需要受到威胁。尽管教师们的需要各不相同，有四种似乎是相当普遍的。〔2〕

1. 明确的期望需要。大多数人需要其工作有效发挥作用的确切信息。人们想知道别人对自己的期望是什么，自己在整个系统中的作用、职责是什么，自己受到什么样的评价，自己与他们的关系将会怎样。变革打乱了这种角色确定和角色期望的平衡。

2. 确定未来的需要。与胜任联系紧密的是能够预测未来。人们对自己的工作生活需要有一些可靠性和确定性。变革带来了模糊和不确定，威胁到了人们对一个相对

---

〔1〕 See, for example, Gene E. Hall and Susan F. Loucks, "Teacher Concerns as a Basis for Facilitating Staff Development," *Teachers College Record*, vol. 80, no. 1, 1978; and Shirley M. Hord, William L. Rutherford, Leslie Huling-Austin and Gene E. Hall, *Taking Charge of Change*, Alexandria, Va: ASCD, 1977.

〔2〕 Laird W. Mealiea, "Learned Behavior: The Key to Understanding and Preventing Employee Resistance to Change," *Group and Organizational Studies*, vol. 3, no. 2 (1978), p. 211 - 223, as quoted in Thomas J. Sergiovanni, *The Principalship: A Reflective Practice Perspective*, 4th ed., Boston: Allyn & Bacon, 2001, p. 316.

稳定、平衡和可预测的工作环境的需要。

3. 社会交往的需要。大多数人重视并需要与他人交往的机会，这种交往帮助人们定义和构建他们的自我概念，降低他们在工作环境中体验到的焦虑和不安。人们通常认为变革会威胁到这些重要的社会交往行为的表现模式。

4. 控制工作环境和工作事件的需要。大多数人需要并寻求一个控制工作环境的合理程度。人们不想受系统控制而想成为原创者，对影响到自己工作生活的方面会作出自己的决定。当这种控制受到威胁或减弱时，其影响不仅是工作满意度降低，而且使意义丧失，造成人们的冷淡甚至疏远。

忽略这四个需要而进行的变革努力，不仅是无效的，还会引起严重的士气问题。

认真估算教师忧虑的程度，帮助教师，使其对变革感到安全、无虑，这都有助于克服对变革的抵触。但是当提议的变革与学校现有的规范体系相违背时，变革也会遇到阻力，一个强有力的变革策略同样要通过寻求建立新的工作规范来改变学校文化。虽然教师个体的心理需求很重要，但是到最后，变革学校还要落实在改变学校文化上。

关键的同事关系

我们现在都承认，改善同事关系有助于学校更好地变革。例如，苏姗·罗森霍尔茨(Susan Rosenholtz)的研究结果表明，同事关系与教师学习的数量和质量有密切关联。[1] 迈克尔·富兰(Michael Fullan)在其同事关系与学校发展研究中总结如下：

> 因为与他人的相互作用影响到一个人做什么，所以和其他教师的人际关系是一个关键变量。我们发展的变革理论明确指出学校同事关系的重要性。变革涉及到学习一些新事物，而人际关系是社会学习的重要基础。新的意义、新的行为、新的技能、新的观念在很大程度上依靠教师是作为一个独立个体进行工作(Gooddlad, 1984; Lortie, 1975; Sarason, 1982)还是相互交流思想、相互支持、交流对工作的积极感受(Little, 1982; Mortimore, et al., 1988; Rosenholtz, 1989)。教师工作关系的性质与工作的完成情况有很大的相关性，同事关系、公开交流、信任、支持和协助、职业学习、(反馈)结果、工作满意度以及工作士气各因素之间有高度相关性。[2]

---

〔1〕 Susan Rosenholtz, *Teachers' Workplace: The Social Organization of Schools*, New York: Longman, 1989.

〔2〕 Fullan with Stiegelbauer, *The New Meaning of Educational Change*, op. cit., p. 79. The Fullan cites are as follows: John Goodlad, *A Place Called School: Prospects for the Future*, New York: McGraw-Hill, 1984; Dan Lortie, *Schoolteacher: A Sociological Study*, Chicago: University of Chicago Press, 1975; Seymour sarason, *The Culture of the School and the Problem of change*, revised ed., Boston: Allyn & Bacon, 1982; Judith Warren Little, "Norms of Collegiality and Experimentation: Workplace conditions of School Success", *American Educational Research Journal*, vol. 19 (1982), p. 325 - 340; P. Mortimore, P. Sammons, L. Stoll, D. Lewis and R. Ecob, *School Matters: The Junior Years*, Sommerset, U. K.: Open books, 1988; and Rosenholtz, op. cit., 1989.

对于这个问题，最常引用的是朱迪思·沃伦(Judith Warren)的结论：

> 确保并彻底地取得学校改进的成绩，只有以下情况才最可能达到：
>
> 教师就教学实践经常地、持续地进行交谈，并不断提高具体性和准确性(这里的交谈有别于教师的特性和缺点、教师的社会生活、学生及他们家庭的不足之处以及社会对学校的不当要求)。通过这种交谈，教师建立了一种共同的语言，以适应复杂的教学，能够把一种实践及其优点与其他的教学实践区分开来……
>
> 教师经常被观察，并且得到有关他们教学的有益评论。这种观察和反馈可以为精确、具体地分享教学语言提供共同的指示对象，这使得关于教学的谈话很有用。
>
> 教师和管理者一起计划、设计、研究、评价和准备教学材料。最灵活的观察仍然是学院式的(“纯理论”)，但不是机械地根据它们来行动。通过对材料的共同工作，教师(和管理者)分担了相当多的长期改进所需要的发展责任，证实了他们对方法的最初理解，让自己和学生都能达到提高了的标准。
>
> 教师们在教学活动方面互帮互助。[1]

同事关系为学校氛围和学校文化这两个概念搭起了桥梁。同事关系不仅涉及到信任、开放、教职工间存在的良好感受，也涉及到使教师结为一体的规范体系。同事关系的联结作用是一个关键，但这在督导Ⅰ的政策和实践中被忽略了。

有一个问题，即同事关系经常与亲密无间相混淆。[2]“亲密无间”指的是教师之间友好的关系，其特点是忠诚、信任、轻松地交谈。它来自于社交群体中密切联系的关系发展。亲密无间经常被用于测量学校氛围。与此相反，“同事关系”指的是教师之间以及教师与校长之间高度合作的存在，其特点是相互尊重、共享工作价值观，合作以及有关教学和学习的具体交谈。当亲密无间的程度比较高时，学校会出现与社会规范相协调的一种强大的非正式文化。但是这些规范或许与学校目标不一致。相反，当同事关系水平较高时，学校将出现一种通过共享的工作规范联结在一起的强大的职业文化。这些规范与学校目标是一致的，促使人们致力于工作，提高绩效。我们相信亲密无间能促进同事关系的进展，但它本身还不够。

---

〔1〕 Judith Warren Little, “Norms of Collegiality and Experimentation: Workplace Conditions of School Success,” *American Educational Research Journal*, vol. 19, no. 3 (Fall 1982), p. 331.

〔2〕 Roland Barth, *Improving Schools from Within*, San Francisco: Jossey-Bass, 1990.

另一个问题是，当同事关系取得督导Ⅰ的预期效果时，它通常是设想的而非真正的同事关系，它是结构改变而非规范改变的结果，督导者通过改变结构，作为教练那样引入这类革新，提出团队教学来推动同事关系，在此过程中没有考虑学校的规范结构。因此，他们把同事关系的形式添加在一个不被大家接受的文化之上。当情况是这样时，互助实践是嫁接在现有学校文化之上的。[1] 安德鲁·哈格里夫斯(Andrew Hargreaves)对虚假的同事关系描述如下：

> 以一系列正规的、特定的官僚程序来提高对教师计划和协商结合的关注。这反映在对同侪训练、顾问教学、联合计划等提供特殊的空间、正式安排的会议、清晰的工作描述以及训练科目当中。这些构想是一种管理筹划设计，以使同事关系进入到学校中，这在以前几乎不存在。[2]

由管理引起的同事关系是真还是假，被接受的文化是一个关键因素。当它是真的时，同事关系源于人们在工作中的相互依赖以及共同工作的道德责任感。从文化的观点和共享的规范看，同事关系可以被视为专业品行的形式。当事实是这样的时候，一些特定义务的履行就要求教师互助，这些义务源于教师是学校共同体的成员和教学职业中的成员。

同事关系作为专业品行，由三个维度构成：由于同事关系的缘故而认为其为好人；与共同体的关联，使某人有权被视为同事，同时也有义务把他人视为同事；以相互尊重为特征的人际关系。[3] 前两个维度要通过健康的学校文化来加强，第三个由健康的学校氛围来加强。

辨别学校中同事关系的深厚程度的标准，也许就是在活动当中职员能否以一个团队的面貌走在一起。在大多数学校当中，教师只是参与自己的个人活动，督导也相应如此。但是在一个团体的活动中，教师们开始把自己视作是教学活动的一部分，随着这种活动意识的传播和加强，同事功能就可达到比一般情况更高的水平。[4]

督导者是关键

通过帮助教师对他们的实践作出反思，更多地了解自己在做什么、做的原因，尽力

---

〔1〕 Peter B. Grimmit, Olaf P. Rostad, and Blake Ford, "Supervision: A Transformational Perspective," in Carl Glickman (ed.), *Supervision in Transition*, 1992 Yearbook of the Association for Supervision and Curriculum Development. Alexandria, VA.: ASCD, 1992.

〔2〕 Andrew Hargreaves, "Contrived Collegiality and the Culture of Teaching." Annual Meeting of the Canadian Society for the Study of Education, Quebec City, 1989.

〔3〕 Thomas J. Sergiovanni, *Moral Leadership: Getting to the Heart of School Improvement*, San Francisco: Jossey-Bass, 1992.

〔4〕 Thomas J. Sergiovanni, "The Story of Community," in John Retallick, Barry Cocklin, and Kennece Coombe (eds.) *Learning Communities in Education*, London: Routledge, 1999, p. 9-25.

自我完善，与别人分享他们所知道的，努力提高他们的业务，这是督导者想要完成的中心目标。这个目标经常促使我们关注怎样给职员提供发展的方法以及怎样为教师提供帮助，让他们在课堂上受欢迎，有收益。它促使我们关心教师个人的才能和资源怎样才能让他人共享，评价过程怎样得以改善。这些督导目标和行为涉及到变革，在正常的环境中变革是困难的，除非条件适当。适当的条件，我们在本章中已讨论过，是那些教师所需要的心理方面和符号方面的支持，以及改善学校氛围和学校文化所需要的教材。不管督导者的意愿多么好，也不管督导者尽了多大的努力去试图改善学校中个人和集体的教学业务（实践），如果没有在最初就发展并培养正确的学校氛围和文化，改革就不会取得效果。氛围和文化受到管理策略的影响，更受到与教、学过程亲密接触的个人的影响。这是督导者的职责范围。因为这个原因，不论是正式指派的督导者还是非正式的督导者，都扮演着特别重要的角色。

第十七章 督导和学校复兴

在教师的心目中，督导者是监督员、政策制定者、评论家，但不会是人们所期望的能在学校中发起变革的人。传统上把督导者看为监督新政策或标准操作程序正确执行的人。在重建学校的讨论中，重点放在了国家立法部门和国家教育部门，它们通过立法进行主要变革；或者把重点放在学校教师身上，他们会参与到自主变革的努力当中去。在这两种情况下，督导者都不是主要的变革力量。由国家发起的教师评价项目，督导者被要求作为那些创意的履行者，但是在政策形成时他们没有发言权。

督导者如果要在学校复兴中扮演重要角色，他们就必须超越在既定环境中的传统工作角色，成为变革这个环境的领导人。督导的过程，不论是通过部门主席、校长助理，还是直接的督导者，其要求都不仅仅是根据标准行事。督导过程必须被看作是一个理智的过程，这个过程"重新设想"了学习情境，重新设想了课堂和学校的学习环境。当然，这种设想是在教师与管理者对实践问题的共同工作中完成的。督导者需要通过道德承诺，促使教师、学生和管理人员的行为超越技术表演和服务接纳，达到共同价值观和意义捆绑在一起的共同体行为。

致力于督导的人员对学校的复兴持有独特的观点。督导工作使督导者能够与许多教师、许多班级、许多不同群体的学生接触，这些学生在达到学习要求的方法上有显著的差异。督导者的视野比教师个体的视野要宽阔，因为督导者观察过许多教师，这些教师展现了不同的才能，在学校活动设计中展现了不同的方法；督导者看得更宽广，还因为他们在不同的管理和政策的制度水平间来回移动，因此比教师对整个学校有更好的判断。

此外，督导者与那些没有执行督导责任的学校管理人员相比，他们与班级的真实情况靠得更近，更清楚学生是热衷于还是抵制学习任务。与学校管理者讨论如何营造更加"用户友好"的环境时，督导者能作为学生和教师的代言人。简而言之，督导者的工作涉及到学校的所有方面，或者至少是大部分。

因为有机会与学校的各种人接触，督导者处于一个独特的位置上，可以明确地表达教与学的新视野，并在与学校人事部门的讨论中提出一个"超级视野"。有人可能会说督导者是学校潜在的主要反思型的从业者，除了要考虑到教师个体、教师群体（在部门或年级会议上），督导者也要在管理人员会议上考虑到学校管理者和人事行政部门的员工发展计划、课程的重新设置和资源配置问题。督导者位于一个理想的位置上，是一个理念的倡导者，是新思想的引入者，是帮助教师和管理者对其工作领域重新概念化的导航者。执行督导的人通常有两到三个额外的责任。有时督导在督导者的工作描述中是重要性最低的任务。然而，假如督导者重新定义督导工作，使其成为学校复兴的核心任务，并把督导变成他（她）工作的核心，这样也许能把其他的任务更好地进行整合。更具体地说，怎样才能使这个角色在现实中发挥作用？

督导领导的智力和道德维度

首先，督导者需要看到督导过程的领导可能性。把这种领导看成是学校的教育使命而不是一种行政活动，不是履行控制、记录和行政要求。督导者需要重视其工作的智力维度。督导者作为研究复杂的教与学、人类动机以及课程设置的专业人员，应当与其他教育专业人员共同商讨怎样使学校工作更有利于青年人。除了作为教学工作情况的诊断者，他们还应该诊断课程单元、学生的学习意愿、校内的学习环境，可能最重要的是，他们必须为共同体把脉，判断它什么时候有问题，怎样才能恢复健康。这就是智力工作。督导者与大多数人相比，可能处在一个更有利的位置上，可以对各部分的工作进行重新设想，使它们能更有效地啮合在一起。

督导者也要重视自己作为督导所具有的权威的道德基础，这种权威来自共同体所共有的价值观。当学校不是一个共同体而仅仅是法定组成的、给顾客提供服务的组织时——就像医院与病人，或汽车商店与轿车业主的关系——此时督导者的权威主要保持在法定和技术的水平上。当学校是一个共同体，青年人就会在早晨高高兴兴地来到这里；在去他们各自学校的时候，就不会像那些去医院的病人或是去汽车店的车主那样了。

作为学习共同体的学校，督导者的道德权威根植于学生和教师对他们的信任。他们相信，当自己致力于学校使命的高标准追求时，督导者会关心自己，会尊重每一个人的完整性。作为一个共同体，他们的共同使命是探索并了解他们的过去和现在，了解他们的自然和人文环境，这样他们就能通过自己的智力劳动来维持和加强它，就能了解自己和他们彼此间的相互责任，还能了解困难并完成共同自我管理的挑战。在这一使命下，教师致力于培养每一个学生的智力、社会性和个性发展。在这一使命下，督导者致力于支持和加强教师对学生的工作，并促进和增强制度的支持以利于共同体的学习任务。因此，人们对督导者有一种道德期望，期望他们对所设想的学校保持超级视野，期望他们能柔和地、用外交手段但又坚定地向各位老师、学生和管理者提起那个视野，希望他们与共同体的成员一起工作，增强共同体对使命的承诺。这暗示了在学校复兴中的一种本质上的道德领导。

从官僚主义转变为组织管理

督导领导的这种观点，一般认为它是在学校系统的当前等级、官僚主义管理下运行的。不同的城市和州已经尝试了一种更加分散的管理，就像大家所知道的结构重组、现场管理和参与决策。集权的官僚管理仍然给权威提供了巨大的保护伞，但是当决策涉及到实际的教、学过程时，教师有很大的发言权。

越来越明显的是，教学是在多变的课堂背景下的一项复杂的技术工作。同样明显的是，教师应当有其自主权，以决定在一个特定环境中做什么是最好的，而不只是对与指定的上下文无关的统一、简易的官僚政策和规定作回应。换句话说，为了让那些有专业技术的人在学校教育中能够对波动的、不可预测的情境作出回应并作出实际的决策，学校要朝着管理的组织化过程前进。组织化管理开始取代某些官僚、等级管理。通过标准操作程序和输入输出的统一测量来控制教学过程的普遍的、集权的官僚权威将被取代。替代这种权威的小群体的专业权威出现在学校之中，专业团体决定了怎样做才能够最好地促进学习。

学校系统的中心事务管理会继续运作，但是可能会减少中心事务管理会的督导人员和计划领导者。随着越来越多的权力下放到地方学校，更多的资源分配权落在各个学校身上。各种中心事务管理会功能仍然会保留，特别是那些提供经济尺度的功能。另一方面，由于国家立法机关加大力度支持每个州的教育，国家教育部门会保持相当大的规模，并有可能会增加。

我们承认大多数学校系统在组织管理上有一条很长的路要走，但目前假定这种管理学校的方法将会成为大多数学校系统中的主要力量。在这种重新设计的学校中，有督导者的一席之地吗？结论是我们真的不知道。但是我们能推测，督导者在重新设计的学校里，将以一种与今天迥然不同的面貌出现。督导者的作用更多地表现在其策略能力方面，他可以是网络工作的促进者，是解决问题的人，是教师进行头脑风暴式讨论后，受教师指派来处理一些探索性的重新设计的人，如课程、学习空间或一系列全面的学生行为评定等。

某些迹象表明，即使那些对现场管理有丰富经验的教师也会发现：花费在计划和协调会议上的时间是一个沉重的负担，会分散他们的教学责任。教师发现分享工作资源是有价值的，但他们也缺乏热情将这样多的时间花费在管理程序上。督导者在减轻教师此类负担时可以发挥某些作用。

教师间不同的职位区别已经得到加强，诸如教师中的领队、骨干教师及辅导教师。这些位置的许多工作涉及到训练或指导刚参加工作的新教师、设计员工发展计划、与试用期教师一起工作。换句话说，一些教师已在很大程度上离开了与教育事务和职业发展相关的课堂责任。这些教师做的似乎与督导者做的许多事一样，除了没被视为管理部门的一员——至少现在如此。

在当前更为传统组织的学校及学校体系与将来重新设计的学校及学校体系之间，有许多事情是督导领导者能够做的。当学校努力进行转变时，督导者能对管理者和教师之间的不一致和误解进行仲裁。当两个团体摸索向前重新界定它们各自在学校内的权威时，督导者能充当中间人或调解人，把两者的注意力引向他们所追求的高于一切的任务，那就是青年人的教育。因为共同体经历了让角色和责任重新结盟的努力，督导者能够成为它主要的发言人。

在学校革新的努力之中，督导者也肩负着另外一项极重要的任务，它涉及到要更加留意共同体中的一个重要部分，那就是曾经在全国一阵风似的学校革新中被忽略的——学生。在大多数关于允许教师自主权可远远超过教学事务的讨论中，似乎暗示了要把自主权运用在当前所建构的课堂和学校当中，而不是对这类结构是否妨碍了学生提出质疑。

很少有人会问：当前构建的学校学习环境是否有激励性、灵活性和支持性？学生是否了解他们所做的事情，而不顾空间、时间表和课程单元那些限制他们学习潜力的东西？而且，很少有人会分析在学校内大多数学生在与成人的关系中所处的被动地位。他们被告知做什么，什么时候做，怎么做以及明确什么不能做。他们很少遇到对他们的想法、梦想、他们的恐惧感兴趣的老师。学生在校内遇到的大多数成人都努力让青年人关注他们的课程，却很少关心课程是否与青年人的生活经历有丝毫联系。

在传统上，督导者有责任与教师一起提高他们的教学，当然在预设的目标下，也提高学生的学习。在这种传统的督导观念下，督导者与教师几乎没有讨论过学生在逐步完成学习任务时的思想状态。似乎通过更加清晰地呈现学科内容，或者运用多样化的表现手段，或者把班级分成工作小组，已经被纳入群体思想中的学生学习就会自动提高。只要教师教导正确，坐在那里等待启蒙的群体思想就会吸取到新的知识。

然而，越详细的学习表现也越复杂，显示出个体化过程在很大程度上受学生情感状态的影响——他们的自我形象、自我效能感、对未来的控制、个人的生活史以及与字词、形象影响相关的残留物——通过这些显示出智力更加绝对的特性。这样，学习就是一种与情境高度相关的事件。学生带到课堂上或学习活动中的状态与情绪，被认为是课堂之外的，却在很大程度上决定了学习的质量。因此督导者和教师都必须更加关注青年人在面临学习任务时的思想框架，并尽力处理好这个抑制学生进入学习活动准备状态的思想框架特征。显然，在群体学习和群体活动的设置中，我们不可能在学校内的每一个时刻都完全意识到每一个学生的思想框架。但是，在教育者对学习环境有一些控制的范围内，他们能够把环境中对学生的感受和自我形象有消极作用的特征移开。

在这里，督导者可能会扮演主要的角色。如果督导者把学校看成需要成为一个共同体，使学生成长最大化并最大化地发挥教师的潜能以促进那种成长，那么督导者就能把促进共同体作为他(她)督导的核心。在一个促进共同体的学校环境中，青年人更有可能感受到关怀和尊重。在一个学习共同体的环境中，学生更有可能受邀与教师一起探讨主题，而不是体验一些理论作品，就像某种东西漠不关心地压在他们身上，并且完不成任务就会有可怕的结果。在学习共同体中，学生的问题更有可能得到敏感的倾听和诚恳的回答。在学习团体中，知识更容易被看作是共同体珍贵的遗产，而非个体在竞争中为获取稀有的奖励所进行的个人积累。换句话说，学习共同体的环境将影响学生面临学习任务时的状态和情绪。在学习共同体的背景下，督导者能真正地同教师一起工作，探索更好的方式让学生加入这样或那样的学习小组中，但是教学草案的中心点仍然要关注学生的思想框架。

学校革新的第一次浪潮集中在控制机制上：发布一些官僚主义的命令，如更多的课程，更长的校内时间，更严格的考试，执行不提升政策。学校革新的第二次浪潮强调提高教师的责任以提高教学，强调教师职业的专业性，给予教师更多的自主权和影响教、学过程的决策权威，但是很少提及提高学生致力于学习任务的需要。可以确定的是，在文献中记载着有关校长一直告诫学生们要提高自己的成绩，关注自己的学业任务的情况。但是这些努力仅仅是外部的控制装置，与成绩、班级等级、提升和毕业标准联系在一起。这些与“把某些东西学好”的内部价值无关；与学生所学的，他们对于自身的理解，以及他们所在的世界无关；与他们必须理解世界的令人敬畏的集体责任感无关，尽管他们的未来与之息息相关；没有与他人一起探索世界的激动，无法在人文与科学中接触到人类精神的翱翔。简而言之，没有学习的超级视野，也就没有学习共同体的超级视野。

除非是更多地关注培养学习者积极的思想框架，否则各种学校复兴的努力目标都会夭折。督导者和教师的共同工作，可以把学习环境转变成一个更加“用户友好”的环境，转变成关注沟通、尊重每一个学生的环境，转变成支持学习者共同体的环境。这仍然是督导领导者首要的智力和道德挑战。这是本书所有章节围绕的中心：关注氛围和文化，动机和平台，课程和评估，临床督导，反思实践，员工发展。

这些关注都影响到学习共同体在追求学校教育的超级视野时，怎样管理它的事务。如果督导者没有消极地待在一旁观看学校革新的奇观，而是在学校复兴中扮演着重要的角色，那么在促进学校成为真正的学习者共同体这一超级视野时，必定会带来智力和道德的挑战。

词汇表

A

Accountability 责任
Achievement levels 成就水平
Action research 行动研究
Active learning 主动学习
Active producer of knowledge 主动的知识生产者
Anticipatory activities 预期行为
Application intents 应用意向
Artifacts analysis 遗留物分析
Artistic approaches 艺术方法
Assessment 评估
Association for Supervision and Curriculum Development 督导和课程发展协会
Assumptions 假设
Authenticity 真实性
Authentic learning 真实的学习
Authentic pedagogy 真实的教学方法
Authority 权威
Authority functional 权威功能
Autonomous individual 自主性个体

B

Basic Competency Platform 基本能力平台
Behavioral artifacts 行为人造物
Boslter 支撑
Bottom-line 底线
Bureaucratic aspects of supervision 督导的行政特征
Bureaucratic authority 行政权力

C

Caring communities 体贴的共同体
Character 特性、特征
Climate，school 氛围，学校
Clinical supervision 临床督导
Cognitive science research 认知科学研究
Coherence 一致性

词 汇 表

Collaborative learning 合作学习
Collective individualism 集体利己主义
Collective participation 集体参与
Collegial Value 同事价值观
Common school 普通学校
Community 团体、社会、共同体
Competence 能力
Conation 意动
Connoisseurship and criticism 鉴赏能力与评论
Consensual validation standard 一致性标准
Consistency theory and research 一致性理论及研究
Construction 建设、建构
Constructivist learning theory and research 建构主义学习理论及研究
Content knowledge 知识内容
Content standards 内容标准
Continuous learning 持续学习
Conversational communities 对话的共同体
Cooperative action research 合作行为研究
Criteria 标准
Criterion-references teacher evaluation 教师评价的参考标准
Curriculum matrix 课程内容矩阵
Curriculum-as-learned 学习的课程
Curriculum-as-planned 计划好的课程
Curriculum-as-taught 教授的课程
Curriculum-as-tested 测验的课程
Curriculum theory and research 课程理论和研究
Cycle of supervision 督导循环

D

Decentralized management 分散管理
Definition 定义
Democratic socialization platform 民主的社会化平台
Differentiated system 区分体系
Dimensions of understanding 理解的维度
Direct reading in struction play 直接阅读指导计划
Disclosure models 揭示模式
Dissonance reduction 降低不协调

Diverse communities 多元的共同体

E

Ecological Platform 生态学平台
Educational platforms 教育平台
Educational Testing Service(ETS) 教育测试服务
Effectiveness 效力
Efficacy 功效
Eighty/twenty quality rule 80/20 质量原则
Empowerment 授权
Engagement 参与
Espoused theory 信奉理论
Evaluation-oriented approach 评价定向的方法
Evaluation portfolio 评价公文包
Exclusion of material 材料的排斥性

F

Failure 失败
Family values 家庭价值观
Feedback 反馈
Fett-tipped research 标签研究
Follow-up activities 接下来的活动
Formative evaluation 形成性评价
Form-referenced teacher evaluation 教师评价参考表
Framework for teaching 教学框架
Front-end planning 首要计划
Front-loading activities 前面的活动

G

General school leadership 学校总体领导
Graphic organizers 图示结构
Group approach to platform development 发展教育平台的团队方法

I

Identity politics 身份政治

词　汇　表

Images of supervision　督导形象
Immorality　不道德
Improvement　进步，改善
Inbuilding resource center　内部资源中心
Independent learners　独立的学习者
Individual approach of platform development　平台发展的个人运用
Individualism　个人主义
Informal assessment　非正式评估
Informal approaches　非正式方法
Informal supervision　非正式督导
Inquiry-based supervision　探究式督导
Intermediate approaches　中间型的方法
In-service programs and activities　在职项目或活动
Instructional leadership　教学领导地位
Integrative units　一体化单元
Interdisciplinary learning　跨学科学习
Interpersonal themes　人际主题
Interscholastic competitions　学校内部竞争
Isolated individual　孤独的个体

J

Jigsaw　拼图法
Job enrichment research　工作丰富化研究
Johari window　哈里窗

K

Kantian principles　康德定律
Knock-your-socks-off service　脱袜式服务
Knowledge of subject matter　知识主题

L

Leadership　领导
Learner　学习者
Learning　学习
Learning-attack strategies　学习击中策略
Learning activity　学习活动

Learning exercise... ……学习活动的实践
Learning motivation 学习动机
Learning to teach 为教而学
Life skills 生活技能

M

Maslow's theory 马斯洛理论
Measurement-oriented evaluation systems 测量定向的评价系统
Mentoring 顾问指导
Metacognition 元认知
Metacurriculum 元认知课程
Moral action... ……道德行为
Moral authority 道德权威
Moral dimensions 道德的维度
Motivation 动机
Multicultural components 多元文化成分

N

National Board for Professional Teaching Standards 国家职业教学标准委员会
National Education Association... ……国家教育委员会
Neoscientific management 非科学管理
Nested learning communities 相嵌型学习共同体
Noninstitutional neutral ground 非制度性的中立场所
Normative changes 规范变革

O

Opportunities in the supervision process 督导过程中的机会
Options 选择
Organic management 组织管理
Origins 原创者
Overarching framework 拱形结构
Ownership 所有权

P

Participatory lesson 参与性课程

词 汇 表

Participatory supervision 参与性督导
Patterned rationality 合理化模式
Pawns 质押者
Pedagogy 教学法
Performance expectations 表现预期
Performance motivation 行为动机
Performance standards 行为标准
Personal authority 个人权威
Personally-referenced teacher evaluation 教师评价的个人参考
Picturing model 图示
Planning 计划
Platforms 平台
Policy initiatives 政策主动性
Political influence on supervision 对督导的政治性影响
Post-observation reflections 观察后的反思
PRAXIS series PRAXIS 系列
Principal's leadership 校长领导权
Prior experiences 先前经验
Professional 专业化、职业化
Professional authority 专业权威
Professional communities 专业化的共同体
Professional development 专业发展、职业发展
Professional Development Laboratory (PDL) 职业发展实验室
Professional practice 专业实践
Professional virtue 职业道德
Professionalism 职业、专业
Progress 进步、前进
Protocol 规约、议定书
Psychological authority 心理学专家/权威
Psychological fulfillment 心理上的实现
Pupil Control ideology (PCI) scale 学生意识控制量表

Q

Quality 性质、特性
Quality control 质量控制

R

Rationalistic bias 理性偏颇
Real-life situations 现实生活情境
Reference points 参考要点
Referential adequacy standard 参考充分性标准
Reflective assessment 反思性的评价
Reflective community 反思的共同体
Reflective learning 反思性学习
Reflective practice of teaching 教学的反思性实践
Reflective practice of the student 学生的反思性实践
Reflective practice of the teacher 教师的反思性实践
Rehearsal of the learning activity 学习活动的演练
"Reimagining" of the learning situation 重新设想学习情境
Renewal 改革、更新
Research in academic 学术研究
Resiliency 弹力、恢复
Responsibility 责任
Responsible communities 负责的共同体
Restructuring agenda 重建议程
Revisionists 修正主义者

S

Satisfaction and achievement link 满意和成就联系
Scholarship 奖学金
School climate 学校氛围
School culture 学校文化
Scientific management supervision 科学管理督导
Self-assessment 自我评估
Self-directed supervision 自引式督导
Small group activities 小团队活动
Social conflict 社会冲突
Social relationships 社会关系
Socialization 社会化
Socratic belief 苏格拉底信念
Standardized criterion-referenced testing 标准化的标准参考测试
Structural changes 结构变化

词　汇　表

Structural collaboration standard　结构协作标准
Student academic achievement　学生学业成就
Student learning　学生学习
Summative evaluation　总结性评价
Supervisor's Platform　督导的平台

T

Teaching for understanding　理解课程内容的教学
Teaching to learn　为学而教
Technical rationality　技术理性
Technical-rational authority　技术理性权威
Technological tools　技术工具
Template use　使用模板
Traditional scientific management　传统科学管理
Theory in use　应用理论

U

Understanding by Design　通过设计的理解
Urban Teacher Platform　城里教师平台

V

Verbal artifacts　口头人造物
Videotaping　录制，……的录像
Vision, educational　教育远见
Vulnerability of the student　学生的薄弱点

W

Western Electric Hawthorne plate　西方电器公司霍桑工厂
Win-lose situations　成败的情形
Wisconsin Center for Educational Research　威斯康星教育研究中心

Z

Zero tolerance policies...　……零容忍政策

译后记

看着电脑中的文本，这本《教育督导：重新界定》（中译本）终于完稿了，想着它即将与大家见面，心里充满了喜悦。

教育督导是国家对教育工作实施有效管理的重要手段，是教育管理体系的重要组成部分。加强教育督导工作对于发展教育事业，有着极其重要的意义。虽然我们国家的教育督导历史比较长，但是以督导命名的书并不是很多，理论体系也不是很完整。因此，借鉴西方的教育督导不失为一个明智之举，而西方的教育督导则大多来源于美国。怀着这种目的，朱永新教授亲自组织人员对国外的相关书籍进行遴选，最后选中了这本《教育督导：重新界定》，应该说是独具慧眼。

本书于1971年在美国出版第一版，至2002年已经出版至第七版。在30多年的发展历程中，作者根据环境的变化和形势的发展，不断地对其进行修正。正如本书作者在序言中所说的，本书不像其他书一样有固定的结论，“本书拒绝结束”。因此这本书是一本针对性很强的书，解答了教育督导中的很多时代性问题。本书分为十七章，对教育督导的理论基础、督导平台、教学与学习、督导评价等各个方面分别进行了详细阐述。通常，督导者在人们的心目中，只是起到监督和指导作用，只是标准和政策的执行者，并不是学校主要的变革力量。而在本书当中，作者对此却并不认同。作者认为，督导者不同于一般的教师，也不同于普通的学校管理人员，而是处在一个独特的位置，具有“超级视野”。为此，督导者在学校的重建过程中扮演着重要的角色，超越了传统的工作职能，能把教与学联结为一个整体，是变革环境的领导者。督导过程是一个对课堂和学习环境重新创设的过程，这一过程通过督导者促使教师、学生和管理人员的行为，形成具有共同价值观和意义的团体。在这个团体中，督导者的权威来源于学生和教师的信任，他们的共同使命是了解他们的过去和现在，了解自然和人文环境，加强彼此之间的责任，互相帮助，互相激励，从而达到共同的自我管理。在这一过程当中，教师之间互教互学，目的不仅在于改进教学，而且强调了教师对工作环境和工作本身的满意度。此外，作者还不失时机地穿插了很多实例，使本书既有理论的深度，又非常生动形象。

正因为本书有这些特点，它已被很多大学所选用。应该说，本书中所强调的很多重点，都是我们国家的督导所缺乏的，当然也是应该学习和借鉴的。我们这次是根据第七版翻译的。开始的时候我们选择的是1998年的第六版，在已经翻译了一半的情况之下，我们又得到了第七版。为了能给大家介绍最新的理论动态和发展趋势，我们根据第七版进行了重译。

本书由朱永新教授策划，王明洲主译，朱永新教授审校。在翻译的过程中，得到了李稚琳、杨洪涛、钱晶、周文莉的大力支持和帮助。在此向他们表示深深的谢意！各章的主要译者为：第一至二章（王明洲）、第三至四章（周文莉、王明洲）、第五至七章（钱晶、王明洲）、第八章（王明洲）、第九章（李稚琳）、第十章（王明洲）、第十一章（杨洪涛）、第十二章（王明洲）、第十三至十四章（杨洪涛）、第十五至十七章（李稚琳）。

本书的翻译和出版得到了江苏教育出版社的大力支持，编辑为本书付梓花费了很多时间和精力。在此，一并向他们表示感谢。

由于译者水平有限，加之时间比较仓促，因此，不免有不当和疏漏之处，恳请各位专家、学者及广大读者批评指正。

译　者

2004年6月